הלכה

ArtScroll Halachah Series®

the shabbos

Published by

Mesorah Publications, ltd

הלכות שבת במטבח
זכרון אברהם אלחנן

kitchen

*A comprehensive halachic
guide to the preparation
of food and other
kitchen activities on
Shabbos or Yom Tov*

by Rabbi Simcha Bunim Cohen

FIRST EDITION
First Impression . . . November, 1991
SECOND EDITION
First Impression . . . January, 1992

Published and Distributed by
MESORAH PUBLICATIONS, Ltd.
Brooklyn, New York 11232

Distributed in Israel by
MESORAH MAFITZIM / J. GROSSMAN
Rechov Harav Uziel 117
Jerusalem, Israel

Distributed in Australia & New Zealand by
GOLD'S BOOK & GIFT CO.
36 William Street
Balaclava 3183, Vic., Australia

Distributed in Europe by
J. LEHMANN HEBREW BOOKSELLERS
20 Cambridge Terrace
Gateshead, Tyne and Wear
England NE8 1RP

Distributed in South Africa by
KOLLEL BOOKSHOP
22 Muller Street
Yeoville 2198, South Africa

ARTSCROLL HALACHAH SERIES®
THE SHABBOS KITCHEN
© *Copyright 1991, by* Rabbi S. B. Cohen, Lakewood, N.J.

ISBN
0-89906-882-0 (hard cover)
0-89906-883-9 (paperback)

Please address any questions or comments
regarding this book to the author:

Rabbi Simcha B. Cohen
37 5th Street
Lakewood, N.J. 08701

Typography by Compuscribe at ArtScroll Studios, Ltd.

Printed in the United States of America by Noble Book Press
Bound by Sefercraft, Quality Bookbinders, Ltd. Brooklyn, N.Y.

לז"נ

In memory of our beloved father, grandfather
and great grandfather
Joseph Seltzer
1903-1990
Dedicated by
Dr. and Mrs. Sol Seltzer and family
Dr. and Mrs. Marvin Seltzer and family
ת.נ.צ.ב.ה.

* * *

לזכר נשמת

זקני מו"ה **יעקב** ב"ר **צבי** ז"ל **הערצקא**
י"ז אדר א' תשכ"ב

זקנתי מרת **דבורה** בת ר' **מאיר** ע"ה
כ"ט אלול תשמ"ב

זקני מו"ה **מנחם מענדל** בן הג"ר **אליעזר** ז"ל **צוקער**
וזקנתי מרת **חנה** בת ר' **שלמה** ע"ה
נהרגו על קידוש השם ‏- ח' סיון תש"ד הי"ד

חמי זקיני מו"ה **בן ציון אליהו** ב"ר **יוסף** ז"ל **פרוכטהענדלער**
כ"ו תמוז תשכ"ז

חמי זקיני מו"ה **אליהו פנחס** ב"ר **שמחה** ז"ל **קליין**
י"א מרחשון תשמ"ט

אחותי מרת **אלטע חיה שרה** ע"ה
בת אבי מורי מו"ה **פנחס** שליט"א
הלכה לעולמה ח' אדר תשל"ט

ת.נ.צ.ב.ה.

הונצח ע"י
אליעזר שלמה הערצקא

* * *

לע"נ האשה תרצה גיטל בת ר' מנחם ע"ה לאמפערט
נלב"ע כ"ה אלול תשנ"א
ת.נ.צ.ב.ה.
הונצח ע"י משפחתה

הסכמת הגאון הצדיק המפורסם פאר דורינו
ר׳ אביגדור הכהן מיללער שליט״א

ב״ה

הננו לקדים פני הפוסק המפורסם הרב שמחה בונם כהן בברכה על הופעת ספרו החדש שהוא כמים חיים על נפש עייפה בהוראת הלכה למעשה בהרבה ענינים אשר עם ה׳ צריכים לדעת יום יום. והוא מסביר את הכל בשפה ברורה ובטוב טעם להשביע נפש שוקקה לדבר ה׳ זו הלכה. יושר חיליה ויפוצו מעונותיו אל כל ישראל לעולם.

נאום,

אביגדור הכהן מיללער

We welcome the new volume by the renowned *Posek*— authority Rabbi Simcha Bunim Cohen, whose works on practical Halachah matters have been enthusiastically received by the Torah-world. His lucid and necessary Torah-guidance renders every one of his works a treasure.

Rabbi Avigdor Miller

ישיבת "תורה־אור" בעיה"ק ירושלים

בנשיאות מרן הרב הגאון רבי חיים פנחס שיינברג שליט"א

·TORAH – ORE· SEMINARY

THE AMERICAN SEMINARY IN ISRAEL

Kiryat Mattersdorf – קרית מטרסדורף

Tel. 523049 טלפון ✱ P.O.B. 15008 .ת.ד

JERUSALEM, 91150 ISRAEL

הנה בשנים האחרונות בהיותי בא לארה"ב לחג הפסח, בא לפני האברך כמדרשו הרה"ג ר' שמחה בונם קאהן שליט"א בן לידידי הגאון ר' משה קאהן שליט"א, ונשאתי עמו בתדירות ובתכיפות בהלכה בהרבה מקצועות בתורה להרבה זמן, ונרשמתי מאד מאותן שעות נעלות דשעשועי אורייתא, ומצאתי שידיו רב לו בהרבה מקצועות התורה ובעזרת השם הוא בעל הוראה מובהק ואשרי חלקו שזכה לכך.

והנה בא לפני הרב הנ"ל שליט"א ובידו קונטרסים של ספרו על הלכות שבת שנוגע למטבח עם ביאור ארוך ורחב בבקיאות רב ועצום כאחד הלומדים ובעלי הוראה היותר מפורסמים ובקש ממני הסכמה ואף שאין זה מגדרי לבאו בהסכמות מטעם הכמוס עמדי, אולם לא אמנע מלהביע בשער בת רבים את רוב גובריה וחילה של הרה"ג המחבר שליט"א לנחות בעומקה של הלכה ולאסוקי שמעתתא אליבא דהלכתה. ובזה אתי ברכה לכבוד תורתו שכה יוסיף חיל ואמיץ להמשיך בדרכו הסלולה בבירור עניני הלכה ויתברך מאת אדון כל בבריות גופא ונהורא מעלא וכל טוב אמן סלה וע"ז באתי על החתום.

חיים פינחס שיינברג

American Office: 1495 Coney Island Ave ✱ Brooklyn N. Y. 11230 ✱ Tel. Ch 2-5884

RABBI M. STERN
RABBI OF CONG. K'HAL YESODE HATORAH
FORMERLY CHIEF RABBI OF DEBRECEN
1514 – 49TH STREET
BROOKLYN, N. Y. 11219
851-5193

משה שטערן
אב"ד דעברעצין ונייהייזל יצ"ו
בעהמ"ח שו"ת באר משה ח"ח
בלאאמו"ר הרא"ש, בעמ"ח ספרי גפי אש ומליצי אש וש"ס
ברוקלין יע"א

בעזהי"ת

מתוך חדות הנפש ולב שמח כתב שורות אלו להעיד על חי' תורה בעניני ל"ט אבות מלאכות המסובבין וצריכין עיון רב והגון שהגיש לפני מע"כ ידידינו הרב הגאון המפולא ומופלג בהפלגת חכמים ונבונים חריף ובקי טובא ירא וחרד לדבר ה' מו"ה שמחה בונם הכהן קאהן שליט"א. ועיינתי בארכו ורחבו וישרו בעיני מאוד ונתקיים בי' דרשת חז"ל על ושננתם שיהא דבר תורה שנונים בפיך בלא גומגום. ואשרי לו ואשרי חלקו שזכה לכך ומדזכה לנפשי' רוצה לזכות גם אחרים ולהעלותן על מכבשי הדפוס שיהי' מצוים בבתי מדרשים ובבתי תלמידי חכמים לפי שהשאלות מציון מאוד מאוד כי בעזרת השם מדקדקין בהן הרבה הרבה כי ידוע לי מהשאלות העולת למעלה ראש וצלח ורכב על דבר אמת. ונזכה כלנו ביחד לקבל פני משיח צדקינו בב"א כיה"ר.

ועי"ז בעה"ח אור ליום ד' לס' חיי שרה שנת תשנ"ב

פה ברוקלין.

משה שטערן
אבד"ק דעברעצין יצ"ו

ישיבה דפילאדעלפיא

בס״ד

בס״ד כט לחדש מרחשון תבוא עליו ברכה לפ״ק

לכבוד ידידי היקר האברך המצויין
הרה״ג ר׳ שמחה בונם הכהן שליט״א.

אחרי מובא השלום והברכה עד בלי די בלב שלם שמחתי לראות עלים לדוגמא דברים מלאים כל טוב ביושר וטוב לבב שקיבץ כעמיר גרונה בהאי סוגיא עמיקתא במה שנוגע בעניני שבת שכל כך נוגע למעשה. כבר יצא לו מוניטין בשם טוב באהלה של תורה בספריו מקודם איך שזכה לאוקמי גירסא לברר וללבן ולהוציא מרגינתא הלכה פסוקה.

יזכה בכוחותיו הנפלאים להפיץ מתורתו חוצה ורבים יהנו מתורתו ומיגיעתו

ידידו המלו״נ
[illegible]

יחזקאל ראטה

דומ״ץ

רב דקהל יראי ד׳

באָראָ פּאַרק, ברוקלין, נ.י. יע״א

RABBI J. ROTH

1556 - 53rd Street

Brooklyn, N.Y. 11219

Tel. (718) 435-1502

בס״ד לסדר נברכו בך כל משפחות האדמה תשנ״ב.

הן בא לפני מע״כ ידידי הרב הגאון רב פעלים בן גדולים וכו׳ כמו״ה שמחה בונם קאהן שליט״א והראה לפני חיבור נפלא בענינים הנוגעים להמטבח (קיטשין) מכל מיני ל״ט מלאכות לדעת את המעשה אשר יעשון והיות שכבר איתמחי גברא בחבוריו הקודמים שכבר הוציא לאור וראוה רבים ויהללוה וכבר הסכמתי עליהם וכעת מוסיף והוליך עוד ומגבר חיילים בהלכתא גבורתא עושה פלא והכל בדרכי ההלכה עפ״י יסודי רבותינו הפוסקים. ובשים שכל וסברא ישרה כאשר כבר מיכר לי הרהמ״ח הנ״ל זה ימים ושנים ובודאי כאשר יזכהו להוציא לאור יביא תעולת מרובה בקרב ישראל לשמור השבת כהלכתה, ובזכות שמירת שבת נזכה לקרב ביאת משיחנו בקרוב אמן.

ב"ה

RABBI SIMCHA BUNIM EHRENFELD

Rabbi of Mattersdorf

1655-46th Street

Brooklyn, N.Y. 11204

שמחה בונם

בלא"אמוהג' שמואל זצוק"ל זי"ע

עהרענפעלד

אב"ד דק"ק מאטערסדארף יע"א

ור"מ דישיבה ומתיבתא חתן סופר

בנו יארק יע"א

בס"ד בדר"ח מרחשון תשנ"ב לפ"ק

הן הובא לפני עלים מספרו הנכבד והשלישי במספר על הל' שבת החמורים והתלוים בשערה, של האברך כמשמעו וכמדרשו, חריף ובקי משנתו קב ונקי, מו"מ בהפלגת חכמים, לן בעומקה של הלכה, תלמידי היקר כש"ת הרה"ג מוה"ר **שמחה בונם קאהן** שליט"א, מחשובי בית מדרש גבוה בלייקווד, בן גיסי היקר הרב הגאון מוה"ר משה הכהן קאהן שליט"א ר"מ ומשגיח בישיבתנו הקדושה, וכבר אתמחי גברא בספריו הקודמים שהוציא לאור ושנתקבלו בחיבה יתירה, וכמעשהו בראשון כך מעשהו עתה לפרוס ההלכות כשמלה וכשלחן הערוך ומוכן לפני האדם, וכבר שבחוהו גאוני זמננו כי דבר טוב עשה בעמיו, והגם כי לא באתי כשר המסכים בפרט על ספרי הלכה, עכ"ז אמרתי לברכו שיזכה בקרוב לברך על המוגמר לזכות את הרבים, וחפץ ה' בידו יצליח להגדיל תורה ולהאדירה, וזכות אבוה"ק יגן בעדו לישב באהלה של תורה מתוך הרחבת הדעת ומנוחת הנפש, לחזות בנועם ה' ולבקר בהיכלו, ולהפיץ מעיני חכמתו כאשר אותה נפשו הטוב, ונזכה במהרה לראות בישועתן של ישראל והרמת קרנם בכבוד, אמן.

חותם בברכת התורה,

הק' שמחה בונם בלאאמו"ר הרה"ג מוה' שמואל זצוק"ל זי"ע

הסכמת אאמו״ר הגאון שליט״א

השיר והשבח לחי העולמים כי גבר עלינו חסדו לחזות את בני הרב ר׳ שמחה בונם הכהן שליט״א זוכה ומזכה את הרבים להאיר את ספרו הנחוץ לרבים על הלכות שבת.

וידועים דברי בעל האורים ותומים שמביא רבינו בעל המשנה ברורה בהקדמתו להלכות שבת כי אי אפשר כלל במציאות שינצל מאיסור שבת אם לא ילמוד כל הדינים על בוריים היטב היטב.

קובץ זה מכיל קיצור הלכות שבת בלשון קל ומבורר ובסדר נכון ובסגנון יפה דבר דבר על אופניו. גם כתב מקורות נאמנים לכל פרט ופרט בשפה המדוברת. ראוי והגון הוא שימצא ספר זה בכל בית ישראל. ספר זה יהיו לתועלת הרבים להנצל ממכשול ולידע המעשה אשר יעשון.

והיו נא אמריו לרצון לפני אדון כל ויהי נועם ה׳ עליו ועל כל ביתו ויפוצו מעייניו חוצה ורבים ישתו ממי באר מים חייב וברוך יאמרו לעומתו וחפץ ה׳ בידו יצליח ונזכה לראות בישועת ה׳ בב״א

אביך הדו״ש ומברך בכט״ס

משה הכהן קאהן

בע״ה

RABBI ARYEH MALKIEL KOTLER
BETH MEDRASH GOVOHA
LAKEWOOD, N.J. 08701

אריי מלכיאל קוטלר
בית מדרש גבוה
לייקוואוד, נ. דז.

האוהבים דבריה גדולה בחרו, האוהבים דבריה בפשוטו קאי על דיבוריה של שבת, ודבר דבר שלא דיבוריך של שבת כדיבוריך של חול ואז גדולה בחרו, ומפרשים עפ׳ רש״י עה״כ **כי אות היא ביני וביניכם** אות גדולה היא ביניכם שבחרתי בכם וכו׳ עכ״ל על ידי שמתרומם להכנס בקדישתה של שבת ולעולמה בחר באות הגדולה של שבת. וי״ל עוד שבתו״כ בחוקותי **זכור את יום השבת לקדשו** יכול בלבך כשהוא אומר שמור הרי שמירת הלב אמורה הא מה אני מקיים זכור שתהא שונה בפיך ופי׳ בראשונים שתהא שונה הלכות שבת, וע״י זה גדולה בחרו יתרומם להכנס בקדושתה ועולמה של שבת.

מתוך אהבת דבריה זכה ידידי היקר הרה״ג הנעלה יראת ה׳ היא אוצרו מוהר״ר שמחה בונם קאהן שליט״א נכד מרן הגאון הצדיק ממאטרסדרף זצ״ל, ממצוייני חברי הכולל דבית מדרש גבוה, לבחור בגדולה להוציא לאור פרי עמלו ויגיעתו, אשר כמעשהו בספריו הראשונים לברר וללבן הלכות גדולות בהררים התלויים בשערה בהלכות שבת, ולעשות אזנים לתורה להעיר ולהאיר ולאסוקי שמעתתא אליבא דהלכתא ובפרט בהלכות התלויים במטבח בשבת

יפוצו מעינותיו חוצה להגדיל תורה ולהאדירה, יהא חלקו בין מזכי הרבים ומצדיקיהם והליכות עולם לו ובהיותו שתול באהלה של תורה נזכה לראות כי בחצרות יפריחו

הכנ״ח לכבוד התורה ולומדיה י׳ חשון תשנ״ב

אריה מלכיאל קוטלר
בלאאמו״ר הגרש״ק

Table of Contents

The Shabbos Prohibitions xxxi

Foreword to the *Halachos* of Cooking xxxiii

1 Cooking 1

Description of the *melachah*/ Foods subject to the prohibition/ Sources of heat/ What degree of cooking is prohibited/ Solid foods/ Liquids foods/ *Yad soledes bo*/ Accelerating the cooking process/ Changing the position of the pot/ Reducing the amount of food/ Stirring/ Covering a pot/ Closing an oven door/ Reheating cooked foods/ Baked goods/ Baking or roasting a cooked item/ Cooking a baked or roasted item/ If the prohibition was violated

2 Putting Foods in Hot Vessels 16

Kli rishon/ *Kli sheni*/ *Kli shelishi*/ Foods which may not be placed in a *kli rishon*/ Foods which may be immersed in a *kli rishon*/ Pouring from a *kli rishon*/ The laws of *kli sheni*/ Items which are not readily cooked/ Previously cooked liquids/ Foods that dissolve/ Pouring from a *kli sheni*/ The laws of a *kli shelishi*/ Cooking with the heat of solid foods/ Solid foods in a *kli rishon*/ The status of a ladle/ Practical Applications

3 Reheating and Serving Cooked Foods 41

The prohibition of placing cooked food on a flame/ A pot atop another pot/ Near a flame/ Electric hot plate/ Halachos of the *blech*/ Placing food on the *blech*/ Rearranging pots on the *blech*/ Stirring/ Scooping food from a pot/ Stirring water

4 Maintaining Food on a Flame 50

The Talmudic procedure/ Removing the coals/ Covering the coals/ The *blech*/ When is a *blech* required/ Dry foods/ Liquids/ Raw Meat/ Hotplates/ Urns/ Crockpots/ Inside an oven

SPECIAL ACKNOWLEDGEMENT

Words are incapable of expressing *hakoras hatov* to
Harav Eliezer Herzka שליט"א. He tirelessly sifted through
the text, revising, questioning, verifying each and every
word. A gifted *talmid chacham* he added countless
halachic insights which have greatly enhanced the book's
clarity and effectiveness. May he continue to use his
exceptional talents in the dissemination of Torah.

Preface

This *sefer* focuses on the thirty-nine *Avos Melachos* (and their Rabbinic extensions) that affect the Shabbos meals. Some are applicable to the preparation, others to the meal itself, and others to cleaning up afterwards. The aim is to provide a topical arrangement of the pertinent laws in these areas, compiled from the *Shulchan Aruch* and its commentaries, other major halachic works and various responsa. In addition to being a detailed treatment of these laws, it is hoped that this work will also provide the reader with quick and ready access to the wealth of source material regarding these topics.

Nowhere in this work do I presume to render any personal *halachic* decision whatsoever. However, I have followed certain guidelines. Where the *Mishnah Berurah* expresses an opinion on a particular matter, I have incorporated his decision in the main text and recorded the dissenting views only in the footnotes. In those matters not decided by the *Mishnah Berurah*, I have done extensive research and then brought the matter before recognized *halachic* authorities, whose conclusions I then incorporated into the main text.

It is my hope that this volume will meet the needs of a broad spectrum of people — from newcomer to traditional Judaism to the advanced Torah scholar. The design of the *sefer* reflects this intent. The main text which states, explains, and illustrates the important *halachic* principles, has been written in English. The footnotes at the bottom of each page, containing both source references and brief discussion of the principles delineated in the text, have been written in Hebrew.

Acknowledgements

Words cannot do justice to the monumental debt that I owe
my dear and esteemed parents my father and teacher Harav
Moshe Cohen *Shlita*, ר״מ בישיבת חתן סופר, [whose greatness in
Torah is due in large measure to the foresight and *mesiras
nefesh* of his parents, my grandparents, Reb Nochem and
Rivka Cohen, ז״ל, who sent away their only son from Detroit to
Europe to learn Torah at the tender age of eleven] and my
mother Rebbetzin Gitel Cohen תחי׳, daughter of the sainted גאון
וצדיק Harav Shmuel Ehrenfeld *zt'l* Rav of Mattersdorf, and the
sainted Rebbetzin Rochel Ehrenfeld ע״ה my grandparents,
whose holy presence I merited to enjoy as a child] who from my
earliest youth, nurtured in me the love of Torah and fear of
Heaven. I am also deeply grateful to my esteemed father-in-law,
Harav Shmuel Elchonon Brog, *Shlita*, who wrote the Overview
to this *sefer* and assisted me in all aspects of this work. Without
his encouragement, this *sefer* would not have been possible.
May he and his wife, my mother-in-law Rebbetzin Sheina Brog
תחי׳, daughter of the world famous Hagaon Harav Avigdor
Miller, *Shlita* and Rebbetzin Etel Miller תחי׳, merit long and
happy years filled with much *nachas* from Torah-true children
and grandchildren.

This work would not have been possible without the
generous assistance of many colleagues and friends too numer-
ous to mention, and I am deeply indebted to all of them.
However, several deserve particular mention:

Rabbi Yaakov Zvi Rubin, with whom I studied many of the
halachos of this sefer; many portions of this *sefer* bear the
stamp of his insightful and enlightening remarks.

Rabbi Chaim Mordechai Goldenberg selflessly gave of his

time and scholarship to review nearly the entire manuscript. This *sefer* has greatly benefited from his critical scrutiny.

I had the privilege of having parts of this *sefer* reviewed by Hagaon Rav Shmuel Felder שליט"א. His vast wealth of Torah knowledge and keen insight are very much evident throughout this work.

I am deeply indebted to my very dear friend R' Eli Mayer Cohen who was my sounding board, always available for consultation, advice and *chizuk*.

I wish to sincerely thank my good friend Hagaon Reb Shea Krupenia and Rabbi Hershel Leitner for carefully reviewing portions of this work with precision and erudition.

I would like to thank the entire staff of Mesorah Publications for their professionalism in producing this *sefer* according to their exacting standards. I especially extend a heartfelt *yasher koach* to Mrs. Estie Dicker for her indefatigable patience in typing and preparing the manuscript. I am exceedingly indebted to two of their most highly regarded editors, Rabbis Yechezkel and Hillel Danziger, who gave me valuable assistance. Through my association with them, I have come to admire their great scholarship and skill as well as to regard them as valued personal friends.

I would like to thank Mrs. Shoshana Spiegel and her children, in the memory of whose husband and father, הגאון הצדיק ר' אברהם אלחנן זצ"ל, the publication of this *sefer* was made possible. May she have much nachas from her children, and see them follow the genuine Torah life of their illustrious father, whose name this *sefer* bears.

Finally, I would like to take this opportunity to express my deep appreciation for the constant support and assistance I have always received from my wife, Basya Rivka, תחי', who has had a major share in all aspects of this *sefer* publication. May Hashem grant us much nachas from our dear children and allow us to achieve ever greater heights in His service.

Simcha Bunim Cohen

Overview

The Shabbos Kitchen

To some this may sound fanciful. How can you mix the most sublime — the Shabbos — with the very prosaic — a kitchen? In reply, we say that the kitchen not only does not detract from the Seventh Day, it enhances it. Where, if not the kitchen, is the Divine Shabbos flavor added to every kind of dish? And more, their relationship is reciprocal; there is a Jewish kitchen only because there is a Jewish Shabbos and a Jewish Shabbos because of the Jewish kitchen.

To explain. The sanctity of Shabbos (lit. to stop) depends on the cessation of work. The Torah defines *melachah* (work) as one of the thirty-nine *conscious, creative, physical acts* utilized to build the *Mishkan*. According to this definition, the degree of physical effort expended in performing the *melachah* is totally irrelevant. Moving heavy furniture from room to room is not work (although it is prohibited for another reason), whereas merely flipping a switch to make light is.

At first glance this is difficult to comprehend. Why does the Torah omit and totally ignore what most others consider work's most prominent feature, namely, the exertion of effort?

To answer, we must take a closer look at work. All labor contains three elements: 1) a significant goal, 2) the skill to attain it, and 3) an expenditure of energy. Man works only when he has a distinct objective. To the extent that 1) he comprehends its importance, 2) he will learn the necessary skills and 3) give forth the effort to achieve it.

At work, reason is sovereign. Only the mind's eye can look beyond the present and perceive the as yet nonexistent end.

Only the brain can impart the proficiency to achieve it. And, above all, only the intellect can give it value.

Man is a compound, a divine soul and a corporeal body, and work is his synthesis. When occupied, the body humbly obeys the mind. At work the intellect reigns supreme. Literally, to labor is to live!

Therefore, man's perception of work unmasks his true self. Is work a blessing, the scepter of reason, man's most desired goal; or is it a curse, a compulsory struggle, at best, a necessary evil?

People view the world in terms of themselves. The good see kindness whereas the wicked see evil. Hence, the materialist who equates good and bad with physical pleasure and pain associates work with the discomfort it imposes. And not only does work tax the material being, it contradicts his very concept of good. Work requires man to do, to give, to build the future, while material good insists that he relax, that he receive, and that he get it now. How sad! The superficial being is precluded from the Grandeur of the Future. His disdain and mistrust of the mind and its demands shackles him to the fleeting present.

Thus it is clear. Mortal man, confined in matter, necessarily focuses on the physical aspect of work. The materialist sees only the material. Hence, he defines work exactly as he finds it in the dictionary: "[An] exertion of strength or faculties to accomplish something." Note, the dictionary 1) emphasizes the "exertion of strength" by mentioning it first; and 2) maintains that this exertion may be physical or mental, as it states further, "work may imply activity of body, of mind, of machine... ;" and 3) places the intellectual element — actually the most important one — last while shrouding it in the drab expression, "accomplish something."

Afterwards, the dictionary mentions five synonyms for work: labor, travail, toil, drudgery and grind which are primarily distinguished from each other by their degree of pain. Indeed, how this betrays society's imprisonment in the temporary!

Is it any wonder, then, why the Eternal Torah given to Divine Creative Man dismisses as irrelevant the "exertion of strength" in defining *melachah*? At work, creative man transcends time. He draws on a rich past (precedent and experience) to confront the present (the challenge now at hand) in order to build the future (permanence). For Eternal man this is life! For the Jew, to think and act as Torah requires is his very being. For man in the Image of God, constant creative activity is more intrinsic to life than eating: neither can be called "work" even though they are both an "exertion of strength to accomplish something."

And Torah constantly reiterates this theme. At Sinai our pledge of allegiance to Hashem was: נעשה ונשמע, we will do even before we hear! The greatest title we bestow is: עבד ה', Servant of Hashem, i.e. we have no being other than what Hashem requires of us. And the Prophet (*Iyov* 5:7) says it clearly: "Man was born to work."

Thus the question no longer is: why did Torah omit "exertion of effort" from its definition of *melachah*, but how can any intelligent person include it in his?

◦§ The Source

Now we must turn to the source and discover how the Torah's definition of work as a "conscious, constructive, physical act" is openly derived from the Chumash.

The term *melachah* is first used in *Bereishis* (2:2): ויכל אלקים ביום השביעי מלאכתו אשר עשה וישבת ביום השביעי מכל מלאכתו אשר עשה, "Hashem concluded His *melachah* on the seventh day, and He rested on the Seventh Day from all the *melachah* that He did." The word *melachah* is repeated in *Shemos* (20:10,11) when we are commanded: „...לא תעשה כל מלאכה. ...כי...וינח ביום השביעי..., "You shall do no *melachha*... because...Hashem rested on the Seventh Day..."

Since we are directed to refrain from *melachah* because we must emulate Hashem, it is obvious that our *melachah* must closely resemble the *melachah* from which Hashem restrains Himself.

And what is the nature of the Almighty's *melachah*? The material universe, whose every aspect reveals an inexhaustible

Divine intelligence, loudly proclaims that it is the product of a conscious, creative, effortless Divine act. Therefore, we too must abstain *mi'deoraysa* only from conscious, creative, physical acts. Although no human act is effortless, and in this sense our *melachah* is unlike our Creator's, this difference is not relevant. As explained above, *melachah* is not prohibited because we *subjectively* expend energy (the sense in which we differ from Hashem) but simply because we must mirror Hashem and refrain from perfecting the *objective* physical universe on Shabbos, in which sense we are totally alike.

⊷§ The Problem with Perfecting the Material Universe

But wherein lies the evil of perfecting the material universe?

The corporeal world is nothing but an exterior container. Just as the body is the outer garment of the soul, every thought, word, deed, and object is also an external manifestation, a robe, so to speak, of its Infinite Intelligence Source.

On the first six days, Hashem concentrated on building the physical universe. As He kept adding to and perfecting this cloak-like edifice, His Essence was more and more obscured. And so He called this world, עולם, from the root, העלם, to hide.

But on the Seventh Day He rested. He stopped focusing and improving the heavy shroud He had been weaving for six days. And when He did it lost its prominence. On Shabbos, Hashem's restraint sheared the thick material external veil and made it transparent. The camouflage was penetrated and the Divine Essence revealed! Shabbos is the Day of Truth! Reality is seen! On Shabbos, the outer physical shell is transformed into nothing more than a secondary, subservient backdrop, a container as it were, overflowing with the Sanctity, the Blessings, the Oneness of our Creator, Blessed be He.

Indeed, on Shabbos the veil is lifted for those who peer, and a spark of the Divine Bliss that is man's ultimate goal visibly engulfs every Jew who unites with his Creator! On Shabbos the word, עולם, takes on a new meaning. On Shabbos it means "Eternity!"

In light of this, is there anything more frightening than affirming and constructing the physicality which the sacred Shabbos peels away? *Melachah* on Shabbos is nothing less than an absurd attempt to secede from Heaven. Can the punishment for its deliberate desecration be anything but death?

◆§ The Difficulty in Emulating Hashem

True, man's *melachah* is similar to Hashem's in that both consciously construct the physical world, but there is still a difficulty: Hashem's *melachah* creates heaven and earth whereas a Jew's can only improve a small piece of earth.

◆§ The Mishkan Is the World

This problem is not as formidable as it first seems because the source for all the prohibited Shabbos *melachos* is the Mishkan.

And what is the Mishkan? It is Hashem's Dwelling on earth (*Shemos* 25:8) built by man to serve Him in the most intimate of all conceivable ways. The majority of the 613 Mitzvos can be performed only when the Mishkan/Mikdash is erect.

And what is heaven and earth? It is Hashem's All-Encompassing Dwelling built for man to serve Him (*Rashi, Bereishis* 1:1). Our Holy *Sefarim* constantly reiterate that our function as Jews is to unveil the world's true nature, that it is nothing more than Hashem's Dwelling.

The Mikdash/Mishkan Dwelling is thus the universe in microcosm. It is a translation of the world into animal, vegetable and mineral matter. And the Talmud (*K'subos* 5a) reveals something more astounding: what the righteous built (the Mikdash/Mishkan) is even greater than heaven and earth!

Indeed, there is a vast external difference between Hashem's *melachah* and the Jews', but in essence they are identical — they both build a Dwelling to serve Him.

◆§ The Jew and The Mishkan

There is still a difficulty, however. True, constructing the Mishkan is as significant - if not more so - than constructing the universe, but how can we equate this to the *melachah* man does for personal reasons? How can putting on a light to find a garment be as significant as making light to construct the Mishkan?

The Mishnah answers this question. When enumerating the various Primary Melachos (אבות מלאכות) the Mishnah mentions them as they were done in the Mishkan because it was this latter feature that gave them their Primary status. However, there is one exception: baking.

And the Gemarah asks: Since cooking (which is done with water) is the actual form the *melachah* had in the Mishkan, why was baking (done without water) mentioned instead?

To which it responds: Baking is mentioned to teach that the first eleven *melachos* are the very same *melachos* required to bake bread.

But this answer is puzzling: The Mishnah itemizes the Primary *Melachos* (אבות מלאכות) which are Primary *only* because they were done in the Mishkan. Why then is baking made an exception for what appears to be a very superficial reason?

To understand the inner meaning of this Gemarah, which holds the key to the entire Mishnah, we must probe deeper.

True, we emulate Hashem when we refrain from building the Mishkan, but how do we emulate Him when we abstain from personal *melachos*?

In answer, the Mishnah tells us that the first eleven *melachos* are indispensable for making bread, i.e. the same acts that built Hashem's Dwelling are also required to build the men who made it because they too are just another form of Hashem's Dwelling! In other words, the Jewish body also harbors the *Shechinah*. The Torah states this numerous times: 1) "And He blew into his nostrils a soul of life" (*Bereishis* 2:7), "One who blows, blows from within" (Zohar); 2) "You are children of the L-rd your G-d" (*Devorim* 14:1).

In turn, this gives rise to the passage in *Mishley* (3:6) בכל דרכיך דעהו, "Come close to Hashem with everything you do," which teaches that every single act, no matter how seemingly minute, either brings the Jew closer to Hashem and is a Mitzvoh, or pushes him away and is an *aveirah* (sin). There is nothing a Jew can think, say, or do which is neither a Mitzvoh nor the opposite. There is absolutely no aspect of his life which is insignificant. Even fetching a garment can make the individual more Eternal, or, Heaven forbid, less. Reaching for a shirt has cosmic consequences. Therefore, putting on the light to get it is no less significant than any other *melacha* done to build the Mishkan!

If the Jew was not immortal, how could he possibly construct an Immortal Dwelling for Hashem. Moreover, if his personal *melachos* were not intrinsically related to the *melachos* of the Mishkan, it borders on sacrilege to require man to abide by the same standards in his personal life as those demanded for building the Eternal King's Palace.

In summary, the Mishnah teaches that the Jew who built the Mishkan is no ordinary earth-man because his bread — made with the same *melachos* that built the Mishkan — is no ordinary earth-food.

◄§ Bread

The Talmud (*Pesachim* 118a) elaborates: After the curse, when Adam was told (*Bereishis* 3:18, *Rashi*), "You will even eat the lowliest vegetation, "he cried to Hashem, "Shall I and my donkey eat at one trough?" And Hashem answered, "With the sweat of your brow you will eat bread (bread, the product of your brow — your intellect — will be your basic food)."

When Adam was sent out of *Gan Eden*, he dreaded the physical world because it engenders a lethargy that robs man of his Divine creativeness and makes him forget his Divine nature. Material sluggishness vehemently denies that work is the essence of life.

Therefore, Adam beseeched the Almighty: "Please Hashem, preserve my life! Save me from forgetting my Divine origin!"

And Hashem agreed: "Unlike all other beings, you will be unable to exist on purely material sustenance that is raw and uncultivated. Your food will require preparations that only a Divine intellect can arrange. And this perfection, inaccessible to other creatures, will constantly remind you of your Divine nature."

Why, amongst all the myriads of physical beings, is man the only one who cannot subsist on the wild, unprepared food that is so readily available, and which the others acquire with such intuitive ease? Clearly, because man's Divine creative nature can only be satisfied by food which has been prepared by the mind. Only then is it fit to nourish the soul and intellect of human beings.

Bread is not found in nature, and because of the complexities of its manufacture, it is impossible that anyone would ever dream of making it. Even after months of arduous plowing, planting, harvesting and binding, bread, unlike all other foods, still requires threshing, winnowing, grinding, kneading and rising. With all the meat, fish, and edible vegetation he can eat, why would anyone dream of bread? Why would all this difficult, time-consuming, unnecessary labor be worth the effort? Isn't it obvious that man's Creator taught him the recipe and virtues of bread!

Ultimately the bread is baked. Baked! In nature, all fires are the result of some cosmic power, the sun, lightening, or volcano-like forces, which only vent destruction! Man is terrorized by fire! Potentially, every blaze is deadly! Who would dare create this demonic monster! Who would dream of taming this fiend! Who would want to live together with this dreadful adversary! And who would make his life, the food he eats, dependent on this killer's kindness! Is it still unclear that we get our bread from "Hashem our G-d, the One and Only G-d."

On *Motzoei Shabbos*, when we thank Hashem for teaching Adam how to make and control fire, let us say the blessing with more feeling.

✌️ Challah: The Climax of the Jewish Kitchen

The Jew, as we have learned, is potentially a Mishkan. And just as our forefathers in the desert, we too must work for six days to build our personal Mishkan. Then on Shabbos we rest — so the *Shechinah* can enter. Is it any wonder why another name for Shabbos is "Delight" (Shabbos Prayers) and why on Shabbos everything we do is special?

The unique Oneness with Hashem that we attain on Shabbos demands a special Jewish kitchen. During the week, it must prepare meals that give us the strength to work tirelessly at Hashem's Mitzvos while for Shabbos it must make banquets to celebrate Creation, Torah, and the Joys of Heaven — together with Hashem.

But of all the foods to be prepared for Shabbos, the Shulchan Aruch (*Aruch Chaim*, 242:1) mentions only one by name. In fact, it is the only food that has a special Shabbos name. While fish is always fish, and meat is always meat, what we call bread during the week, on Shabbos turns to *challah*. True, every kitchen can make bread — but only the Jewish Kitchen can bake *challah*.

When the kiddush is recited, the two *challos* must be covered from above and below because the challah is an echo of the Manna from heaven. Do you hear! When Hashem is at the banquet, the food too is Divine.

How fortunate the Jewish woman who bakes *challah* on Friday in honor of Shabbos. From her trepidation, lest she desecrate the Sanctity of Shabbos, she gains the power to produce a Jewish kitchen — a kitchen capable of making Manna-like *challah* to begin the banquets and set the tone for the entire Shabbos.

Indeed, Shabbos makes the Jewish kitchen, and the Jewish kitchen makes Shabbos.

(Based on the *Pachad Yitzchok, Kuntrus Shabbos*, by Maran Hagaon R' Yitzchok Hutner zt"l.)

Shmuel Elchonon Brog

The Shabbos Prohibitions
— An Introduction

The Torah's commandment of Shabbos observance centers on the prohibition לֹא תַעֲשֶׂה כָל מְלָאכָה — "You shall not perform any *melachah*".[1] The term *melachah*, though literally defined as *labor*, does not refer to physical exertion but, rather, to creative activity. Thus, it is forbidden to engage in creative activity on Shabbos, even if it involves little physical exertion.

The *Mishnah*[2] lists thirty-nine Primary Categories of creative activity, each known as an *Av Melachah*. Activities that achieve objectives similar to the *Avos Melachos* are known as *tolados*. For example, *bleaching* a fabric is an *Av Melachah*; *laundering* is a *toladah* of this *melachah*. All *Avos* and *tolados* fall under the Torah's prohibition of *melachah*.

In addition, the Torah states וּשְׁמַרְתֶּם אֶת מִשְׁמַרְתִּי — "And you shall safeguard my observances".[3] With this commandment, the Sages were instructed to institute safeguards that would distance a person from transgressing any of the Torah's Observances.[4] To this end, the Sages enacted various decrees which forbid activities that might lead to the performance of *melachah*. Thus, for example, it is forbidden by Rabbinic Decree to leave uncooked food on a flame before Shabbos in order that it continue to cook on Shabbos, for fear that one

---

1. שמות כ,י
2. שבת עג.
3. ויקרא יח,ל
4. יבמות כא. וע' רש"י ויקרא שם ובראשית כו,ה

might adjust the flame on Shabbos and thereby violate the Torah Prohibition.[5]

Other Rabbinic Decrees forbid activities that resemble *melachah*, for were these activities permissible, one might erroneously permit the performance of a similar, forbidden activity. For example, it is forbidden by Rabbinic Decree to place fully cooked food on an open flame on Shabbos, because if this were permissible one might mistakenly permit placing *uncooked* food on a flame, in violation of the *melachah* of *cooking*.[6]

Still other Decrees were enacted to preserve the Honor and Sanctity of the Shabbos day. One such Decree is the prohibition of preparing on Shabbos for *Motzoei Shabbos*, even if the preparing involves no *melachah*.[7]

The Torah-prohibited *melachos* together with the various Rabbinic Decrees constitute the body of *Hilchos Shabbos*.

---

5. מ״ב סי׳ רנ״ג ס״ק ב׳
6. מ״ב סי׳ רנ״ג ס״ק נ״ה
7. מ״ב סי׳ רנ״ד ס״ק מ״ג

Foreword to the Halachos of Cooking

The *halachos* of *Cooking (bishul)* are vital to learn and difficult to master: vital to learn because of the frequency with which they apply; difficult to master due to the complexity of the *halachos*, and because of the various Rabbinic ordinances which cover every possible means of heating food.

These halachos have therefore been arranged in six chapters. The first two deal with the *melachah* of *bishul* itself, Chapter 1 presenting the basic guidelines of the *melachah* and Chapter 2 applying the *halachos* to immersing foods in hot liquids.

The next four chapters deal with the various Rabbinic ordinances. Chapter 3 is devoted to the prohibition of נְתִינָה לְכַתְחִלָּה — Placing cooked food on a flame, describes the methods by which cooked foods may be reheated, and other related *halachos*.

Chapter 4 deals with the *halachos* of שְׁהִיָּיה — *maintaining*: the regulations for leaving uncooked food on a flame before Shabbos, in order that it continue to cook on Shabbos.

Chapter 5 describes the *halachos* of חֲזָרָה — *returning*: the conditions for returning a pot to the *blech* from which it was taken.

Finally, Chapter 6 presents the *halachos* of הַטְמָנָה — *insulating*: the regulations for insulating containers of food (before or during Shabbos) to retain their heat.

For mastery of the *halachos* pertaining to cooking, a study of all six chapters is necessary. Although some cross-references were unavoidable, we have attempted to organize the *halachos* in an orderly progression.

the shabbos kitchen

1 / בִּישׁוּל – Cooking

One of the prohibitions most applicable to the kitchen is the *melachah* of בִּישׁוּל, *cooking*.[1] *Cooking* is a general classification which covers all methods of using heat to prepare food. This includes baking, frying, broiling and roasting.[2]

Although the *melachah* applies to non-foods as well as to foods, we will limit our discussion to the preparation of food.

I. Description of the Melachah

A. Definition

The *halachic* definition of *cooking* is: "using heat to alter the quality of an item."[3]

B. Foods Subject to the Prohibition

The *melachah* applies to all solid and liquid foods. Even foods which are edible in their raw state (e.g. fruits and vegetables) and liquids fit for drinking while cold (e.g. water, milk) are subject to the prohibition of *cooking* and may not be cooked on Shabbos.[4]

---

1. שבת דף עג. במשנה דל״ט מלאכות תני האופה. ובגמרא דף עד: אמר רב פפא שבק תנא דידן בישול סממנין דהוה במשכן ונקט אופה [פירש״י דלא שייך במלאכת המשכן כלל] ומתרץ תנא דידן סידורא דפת נקט [פירש״י ואופה במקום בישול דסממנין הוא דהוא בישול דפת]. מבואר דאופה ומבשל שניהם אב מלאכה הן. וכן כתב הרמב״ם פ״ט מהלכות שבת ה״א האופה כגרוגרת חייב אחד האופה את הפת או המבשל את המאכל או את הסממנין או המחמם את המים הכל ענין אחד הוא עכ״ל.

2. ירושלמי שבת פ״ז ה״ב הצולה והמטגן השולק והמעשן כולהן משום מבשל [הובא באג״ט ס״א]

3. אג״מ או״ח ח״ב סי׳ פ״ה וז״ל דענין אפיה ובישול וצלי הוא שיעשה זה שינוי בהדבר. וראיה לזה משבת דף מ. שאיכא מ״ד דסובר דשמן אף שהיד סולדת בו אין בו משום בישול. והרי כיון שהיד סולדת בו הרי נתחמם שיעור הבשול ומה לנו יותר אלא הוא משום דאין החמום לבד ענין הבישול אלא כשהחמום עושה איזה שינוי בהדבר וסובר מ״ד ההוא דבשמן לא נעשה כלום ע״י החמום ולכן אין בו משום בישול עכ״ל ועיי״ש.

4. כתב הרמב״ם פרק ט׳ מהל׳ שבת ה״ג המבשל על האור דבר שהיה מבושל כל צרכו

C. Sources of Heat

The *melachah* of *cooking* is separate and distinct from the *melachah* of הַבְעָרָה, *kindling.* It is forbidden to cook even with a flame that was kindled before Shabbos. By the same token, it is forbidden to cook on, or near, any source of heat, be it an actual flame or an electric range, hot plate or urn.[5] Cooking with a microwave oven is also prohibited.[6]

Furthermore, immersing food in hot water or inserting it in a heated pot which was removed from the flame can also be considered cooking. [This method of heating food is discussed extensively in Chapter 2.]

II. What Degree of Cooking Is Prohibited?

There are various differences between solid foods and liquids with regard to the prohibition of *cooking.* The first distinction concerns the point at which each of these items is considered cooked.

A. Solid Foods

The Torah Prohibition

In the case of solid foods, the Torah prohibition (איסור דאורייתא) forbids not only cooking them completely but even

---

או דבר שאינו צריך בישול כלל פטור עכ״ל (וידוע דכל מקום שכתב הרמב״ם פטור פירושו שאסור מדרבנן) וכתב על זה בשער הציון סי׳ שי״ח ס״ק קי״ד וז״ל ופשוט לענ״ד דהיינו דבר שאינו משתבח כלל על ידי הבישול, ולאפוקי פירות וכה״ג שהוא משתבח ע״י הבישול [דחייב מדאורייתא] וכו׳, ומצאתי בברכי יוסף שהוא מסתפק בזה אי חייב מן התורה או מדרבנן וכו׳ ובראשונים שכתבו דיש בזה משום מבשל משמע מסתימת הלשון דהוא דאורייתא, וגם בפמ״ג בסעיף זה משמע דס״ל דהוא דאורייתא וכ״כ הגר״ז וח״א עכ״ל שעה״צ.

מיהו בהגהות רעק״א סי׳ רנ״ד ס״ד דקדק מדברי הרמב״ם הנ״ל דכל דבר הנאכל חי ואינו צריך בישול אין בו אלא איסור דרבנן. ועכ״פ מבואר דלכ״ע אפילו דבר הנאכל חי יש בו איסור בישול ולא פליגי אלא אם איסורו מדאורייתא או מדרבנן.

5. שו״ת בית יצחק יו״ד סי׳ ק״כ, אחיעזר ח״ג סי׳ ס׳, שו״ת מהרש״ם ח״ב סי׳ רמ״ו.

6. אגרות משה או״ח ח״ג סי׳ נ״ב.

cooking to a minimal degree of edibility. This degree of cooking is referred to by the Gemara as כְּמַאֲכַל בֶּן דְּרוּסָאִי, *"like the food of Ben De'rosai,"* a thief who, always being on the run, would cook his food only until barely edible.[7]

There is a question among the *Poskim* whether this level is attained when a food is one-third cooked (i.e. when it has been heated for one-third of its normal cooking time) or whether it must be half-cooked (i.e. cooked for half the normal time). We follow the stringent view and consider 'one-third cooking' a violation of the *melachah*.[8]

Nevertheless, a food which has already been cooked *"like the food of Ben De'rosai"* (or more) is still subject to the Torah prohibition of *cooking*, and may not be cooked to yet a greater degree of edibility.[9]

The Rabbinic Prohibition

The Sages, to prevent any possible transgression of the Torah prohibition, added a further restriction. By Rabbinic decree it is forbidden to place any uncooked item, even for a short while, in a hot area where it could eventually become cooked. This decree was enacted out of concern that a person might forget to remove the food before it is cooked, thus transgressing the Torah prohibition.[10]

In practice, therefore, one may not warm up any raw or partially cooked food item on any source of heat capable of cooking that item. [The permitted methods of warming up food on Shabbos will be discussed in Chapters 2-3.]

B. Liquids

Heating any liquid to its boiling point is considered *cooking*.

---

7. שו״ע סי׳ שי״ח ס״ד.

8. מ״ב סי׳ רנ״ג ס״ק ל״ח.

9. שו״ע סי׳ שי״ח ס״ד, ועי״ש בביאור הלכה ד״ה אפילו, שהביא דעת הרבה ראשונים שכל תבשיל שהגיע למאכל בן דרוסאי שוב אין בו משום איסור בישול ובסוף כתב שם דאין לזוז מפסק השו״ע שכל דבר שלא נתבשל כל צרכו חייבין על בישולו מן התורה.

10. שו״ע סי׳ שי״ח סי״ד וי״ז ומ״ב שם.

Moreover, as with solid foods, the Torah prohibition forbids cooking liquids even to a minimal degree. This minimum level, however, is defined differently for liquids than for solids.

With liquids, the minimum degree of cooking is attained when the liquid is heated to a point known as *yad soledes bo*[11] (the scalding temperature).

Yad Soledes Bo (The Scalding Temperature)

The literal translation of *yad soledes bo* is '[*a degree of heat*] *from which the hand recoils*'; that is, a temperature so hot that upon contact with the source of heat, a person reflexively withdraws his hand. This is also described by the Gemara as "the temperature at which heated water would scald a baby's abdomen."[12]

The exact temperature of *yad soledes bo* is in question. *Hagaon* Rav Moshe Feinstein *zt"l* ruled that a temperature of 110° F (43° C) must be considered *yad soledes bo*. Nevertheless,

---

11. שו״ע סי׳ שי״ח סי״ד.

12. שבת דף מ: אמר רב יהודה אמר שמואל אחד שמן ואחד מים יד סולדת בו אסור אין יד סולדת בו מותר [פירש״י סולדת נמשכת לאחוריה מדאגה שלא תכוה וכו׳] והיכי דמי יד סולדת בו [פירש״י והיכי דמי סלוד יש שסולד מרתיחה מועטת ויש שאינו סולד] אמר רחבא כל שכריסו של תינוק נכוית ע״כ.

ונחלקו הפוסקים אם אפשר לסמוך למעשה על השיעור של יד סולדת בו לשער החום. הדרישה סי׳ שי״ח סק״ה בא״ד כתב וז״ל ומכאן תשובה למורי הוראה דשואלין אם היד סולדת בתבשיל ומשערים באצבע, וזה אינו אלא שכריסו של תינוק נכוית בו עכ״ל. מפורש בדבריו דאין לסמוך כלל על השיעור של יד סולדת בו הואיל ואינו שוה בכל אדם [וע׳ מ״ב ס׳ שי״ח ס״ק פ״ט]. אבל באיסור והיתר כלל ל״ד אות כ׳ כתב וז״ל וכתב הרא״ש פ׳ כירה היכי דמי יד סולדת בו כל שכריסו של תינוק נכוית מהן עכ״ל והיינו גם כן שיד כל אדם בינוני נכוית מהם עכ״ל. משמע מדבריו דאפשר לסמוך על השיעור של יד סולדת בו ומשערין בידו של אדם בינוני. וע״ע בענין זה בחידושי בכור שור חולין דף קג.

ובכף החיים סי׳ שי״ח ס״ק קמ״ג הביא בשם בן איש חי פרשת בא אות ה׳ וז״ל וא״ת איך ידע האדם לשער כך בדעתו, נקוט האי כללא בידך כל היכא שזה החמין ראוי לשתיה או לאכילה שאין האדם נמנע ממנו מכח ריבוי חמימותו הרי זה לא חשוב יד סולדת בו אבל אם נמנע מלשתותו או לאוכלו מרוב חומו הרי זה נחשב בכלל יד סולדת בו עכ״ל.

he stated, only the temperature of 160° F (71° C) can be regarded as *definitely yad soledes bo*. Thus, depending on the case, the more stringent of these two measurements must be followed.

Ordinarily, the lower temperature represents the stringency. Accordingly, heating liquids to 110° must be treated as a violation of the *melachah*.[13] In the coming chapters, however, we will see cases in which the setting of 160° applies.

Although liquids are considered cooked at the temperature of *yad soledes bo*, most *Poskim* rule that heating liquids which are already *yad soledes bo* (110° F) to yet a higher temperature — up to and including their boiling point — is also forbidden under the Torah prohibition.[14]

---

13. אגרות משה או״ח ח״ד סי׳ ע״ד דיני בישול סק״ג.

ובספר מעדני השלחן על יו״ד במטעמי השלחן סי׳ ק״ה סק״ז כתב וז״ל שמעתי מהגאון ר׳ שלמה זלמן אויערבאך שליט״א שעד ארבעים וחמשה מעלות צלזיוס [45° C] אין לחוש כלל שמא היד סולדת וטעמו דבגמרא חולין דף ח. מחלוקת אמוראי אם בית השחיטה צוננת היא ולפי האיכא דאמרי בגמרא כולי עלמא מודו דבית השחיטה צוננת, ואפי׳ למ״ד בית השחיטה רותח אין הסכין בולע רק בגמר שחיטה דרק אז היא רותח, אבל לפני גמר שחיטה לכו״ע הוי צוננת, ובזמנינו ידוע ומפורסם שמעלות צלזיוס של אדם הוא שלשים ושבע מעלות [37° C] בערך, ושור ופרה עד ארבעים מעלות [40° C], ויונים בריאים היא ארבעים וחמשה מעלות [45° C] וכיון שהגמרא קורא לזה צונן, נמצא שעד ארבעים וחמשה מעלות אינו יד סולדת עכ״ל.

14. כתב הטור סי׳ שי״ח אפילו תבשיל שנתבשל כבר יש בו משום בישול אם נצטנן כבר אבל בעודו רותח לא עכ״ל וכתב ע״ז הב״י וז״ל ומשמע לי שכל שהיד סולדת בו מיקרי רותח עכ״ל, ומשמע מדבריו דרק בדבר שכבר נתבשל כל צרכו אין בו איסור בישול אחר בישול אם לא נצטנן לגמרי ועדיין היד סולדת בו, אבל דבר שלא נתבשל כל צרכו יש בו איסור בישול אע״פ שנתחמם והגיע לחום של יד סולדת בו וכן פי׳ המנחת כהן (במשמרת השבת שער שני פ״ב) לדברי הב״י וז״ל ר״ל שנקרא רותח לשלא יהיה שייך שם בישול אם הוא מבושל כל צרכו עכ״ל, ומשמע כנ״ל דאם עדיין לא נתבשל כל צרכו אכתי יש בו איסור בישול [אבל ע׳ בשביתת השבת בהקדמתו למלאכת בישול ס״ק י״ח שלמד פשט בהב״י באופן אחר] וכן משמע מדברי המ״ב סי׳ שי״ח ס״ק כ״ד וז״ל אבל אם היד סולדת בו אף שנצטנן מרתיחתו לא שייך בו בישול עוד דבכלל רותח הוא ואין בישול אחר בישול עכ״ל, ומשמע דדוקא לענין בישול אחר בישול אמרינן דאם לא נצטנן מרתיחתו ועדיין היד סולדת בו לא שייך בו עוד בישול, אבל בתחלת בישול יש איסור בישול אף בדבר שכבר נתחמם ליד סולדת בו. וכ״כ בתהלה לדוד סי׳ שי״ח ס״ק י״ז שכל המקרב הבישול עד שירתיח [פי׳ עד שיעלה רתיחות] חייב, וכ״כ באגלי טל

The Sages, to preclude any transgression of the Torah prohibition, forbade warming up liquids to any degree on a source of heat that could possibly cook them to the level of *yad soledes bo*.[15] Therefore, one may not place any liquid, even momentarily, near a fire, if it could become heated there to *yad soledes bo* (110° F).

C. Reheating Cooked Foods

Foods which were once completely cooked and were then allowed to cool may in some instances be reheated. This will be discussed in Section IV of this chapter.

Summary

The Torah Prohibition of *bishul* forbids cooking solid foods to the level of the food of Ben De'rosai (i.e. to the minimal degree

---

בהשמטות דף 275, וכ״ה דעת החזו״א הובא בספר אמרי יושר [להגאון ר׳ מאיר גריינמאן שליט״א] בסוף הספר. ועל פי כל הנך פוסקים סתמנו דדבר לח חייבין על בישולו עד שיעלה רתיחות.

וע׳ בששכ״ה פ״א הערה צו וז״ל ואם היס״ב, מסתפק הגרש״ז אויערבאך שליט״א, אם יש לחשוש לזה שיתחממו יותר, וכל זה דווקא כשעדיין לא נתבשלו המים, אבל מבושלים ולא נצטננו לגמרי מותר עכ״ל. וע׳ בספר ברית עולם [הלכות אופה ס״ז] שכתב שמים חמין לא נקרא בישולו אלא כפי מנהג המקום, ומנהגינו שמרתחין את המים עד שמעלה כמו אבעבועות, א״כ כ״ז שלא הגיע לשיעור בישול זה דינו כלא נתבשל כ״צ עי״ש. וע׳ אריכות בזה בספר פני שבת ס״י, ובספר מגילת ספר פ״ג אות כ.

אמנם באגרות משה ח״ד סי׳ ע״ד דיני בישול אות א׳ נשאל אם מותר לחמם דבר לח שנתבשל כדי יד סולדת בו ונצטנן קצת, ואף להרתיחו. והשיב ע״ז מרן זצ״ל לאחר שהוא יד סולדת אמת שהוא כבר נחשב בישול, ואולי אין זה אף בחשיבות מצטמק ויפה לו וכו׳ ויש להתיר דבר לח שנתבשל ליד סולדת כשנצטנן קצת שעדיין חם הוא וכו׳ להעמיד אף במקום שירתיח עכ״ל. מבואר בדעת מרן זצ״ל דס״ל דדבר לח שנתחמם ליד סולדת בו מיקרי מבושל כל צרכו ושוב אין בו איסור בישול ומותר להרתיחו. [וכן סובר הפמ״ג בספרו ראש יוסף ר״ש פרק כירה ד״ה חמין וז״ל ויש לראות מה זה שכתבו התוס׳ בחמין כמאב״ד איך יצויר זה בחמין דכל בישולם הוא שיוחמו כדי שהיס״ב עכ״ל, וכן כתב הפנ״י בשבת דף מא. בד״ה במשנה המיחם שפינהו וז״ל ומש״ה שייך טפי למיתני לשון שיחמו והיינו שהיד סולדת בו דבזה השיעור הוי בישול כ״צ עכ״ל.] ואולם באותה תשובה אות כ״ד מבואר בדברי מרן זצ״ל דמים שהוחמו לשיעור יד סולדת בו דומים לתבשיל שנתבשל רק כמאכל בן דרוסאי ולא מיקרי מבושל כל צרכו במים עד שיעלה רתיחות ולכאורה דבריו סותרים זה את זה וי״ל ואכמ״ל.

of edibility: one-third cooked) and liquids to the point of *yad soledes bo* (110° F).

In practice, however, it is Rabbinically forbidden to place any uncooked item, even for a moment, near a source of heat capable of cooking that item to these levels.

III. Accelerating the Cooking Process

Accelerating the speed at which something will cook also violates the *melachah* of *cooking*. Therefore, an item already on the flame may not be treated in a way that will cause it to cook more quickly. Obviously, it is forbidden to increase the intensity of the flame[16] (or electric heat), as this violates the *melachah* of *kindling* (הַבְעָרָה) in addition to the *melachah* of *cooking*. However, there are additional methods of accelerating the cooking process, all of which are prohibited. The following are some of these methods.

A. Changing the Position of the Pot

Moving food closer to a fire certainly causes it to cook more quickly. Therefore, any food on the stove which is not completely cooked* may not be shifted to a position closer to the fire, even if the fire is covered by a *blech*. Doing so violates the Torah prohibition of *cooking*.[17]

[Changing the position of fully cooked food is discussed in Chapter 3.]

* Note: "Completely cooked" in this context means that the food has been cooked to the point at which people would normally eat it without requiring that it cook further.

וע׳ בשו״ת אג״מ יור״ד ח״ב סוף ס׳ נ״ב וז״ל ומדת החום לענין להתחשב יין מבושל פשוט שהוא ביד סולדת אף שלא מעלה רתיחות דיד סולדת הוא בחשיבות בשול לכל הדינים בדבר לח, והוא בערך קע״ה מעלות לחומרא עכ״ל.

15. שו״ע סי׳ שי״ח סי״ד.

16. הגהות רעק״א ריש סי׳ שי״ח.

17. שם.

B. Reducing the Amount of Food (or Liquid) in a Pot

Reducing the amount of food in a pot causes its remaining contents to cook more quickly. Therefore, if a pot of food is not completely cooked, it is forbidden to remove a portion of its contents.[18]

For example, one may not take *cholent* from the pot Friday night, unless it has already been completely cooked.* Similarly, it is prohibited to remove some water from an urn that has not yet reached its maximum temperature, as doing so will cause the remaining water to boil more quickly.[19]

This prohibition applies even to a pot that has been removed from the stove, so long as the food is *yad soledes bo*.

C. Stirring

Stirring also tends to accelerate the cooking process. Therefore, it is prohibited to stir a pot of partially cooked food** or liquid. This prohibition extends even to a pot that has been removed from the stove, whose partially cooked contents may not be stirred so long as they remain *yad soledes bo*.[20]

D. Covering a Pot

Covering a pot also hastens the cooking of its contents.

---

* Note: The proper procedure for taking fully cooked *cholent* is described in Chapter 3.

** Note: Stirring fully cooked foods is discussed in Chapter 3.

---

18. ע' ספר קיצור הלכות שבת סי' ט"ז אות ד' שכתב שיש בזה איסור דאורייתא, וע"ע בקובץ פרי תמרים (שבט-אדר תש"נ)

19. שמירת שבת כהלכתה פרק א' הערה צ"ו. ועיין שו"ת מנחת יצחק ח"ג סי' קל"ז שכתב בתוך דבריו שאין כאן איסור קירוב בישול כשלוקח מעט מים מן המיחם וז"ל דזה לא הוי כי אם הסרת המונע, למשל שיש בקדירה עשרה לוגין אוכל שעדיין לא נתבשל כל צרכו ואם היה בו רק תשעה לוגין היה כבר נתבשל, הרי מי עיכב על ידם מלהתבשל עד עתה היא הלוג העשירי, ובהסיר אותו הלוג עושה האש את שלו מחמת הסרת המונע, ואינו דומה להגסה שמקרב את בישולו על ידי מעשה הגסה שלו כמובן, כן נראה לכאורה וצ"ע עוד בזה עכ"ל ועיי"ש.

20. שו"ע סי' שי"ח סי"ח ומ"ב שם.

Therefore, one may not cover a pot of partially cooked food.* If a pot on the *blech* became uncovered, it is forbidden to replace its cover[21] unless the food is completely cooked.[22]

Even if a cover is lifted momentarily, one may not replace it on the pot. Practically speaking, therefore, one must beware of lifting the cover off any pot on the *blech* unless certain that its contents are completely cooked.

E. Closing an Oven Door

Closing an oven door causes the interior temperature to rise dramatically, thereby advancing the cooking process. Therefore, an open oven door may not be closed if any food in the oven is not completely cooked.[23]

Accordingly, one should beware of opening an oven door if there is food inside that is not fully cooked.**

---

* Note: This applies even to a pot that has been removed from the stove, so long as it is *yad soledes bo*.

** Note: Opening an oven door may sometimes cause a fire to be ignited (if the oven is set on thermostatic control). Where this possibilily exists,

---

21. שו״ע סי׳ רנ״ד ס״ד, וסי׳ רנ״ז ס״ד ובביאור הלכה שם ד״ה גורם.

22. שו״ת עמק התשובה ס׳ מ״ב וז״ל הנה בספר שביתת שבת מלאכת מבשל סעי׳ כ״ו ס״ק פ״א, כתב לאסור להניח כיסוי ע״ג קדירה שעל האש, וכמו שאסור להגיס בקדירה שע״ג האש, אפי׳ נתבשל כל צרכו, למאן דאוסר גבי מגיס, אפילו נתבשל כל צרכו ע׳ סי׳ שי״ח ולכאורה לפי״ד אפילו אם היה עליו כיסוי ונטלה אסור להחזירה, ולענ״ד קשה טובא, דמי גרע חזרת הכיסוי מהחזרת כל הקדירה, דהחזרת כל הקדירה אם נטלה מותר להחזיר אם נתבשלה כ״צ, וכמבואר בסי׳ רנ״ג ס״ב, ואילו החזרת הכיסוי אסור, אתמהה, ועוד יותר נראה דאפילו אם לא היה הכיסוי ע״ג קדירה, ורוצה להניח עליו כיסוי שרי, דאף שנתבשל עי״ז יותר מהר, מ״מ לא גרע מהא דמותר להניח מכירה ע״ג כירה אחרת, אך שאותה כירה אחרת הבלה מרובה מראשונה וכמו שהביאו האחרונים בשם הרמב״ם ז״ל עי׳ בס״ב שם, וא״כ למה יאסור לכסותה על ידי שמתרבה הבלה, וכי תימא דא״כ מ״ש באמת מהגסה דאסרו, צריך לומר דשאני התם שעושה פעולה בידים, משא״כ חזרה וכיסוי שאינו פועל בידיו ממש, לא אסור בנתבשל כ״צ. עכ״ל

וכן אמר לי הגאון ר׳ ראובן פיינשטיין שליט״א שאביו מרן זצ״ל פסק דמותר להגביה הכיסוי של הקדירה אם התבשיל נתבשל כל צרכו, וכן שמעתי מהגרח״פ שיינבערג שליט״א, וכן פסק בשו״ת באר משה ח״ו ס׳ קט״ו. וע״ע בזה בשו״ת אג״מ או״ח ח״ד ס׳ ע״ד דיני בישול סק״י, ובקצות השלחן ס׳ קכ״ד סק״י.

23. רמ״א סוף סי׳ רנ״ט.

Summary

Any action which causes food to cook more quickly is itself considered an act of *cooking*. This includes:

— moving a pot closer to the flame
— removing some of a pot's contents
— stirring
— covering a pot
— closing an oven door

None of these activities may be done if the food is not yet completely cooked.

IV. Reheating Cooked Foods

In this section we will deal with the laws of reheating foods which had been fully cooked and then cooled off. The *melachah* of *cooking* does not apply to all instances of reheating food. Significantly, there is a great difference between solid dry foods and liquids with regard to reheating.*

A. Solid Foods – אֵין בִּישׁוּל אַחַר בִּישׁוּל

A solid food — such as meat, chicken or kugel — that has been completely cooked is not subject to the *melachah* of *cooking*. This rule is known as אֵין בִּישׁוּל אַחַר בִּישׁוּל, *There is no [prohibition of] cooking that which has already been cooked.*[24]

---

some authorities raise doubt as to whether one is permitted to open the door (unless the flame is actually burning at that moment). It is advisable to familiarize oneself with the working of one's own oven and to consult a competant halachic authority on this matter.

* Note: This section refers only to *fully* cooked foods which cooled off. Partially cooked foods may never be reheated, for increasing their degree of edibility is always a violation of the *melachah* of *cooking*.

---

24. ש״ע סי׳ שי״ח סט״ו והנה נחלקו הפוסקים בדין דבר יבש שיש בו מרק האם נידון כדבר יבש או כדבר לח. הב״י כתב בס׳ רנ״ג וז״ל כתב הרי״ו בח״ג בשם רבינו יונה כל שרובו רוטב ומצטמק ויפה לו והוא צונן כשהחזירו על גבי הכירה ומצטמק הוי מבשל גמור עכ״ל. מבואר מדברי הב״י דאזלינן בתר רוב דאם רובו רוטב נדון כדבר לח ואם

In essence, then, it is permissible to reheat fully cooked solid foods. However, there is a Rabbinic prohibition to place even fully cooked food directly on the fire on Shabbos, or even on a hot *blech*. Reheating solid foods is therefore permitted only by indirect methods. These methods will be described in Chapter 3.

רובו אוכל נידון כדבר יבש. וע׳ במנחת כהן (משמרת שבת שער שני פרק ב׳) שהאריך לפסוק כן מסברא שהרי אין לך בשר שאין מוהל ושומן יוצא ממנו מעט ועם כל זה נידון לדבר יבש, ובהכרח דהולכין אחר הרוב. וכ״כ בדעת תורה סי׳ שי״ח סט״ו.

ואמנם באגלי טל במלאכת האופה סכ״ו הקשה על זה דמאי נ״מ אם רובו רוטב או מיעוטו כיון דבדבר לח יש איסור בישול אחר בישול כשנצטנן א״כ עכ״פ יהיה אסור לחזור ולחממו משום מיעוט רוטב שבו, ובאמת האלי׳ רבה בסי׳ שי״ח אות י״א הביא דברי המנחת כהן הנ״ל והניח דבריו בצ״ע ומסתבר דכוונתו לקושיית האגלי טל. וע״ע בשו״ת דברי נחמיה או״ח סי׳ כ״א שכתב דסברא זו של המנחת כהן שהולכין אחר הרוב הוא מוקצה מן הדעת עיי״ש.

והנה הפמ״ג סי׳ רנ״ג במשב״ז ס״ק י״ג כתב ליישב דברי הב״י והמנחת כהן הנ״ל שהולכין אחר הרוב משום דטעמא דבדבר לח יש בישול אחר בישול הוא משום דמצטמק ויפה לו אבל בדבר יבש דמצטמק ורע לו אין בישול אחר בישול, וממילא אם רובו רוטב מסתמא כונתו שיצטמק והוי מעשה בישול אבל אם רובו יבש אין כונתו שיצטמק התבשיל משום שהצימוק רע הוא ליבש שהוא הרוב. וממילא לא חשיב מעשה בישול אלא מעשה חימום בעלמא.

ואולם הגם שהפמ״ג כ״כ ליישב דעת הב״י, דעת הפמ״ג עצמו צ״ע, שבסי׳ רנ״ג בא״א ס״ק ל״ב מבואר דאף בתבשיל שיש בו רוטב קצת יש בישול אחר בישול משום מקצת רוטב שבו וצ״ע. וע״ע באגרות משה או״ח ח״ד סי׳ ע״ד דיני בישול אות ז׳ מש״כ בדעת הפמ״ג.

ובמ״ב סי׳ שי״ח ס״ק ל״ב משמע דדוקא דבר שאין בו מרק כלל חשוב דבר יבש, שכתב שם לפרש דדבר יבש היינו תבשיל שהריקו המרק ממנו עכ״ד ומשמע שלא נשאר בו מרק כלל, וכן מבואר בלשון המחבר סי׳ שי״ח סט״ו עיי״ש. וע׳ באגרות משה הנ״ל שהאריך קצת בזה ומסיק שאין דין זה ברור ומהראוי להחמיר [ר״ל דדוקא כשאין בו מרק הוי דבר יבש] ובשעת הדחק גדול אולי יש להתיר [ר״ל שיש בו מעט מרק] עכ״ל.

ולהלכה למעשה כתבנו בפנים עפ״ד שלחן ערוך הרב סי׳ שי״ח סי״א וז״ל תבשיל יבש שאין בו רוטב כלל אין בו בישול אחר בישול אם נתבשל כבר כל צרכו וכו׳ עכ״ל. ודע שאע״פ שכתב ״שאין בו רוטב כלל״ מבואר שם שתבשיל יבש שזב ממנו קצת רוטב מיקרי דבר יבש ומותר לחממו כאילו אין בו רוטב כלל, דז״ל שם בסעיף כ״ו ואפילו אם מקצתו זב לחוץ מעט וישנו בעין כיון שדבר מועט הוא אינו חשוב כלום ומותר, ולכן מותר להחם בשבת חתיכת בשר שמן אע״פ שמקצתו זב כיון שדבר מועט הוא עכ״ל.

Baked Goods

Baked foods are also not subject to the *melachah* of *cooking*, due to the principle of אֵין אֲפִיָּה אַחַר אֲפִיָּה — *There is no [prohibition of] baking that which has already been baked.*[25] Thus, baked goods may be reheated on Shabbos. However, due to the Rabbinic prohibition of placing even completely cooked food directly on the fire, these too may only be reheated indirectly.

Baking (or Roasting) a Cooked Item

Baking and cooking are two distinct methods of improving the quality of a food. A food that has been cooked does not have the qualities of one that was baked, nor does a baked item have the character of a cooked one. Similarly, foods that have been cooked have a different character than foods that have been roasted. Therefore, although there is no prohibition of recooking a cooked item, or rebaking a baked item, many *Poskim* rule that it is forbidden to bake or roast (without liquid) an item that was cooked (in liquid), as this new improvement is significant enough to be considered a *melachah*. Thus, we may say יֵשׁ אֲפִיָּה אַחַר בִּישׁוּל, *There is [a prohibition of] baking that which has been cooked*, and יֵשׁ צְלִי אַחַר בִּישׁוּל, *There is [a prohibition of] roasting that which has been cooked.*[26]*

---

* Note: However, *roasting* is accomplished only in a place of intense heat, such as a hot *blech*. It is permissible to warm up cooked food on *top* of a pot that is on a *blech*, or off to the side of a *blech*, where it is not intensely hot, for these areas are not hot enough to qualify as *roasting*.[27]

---

25. מ״ב סי׳ שי״ח ס״ק מ״א. ועיין בכף החיים שם ס״ק ע״ח בשם שו״ת ארח לצדיק ס״ו דהא דמותר אפיה אחר אפיה היינו דוקא כששניהם באופן אחד, אך אם יש שינוי ביניהם כגון פרוסת פת אפויה להניחה במקום שהיד סולדת בו לעשותו לחם ניקודים [פענצי״ן] אסור, לפי שדרך הא׳ הוא בדרך אפיה והשני אינו בדרך אפיה עיי״ש.

26. שו״ע סי׳ שי״ח ס״ה ומ״ב.

27. מקור לדין זה הוא ממה שפסק המחבר בסי׳ שי״ח סט״ו דדבר שנתבשל כל צרכו והוא יבש שאין בו מרק מותר להניחו כנגד המדורה אפילו במקום שהיד סולדת בו עכ״ל ובביאור הלכה הק׳ בשם כמה אחרונים, דכיון דלדעת המחבר יש צליה אחר בישול איך התיר להניח התבשיל כנגד המדורה עיי״ש, וע׳ בתהלה לדוד ס״ק כ״ד ובכף החיים ס״ק

For example, chicken boiled in soup or gravy is considered a *cooked* item. If the pot is removed from the *blech* and the soup poured off, one may not replace the pot of dry chicken on the *blech*, as this would be considered *roasting*, an improvement to the food not realized before.

Cooking a Baked or Roasted Item

Based on the premise that cooking, roasting, and baking are distinct improvements, many *Poskim* rule that *cooking* (in liquid) an item that was originally baked or roasted is also prohibited: יֵשׁ בִּישׁוּל אַחַר אֲפִיָּה, *There is [a prohibition of] cooking that which has been baked* and יֵשׁ בִּישׁוּל אַחַר צְלִי, *there is [a prohibition of] cooking that which has been roasted*.[28]

Accordingly, it is not permitted to put bread or matzoh into a pot of hot water or soup, since this would be considered cooking a baked item, which is forbidden. [The specific applications of this rule will be discussed in Chapter 2.]

Summary

Completely cooked, roasted, or baked solid foods may be reheated in the manner which they were originally prepared (i.e. cooking a cooked item and baking a baked item). [However, one may not place them directly on a flame or *blech* — see Chapter 3.]

It is forbidden to reheat any food in a manner not previously employed. Therefore, one may not 'bake' a cooked item or 'cook' (in liquid) an item originally baked, roasted or broiled.

B. Liquids — יֵשׁ בִּישׁוּל אַחַר בִּישׁוּל

Reheating liquids that have been previously cooked is the

ע״ח שתירצו דלא נקרא צליה אחר בישול אלא דוקא אצל האש ממש אבל לא כנגד המדורה, ובחזו״א סי׳ ל״ז ס״ק י״ד תירץ כעין זה וז״ל דכל שלא יבא לטעם צלי ממש אלא שיתייבש קצת אין בזה משום צליה אחר בישול ואפשר דצלי קדר כדין בישול לענין זה, ודוקא צלי על גחלים או על שפוד יש בצלי זו אחר בישול עכ״ל. ועפ״ז כתבנו ההלכה בפנים. וע״ע בזה באריכות בספר לחמי השלחן דף קנו.

28. שו״ע סי׳ שי״ח ס״ה ומ״ב שם.

subject of much controversy. Some *Poskim* rule that cooked liquid which has cooled may *not* be reheated. The reason for the distinction between liquids and solids is that liquids are generally cooked not for the purpose of altering the qualities of the food (as are solids), but for the purpose of warming the liquid, so that it may be enjoyed while hot. Therefore, once cooled, reheating the liquid is a significant improvement and is forbidden. Thus, with liquids the rule is: יֵשׁ בִּישׁוּל אַחַר בִּישׁוּל — *There is [a prohibition of] cooking that which has already been cooked*.

Other *Poskim* do not accept this distinction and rule that liquids are no different than solids in this respect, and they may be reheated even when completely cooled.

In practice, the stringent view is followed. Therefore, one may *not* reheat liquids once they have cooled. However, if they have only partially cooled, and are still warm enough to be suitable as a 'warm' drink, they may be reheated to a higher temperature.[29] [Since they are still warm, *reheating* is not a significant improvement.]

---

29. בדין בישול אחר בישול בדבר לח נחלקו הראשונים, (ע׳ ביאור הלכה סי׳ שי״ח ס״ד ד״ה יש) דעת רש״י (בשבת דף יח) והרא״ש (פ״ג דשבת) והר״ן בשם רבינו יונה (בפ״ד דשבת) דבדבר לח שנצטנן יש בישול אחר בישול, אבל הרמב״ם (פ״ג מהל׳ שבת ה״ג) והרשב״א והר״ן ס״ל דאפילו בדבר לח אין בישול אחר בישול.

והנה בשו״ע סי׳ שי״ח ס״ד פסק המחבר דבדבר לח שנצטנן עד שאין היד סולדת בו יש בישול אחר בישול, והרמ״א כתב שם בסט״ו דיש מקילין בזה אפילו אם נצטנן ונהגו להקל אם לא נצטנן לגמרי עכ״ל. [והפירוש של לא נצטנן לגמרי, כתב בש״ע הרב ס״ט דעדיין ראוי לאכול מחמת חמימותו, ולא בעינן שתהא היד סולדת בו]. לכאורה דעת הרמ״א צ״ב, דאם ס״ל כהפוסקים דאין בישול אחר בישול, אם כן אפילו נצטנן לגמרי מותר, ואם ס״ל כהפוסקים דיש בישול אחר בישול בדבר לח, אם כן ה״ל לאסור אם אך אין היד סולדת בו, ומאי מהני אם לא נצטנן לגמרי.

ונחלקו האחרונים בהבנת דברי הרמ״א, המנחת כהן (במשמרת השבת שער ב׳ פ״ב) והחזו״א (סי׳ ל״ז ס״ק י״ג), והאגרות משה (או״ח ח״ד סי׳ ע״ד סק״ב) פירשו דמעיקר הדין ס״ל להרמ״א דאין בישול אחר בישול בדבר לח, אלא שלחומרא בעלמא כתב להחמיר כשנצטנן לגמרי. אבל במג״א סי׳ רנ״ג ס״ק ל״ז מבואר דס״ל דיש איסור בישול מדאורייתא כשנצטנן לגמרי [ע״ש במחצית השקל], וכן משמע בחיי אדם כלל כ׳ סי״ג.

ובאמת צריכים להבין מאי שנא דבר לח מדבר יבש, דהא בדבר יבש כ״ע מודו דאין

As noted in the case of solid foods, there is a Rabbinic prohibition to place foods directly on the fire or *blech*. Thus, even a warm liquid may not be placed on the *blech* and certainly not over a fire. The proper methods of reheating are described in Chapter 3.

Summary

Cooked liquids that have cooled may not be reheated on Shabbos. However, while still 'warm' they may be reheated to a higher temperature (but not directly on a flame or *blech*).

V. If the Prohibition Was Violated

If the *melachah* of *cooking* was violated, either intentionally or inadvertently, it is forbidden in many instances to derive any benefit from the cooked food. This applies whether a Torah prohibition or a Rabbinic decree was violated. [In some instances the cooked food is forbidden forever, in others it is forbidden until after Shabbos and in yet others it is not forbidden at all.] These *halachos* are extremely complex and in each individual case a competent halachic authority must be consulted.

The same holds true for all other Shabbos prohibitions. In case any prohibition was violated, a competent halachic authority must be consulted to determine whether one is permitted to derive any benefit from the illegal action.

בישול אחר בישול, ומאי שנא דבר לח, וראיתי במנחת חינוך (במוסך השבת) שהסביר דבדבר יבש אפילו כשנצטנן הפעולה הראשונה עדיין במקומה עומדת וממילא אמרינן אין בישול אחר בישול, אבל בדבר לח שנצטנן דאין הפעולה הראשונה ניכרת אמירנן יש בישול אחר בישול, וביאור דבריו דבדבר יבש תכלית הבישול הוא לתקן עצם המאכל ולשנותו מדבר חי לדבר מבושל, ושינוי זה נשאר בו אפילו כשנצטנן, אבל בדבר לח אין הבישול פועל שינוי בגוף המשקה, שבדרך כלל הרי משקה ראוי לשתיה אף קודם שנתבשל, ועיקר תכלית הבישול הוא לחממו שיהיה ראוי לשתותו בחמימותו, ולכן כשנצטנן בטלה פעולה הראשונה ושייך בו עוד בישול, וכ״כ בחזו״א סי׳ ל״ז ס״ק י״ג. ולפי הסבר זה מובן היטב מש׳ המג״א דכשנצטנן לגמרי יש איסור בישול מדאורייתא דאז הרי נתבטל לגמרי בישול הראשון ושייך בו עוד בישול וע״ע בזה בציון 24.

2 / Immersing Foods in Hot Vessels

The prohibition of *bishul* does not only apply to cooking over a flame or direct source of heat. Immersing food in hot water can cause it to become cooked, and likewise, inserting food in an empty, heated pot can bring about its cooking, even if the pot is not on a flame.[1] These methods of cooking are also included in the prohibition.

This aspect of the *melachah* covers many activities routinely performed in the kitchen. For instance, mixing coffee with hot water or adding seasoning to hot foods can involve a violation of the *melachah*. These and many similar activities may be performed only within the guidelines we will now delineate.

I. The Three Grades of Vessels

Hot liquids (i.e. above *yad soledes bo*) that are still in the pot in which they were heated are capable of cooking any item immersed in them, even after the pot is removed from the fire. However, once the hot liquid has been transferred to a second, cold container, the walls of the container begin cooling the liquid, and thereby reduce its capacity to cook. If the liquid is transferred to a third vessel, its capacity to cook is further diminished.

Therefore, with regard to the *halachos* of cooking, vessels are classified in three categories:

ו. שו״ע סי׳ שי״ח ס״ג וז״ל כשם שאסור לבשל באור כך אסור לבשל בתולדת האור וכו׳. וע׳ בספר תולדות שמואל סי׳ כ״ז ס״א כתב וז״ל ודע דתולדות האור לאו דוקא אלא הוא הדין תולדה דתולדה, דתולדת האור אפילו מאה תולדות בזה אחר זה, כל שתחלת סיבתו היא ע״י האור ממש הרי זה בכלל תולדת האור והמבשל עליו חייב עכ״ל.

A. *Kli Rishon* — first vessel
B. *Kli Sheni* — second vessel
C. *Kli Shelishi* — third vessel

A. Kli Rishon (first vessel)

A *kli rishon* is a vessel that was heated directly on a flame (or other source of heat, such as an electric coil). When removed from the flame, the hot pot retains its capacity to cook *anything* placed in it.

Similarly, hot liquids that are still in the vessel in which they were heated also have the power of a *kli rishon* and are capable of cooking any item immersed in them. By the same token, solid foods in a *kli rishon* (i.e. the vessel in which they were cooked) will cook anything that comes in contact with them.

This capacity to cook remains until the pot and its contents cool below the temperature of *yad soledes bo*.

B. Kli Sheni (second vessel)

A *kli sheni* is a vessel to which the contents of a *kli rishon* have been transferred. [Generally speaking, the term *kli sheni* is used in reference to the hot contents of the vessel, rather than the vessel itself.] Although the heat of food in a *kli sheni* is not as intense as that of food in a *kli rishon*, with most foods we nonetheless observe the prohibition of cooking even with regard to a *kli sheni*.

C. Kli Shelishi (third vessel)

A *kli shelishi* is a vessel to which the contents of a *kli sheni* have further been transferred. Once moved to a *kli shelishi*, hot liquids lose most of their capacity to cook. However, some foods cook so readily that they may not be placed even in a *kli shelishi*.

II. The Halachos of Kli Rishon

A. Foods Which May Not Be Placed in a Kli Rishon

The heat of a *kli rishon* is an extremely potent means of cooking. Therefore, the laws of *cooking* are no different with respect to a *kli rishon* than with any conventional source of heat: No uncooked food or drink may be put inside a *kli rishon*,[2] even after the *kli rishon* is removed from its source of heat.[3]

If a *kli rishon* contains hot foods or liquids, it is forbidden to immerse in it any uncooked item.

For example, one may not add seasoning to a pot of hot soup, even after the pot has been removed from the *blech*, because the heat of the soup will cook the seasoning.[3]

Previously Baked Foods

The laws of reheating cooked and baked foods also apply to a *kli rishon*. Accordingly, it is forbidden to immerse a baked item in the hot liquids of a *kli rishon*, as this violates the prohibition of cooking a baked item.

For example, one may not pour croutons into a pot of hot soup (*kli rishon*), even after it is removed from the *blech*, as the previously *baked* croutons will now be *cooked* in the *kli rishon*. [Note: Many croutons are made by deep-frying rather than baking. Deep-frying is considered a form of cooking. Thus, it is permitted to add such croutons to a pot of hot soup.][4]

Liquids

Cold water may not be added (in small amounts) to a pot of hot water or soup, since the cold water will become heated by

---

2. שו״ע סי׳ שי״ח ס״ט וז״ל כלי ראשון אפילו לאחר שהעבירוהו מעל האש מבשל כל זמן שהיד סולדת בו וכו׳. ובערוך השלחן סי׳ שי״ח סעיף ל״ט כתב דנחלקו הראשונים אם כלי ראשון מבשל מדאורייתא או הוא רק חומרא דרבנן, אבל בפמ״ג יו״ד סוף סי׳ ס״ח במשב״ז כתב דלהלכה נקטינן דכלי ראשון מבשל מן התורה אפילו כשהוסר מעל האש כל זמן שהיד סולדת בו, וכ״כ באגלי טל מלאכת בישול סי״ב.

3. שו״ע שם כלי ראשון וכו׳ מבשל כל זמן שהיד סולדת בו לפיכך אסור ליתן לתוכו תבלין וכו׳.

4. ששכה״כ פרק א׳ ציון קפב וז״ל דמה לי בישול בשמן ומה לי בישול במים, וכן שמעתי מהגרש״ז איערבאך שליט״א, וע׳ סי׳ שי״ח בפמ״ג מ״ז סק״ז שמסתפק, שו״ת חשב האפוד ס׳ קל״ה, וע״ע קצות השלחן ס׳ קכ״ד בבדה״ש ס״ק נ״ד שהביא מהגר״ז שמתיר בפשיטות,ולכן אין הספק של הפמ״ג מוציא מידי ודאי של הגר״ז וכו׳ עכ״ל.

the hot water of the *kli rishon*. Similarly, cooked liquids which have cooled may not be added to a *kli rishon*, since it is forbidden to reheat liquids that have cooled completely, as we learned above (Chapter 1, Section IV).

Food or Liquid in a Container

A container of cold food or liquid may not be inserted in a hot *kli rishon*, because the heat of the *kli rishon* will penetrate the container and cook its contents.

Accordingly, one may not immerse a baby's bottle in a pot of hot water (*kli rishon*) that has been removed from the *blech*, as the contents of the bottle will be cooked by the heat of the *kli rishon*.

The prohibition of cooking continues until the *kli rishon* and its contents cool below the temperature of *yad soledes bo*.[5]

B. Foods Which May Be Immersed in a Kli Rishon

(1) Any solid food that has been completely cooked (i.e. in liquids) may be immersed in a *kli rishon* (that has been removed from the fire), since there is no prohibition against recooking solid foods that were previously cooked.[6]

For example, a piece of cold, cooked chicken may be placed in a pot of hot soup, after the pot has been removed from the *blech*.

Similarly, a liquid that was boiled and has not cooled completely (i.e. it is still suitable as a warm drink) may be reheated in a *kli rishon*.[7]

Exclusion: Soluble Foods

Foods that dissolve when immersed in a liquid (e.g. coffee) should not be dissolved in hot liquids that are in a *kli rishon*, even if they have been previously cooked. The reason for this is that, according to some *Poskim*, soluble foods dissolved in

---

5. שו״ע הובא בהערה הקודמת, וע״ש במ״ב ס״ק ס״ד.

6. שו״ע סי׳ שי״ח סט״ו.

7. רמ״א סי׳ שי״ח סט״ו.

liquids are themselves considered liquids and are subject to the prohibition of recooking cold liquids (בִּישׁוּל אַחַר בִּישׁוּל). Although other *Poskim* disagree with this view, the authorities rule that it is best to heed it.[8]*

(2) Any item which, when immersed in a *kli rishon*, cannot

---

* Note: A different rule applies when soluble foods are dissolved on hot solids — see below, Section VI-a.

---

8. כתב הרמ״א בסי׳ שי״ח ס״ט, ויש אוסרים לתת מלח אפילו בכלי שני כל זמן שהיד סולדת בו והמחמיר תבא עליו ברכה עכ״ל, ודעת היש אוסרים הוא דמלח הוא מקלי הבישול, ולכן מחמירין אפילו בכלי שני. וכתב ע״ז במג״א ס״ק ל״א ז״ל ונראה לי דמלח שעושין ממים שמבשלים אותם אין בו משום בישול דאין בישול אחר בישול ועמ״ש סט״ז עכ״ל. ובמחצית השקל הביא קושיית האחרונים דאיך כתב המג״א דין זה בלשון ״ונראה לי״, הלא כבר הובא הלכה זו בדרכי משה בשם המרדכי, ועוד קשה שהמרדכי סיים בזה דהמחמיר תבא עליו ברכה, ואפילו במלח הנעשה ממים שנתבשל, ואיך סתם המג״א להקל וכתב המחצית השקל דהמג״א אזיל לטעמיה, דהנה לקמןבסעיף ט״ז כתב המחבר מותר ליתן אינפאנד״ה כנגד האש במקום שהיד סולדת ואע״פ שהשומן שבה שנקרש חוזר ונימוח עכ״ל ובמג״א ס״ק מ׳ הביא דעת הלבוש שחולק ע״ז וס״ל דיש בזה איסור בישול דכיון שהשומן נימוח הוי כדבר לח ויש בו בישול אחר בישול, והמג״א דחה דברי הלבוש, דכיון שבתחלה יבש הוא אין בו בישול אחר בישול, ואע״פ שחוזר ונימוח כשנתחמם. ולפ״ז כתב המחצית השקל דהוא הדין במלח שנתבשל כבר דמותר ליתנו בכלי ראשון שהיד סולדת בו, ואע״פ שחוזר ונימוח אין בו בישול אחר בישול הואיל ובתחלה יבש הוא, והמרדכי שכתב דהמחמיר תבא עליו ברכה היינו משום דלא ברור לו סברא זו וחושש לבישול אחר בישול כיון שחוזר ונימוח, אבל המג״א שהכריע לקמן דאין בו בישול אחר בישול סתם כאן להתיר במלח, ואזיל לטעמיה.

והנה יש להעיר בזה שהמג״א עצמו לקמן בסעיף ט״ז הביא ראיה לדבריו דדבר הנימוח אין בו בישול אחר בישול, מדברי המרדכי שם, וכתב בפשיטות דשיטת המרדכי הוא דדבר הנימוח דינו כדבר יבש, ולפי זה קשה אמאי החמיר המרדכי לענין מלח.

עוד יש להעיר שמצאנו כמה אחרונים שהקילו בדין האינפאנד״ה שבסעיף ט״ז, וכתבו שדינו כדבר יבש ואין בישול אחר בישול, והכא לענין מלח כתבו להחמיר אפילו במלח שכבר נתבשל. דהנה בשו״ע הרב סעיף כ״ו פסק דאינפאנד״ה אין בו בישול אחר בישול, דכיון דיבש הוא בתחלה דינו כדבר יבש, ובסעיף י״ח כתב הרב וז״ל מלח שלנו שמתקנים אותו ע״י בישול במים מותר ליתנו בכלי ראשון לדברי הכל, שאין בישול אחר בישול בדבר יבש אפילו הוא נימוח ע״י בישול זה השני, ומ״מ המחמיר בו כמו בשאר מלח תבא עליו ברכה [מרדכי] עכ״ל. ולכאורה דבריו סותרים זה את זה. גם בדברי המ״ב נמצא סתירה זו, דבס״ק ק׳ [גבי אינפאנד״ה] כתב בפשיטות דדבר יבש שחוזר ונימוח מיקרי יבש כיון שבשעה שניתנו לחממו לא נמחה עדיין, וכ״כ גם בס״ק ל״ג,

attain a temperature of *yad soledes bo*, may be warmed up in the *kli rishon*.[9]

For example, a large container of food or liquid may be

ואילו לענין מלח כתב (בס״ק ע״א) דטוב ליזהר מכלי ראשון לכתחלה, ואפילו במלח שכבר נתבשל.

והנה בשערי תשובה סי׳ שי״ח ס״ק ה׳ הביא בשם פנים מאירות דמותר לערות מים מכלי ראשון על גבי צוקע״ר, דכיון שכבר נתבשל הצוקער בבית האומן אין בו בישול אחר בישול, ואע״פ שחוזר ונימוח, וזהו כדעת המג״א שסתם להתיר לענין מלח, ואח״כ הביא השע״ת בשם ספר זרע אמת שמגמגם בזה, והנה השגתי הספר זרע אמת וראיתי שם בח״א סי׳ ל״ט, וז״ל, וראיתי להרב פנים מאירות ח״א סי׳ פ״ד דהתיר בזה לפי שהצוקער מבשלים אותו תחלה בעת עשייתו ואין בישול אחר בישול ע״ש, ולענ״ד אין לסמוך על זה מכמה טעמי, חדא דנראה קצת דמה שעושים בצוקער מתחילתו אינו בישול אלא כעין אפיה וא״כ הוה ליה בישול אחר אפיה דאסור ע״ש, ועוד דכיון שלא נגמר עשייתו ותכליתו של הצוקער, דאין דרך לאכול הצוקער בעיניה אלא מחוי במים, הו״ל כאילו לא נתבשל כל צרכו דאסור לגמור בישולו וכו׳ עכ״ל.

ומבואר בדבריו סברא חדשה, דאע״ג דצוקער חשוב כדבר יבש ואין בישול אחר בישול, מ״מ הואיל ונעשה מתחלה כדי להמחות במים ולא לאוכלה בעיניה, א״כ כשממחין אותו במים הרי זה גמר בישולו, ואין זה בישול אחר בישול כלל, אלא כתחלת בישול הוא ואסור. והנה סברא זו שייכא גם לענין מלח, ולפ״ז יש ליישב דברי המרדכי דאע״ג דס״ל דדבר יבש שחוזר ונימוח חשוב כדבר יבש ואין בישול אחר בישול, מ״מ לענין מלח טוב להחמיר משום דעדיין לא נגמר בישולו עד שחוזר ונימוח, והרי זה כתחלת בישול, ומיושבין נמי דברי ש״ע הרב והמ״ב שכתבו ג״כ דטוב להחמיר לענין מלח, ואע״ג דס״ל לענין אינפאנד״ה דדבר שחוזר ונימוח אין בו בישול אחר בישול.

והנה להלכה למעשה נחלקו הרבה אחרונים על דברי המג״א לענין מלח והביאו דעת המרדכי דטוב להחמיר, והם הזרע אמת הנ״ל, ורעק״א בהגהות ש״ע, וש״ע הרב ומ״ב הנ״ל ועוד כמה פוסקים, ואולם לפי מה שהסביר המחצית השקל דדין מלח תלוי בדין אינפאנד״ה, יוצא מזה דאף לגבי אינפאנד״ה טוב להחמיר, וכל דבר יבש שיש בו שומן הנימוח כשמתחמם טוב להחמיר בו ולדונו כדבר לח שיש בו בישול אחר בישול, אבל לפי דברי הזרע אמת אין צריך להחמיר אלא בדבר הנעשה מתחלה להמחות במים, כגון מלח וצוקער וקפה וכיוצא בהן.

ודע כי כמה פוסקים פלפלו בדברי הזרע אמת ונקטו דדעתו ג״כ כדעת המחצית השקל (ע׳ שו״ת מהרש״ג ח״א סי׳ נ״א, שו״ת אג״מ או״ח ח״ד סי׳ ע״ד דיני בישול ס״ק טז, שו״ת באר משה ח״ב סי׳ כ״א) אבל כנראה שלא היה להם הספר זרע אמת וסמכו על לשון השערי תשובה שהעתיק רק תוכן שיטתו בקיצור.

וע״ע בזה בשו״ת לבוש מרדכי ח״ב ס׳ קל״ב, דעת תורה הלכות פסח דף ק״ע, שו״ת השיב משה סי״א.

9. מ״ב שי״ח ס״ק ס״ד.

immersed in a *kli rishon* that contains a relatively small amount of hot water, since it is impossible for a great deal of food to be heated to *yad soledes bo* by a little hot water.

For the same reason, it is permissible to pour a large quantity of cold water into the hot water of a *kli rishon*, provided that the amount of cold water is so great that the mixture cannot reach *yad soledes bo*.[10] However, when doing so, one must pour all the cold water in at once. Pouring it in small increments could cause the first droplets to become *cooked* (i.e. *yad soledes bo*) before the hot water is cooled.[11]

[It should be noted, however, that any item, which *could* eventually reach *yad soledes bo* if left in the *kli rishon*, may not be immersed even for a few seconds.[12]]

Summary

One may not place in a *kli rishon* any uncooked food or any cold liquid.

Baked or roasted foods may be warmed up in a dry *kli rishon*, but may not be immersed in the hot liquids of a *kli rishon*.

Cooked foods may be reheated in any *kli rishon*. Soluble foods, even if pre-cooked, should not be dissolved in liquids that are in a *kli rishon*.

Any item which cannot possibly be heated to *yad soledes bo* may be warmed up in a *kli rishon*.

III. Pouring from a Kli Rishon — עִירוּי כְּלִי רִאשׁוֹן

Hot liquids, while being poured from a *kli rishon* retain the

---

10. רמ״א ס׳ שי״ח סי״ב.

11. מ״ב שם ס״ק פ״ג.

12. שו״ע ס׳ שי״ח סי״ד. והמ״ב בס״ק צ׳ כתב טעם ע״ז וז״ל וחיישינן דילמא מישתלי ליטלו עי״ש. ועי׳ בשו״ת אג״מ או״ח חלק א׳ ס׳ צ״ג בזה. ובששכ״ה פ״א הערה ח כתב וז״ל ומהגרש״ז אויערבאך שליט״א שמעתי, דמסתבר דאסור אף אם הכלי עומד במקום כזה אשר אם היה הכלי נשאר על אותו המקום היה מגיע לידי יס״ב, אלא שבינתיים היתה נכבית האש באמצעות שעון בשבת.

power of a *kli rishon*.[13] Therefore, it is forbidden to pour the contents of a *kli rishon* onto any food which may not be immersed in a *kli rishon*.

To list but a few examples: It is forbidden to pour soup from a pot directly onto baked goods, because the hot soup (*kli rishon*) will cook the previously baked items. Similarly, one should not pour water from a kettle or urn (*kli rishon*) directly onto coffee, because this cooks the coffee.

In the same vein, it is forbidden to pour hot water from a *kli rishon* into a cup that contains a small amount of cold water, because the cold water will be heated and cooked. Therefore, one should not pour water from a kettle into a wet cup, to avoid cooking the droplets of water in the cup.*[14]

Note:* If the water droplets in the cup are the residue of boiled water that had previously been poured into this cup, there is, strictly speaking, no prohibition to pour hot water into the cup (even if the droplets have

---

13. בדין עירוי מכלי ראשון יש כמה שיטות בראשונים: א) שיטת הר״י, הובא בתוס׳ שבת דף מב: ד״ה אבל, דעירוי מכלי ראשון מבשל ככלי ראשון עצמו, וכ״כ הר״ן שם בשם ר״ת, ב) שיטת התוס׳ שם, דעירוי מבשל כדי קליפה, וכ״כ התוס׳ זבחים צה: בשם ר״ת, ג) שיטת הרשב״ם, הובא בתוס׳ זבחים שם, דעירוי מכלי ראשון דינו ככלי שני, ד) שיטת רבינו יונה הובא בר״ן בפרק במה טומנין דעירוי ככלי שני תיכף כשיצא מן האויר דכלי ראשון, ובעוד שהקילוח באויר שוב אינו מבשל. ועי׳ בספר לחמי השלחן דף קסו שמסביר החילוק בין שיטת רשב״ם ורבינו יונה.

ובשו״ע ס׳ שי״ח ס״י כתב אסור ליתן תבלין בקערה ולערות עליהן מכלי ראשון עכ״ל. והנה המחבר לא ביאור להדיא אם עירוי מבשל לגמרי ככלי ראשון או רק כדי קליפה, והמ״ב בס״ק ע״ד הביא בשם המג״א דעירוי מבשל רק כדי קליפה.

14. אגרות משה או״ח ח״א סוף סי׳ צ״ג וז״ל והנה עירוי מבשל כדי קליפה מדאורייתא וכו׳ ולכן יש לאסור לערות רותחין מתוך כלי ראשון לכלי שהדיחוהו במים קרים שלא נתבשלו ונשארו בו טיפים מפני שמתבשלים הטיפים ואע״ג דלא ניחא ליה יש לאסור וצריך לנגבו [קודם שיערה בו המים] עכ״ל.

וראיתי בשו״ת משנה הלכות ח״ו סי׳ ס״ז שכתב בזה וז״ל בדבר שאלתו בכוס ריקן שנשארו בו צחצוחי מים אי מותר לשפוך בו מים רותחין מכלי ראשון בשבת או דלמא חיישינן משום בישול דצחצוחי מים, הנה אמת אגיד כי לא ראיתי מרבנן קשישאי שדקדקו בזה וכו׳ ולפום ריהטא היה נראה פשוט דלכן לא הקפידו על זה כיון דצחצוחי מים דבר מועט הוא והשופך לתוכו מים חמים בטל לגמרי ואין כאן בישול ואין דרך

Of course, if one wishes to add a small amount of hot water to a large quantity of cold water, it is permitted, provided that the mixture will definitely not be *yad soledes bo*.

---

completely cooled). However, it is preferable even in this case to dry the cup before adding to it water from a kettle.[15]

בישול בכך, וכיון דאין כונתו לבשל ואינו נהנה מהבישול הזה וגם אין דרך בישול בכך, כה״ג ודאי לא גזרו רבנן ולכן שפיר לא דקדקו בזה עכ״ל.

ויש לדקדק בדבריו, דהנה סברתו הראשונה של בעל משנה הלכות שליט״א דצחצוחי מים דבר מועט הוא ובטל לגמרי ואינו נהנה מהבישול, כבר הוזכרה בספר שביתת שבת בפתיחה להלכות בישול ס״ק כ׳, והקשה שם על זה מדברי המג״א סי׳ שי״ח ס״ק ל״ח [הובא להלכה במ״ב ס״ק ע״ח] דאסור ליתן בשר רותח לתוך רוטב צונן שהבשר הרותח מבשל הרוטב כדי קליפה, והלא גם התם הוי הכדי קליפה רק דבר מועט, ומתערב בכל הרוטב, ואינו נהנה ממה שנתחמם אותה קליפה מועטת כיון דמתערב עם כל הרוטב, ואפילו הכי אסור. ומש״כ עוד במשנה הלכות דאין דרך בישול בכך, אינו מובן, דאם כן בכל עירוי כלי ראשון נימא דאין דרך בישול בכך, ועוד דא״כ בהך ציור שהבאנו לעיל בשם המג״א דאסור ליתן בשר רותח לתוך רוטב צונן, התם נמי נימא דאין דרך לבשל רוטב ע״י הנחת בשר רותח, ועל כרחך דכיון שעכ״פ מבשל, לא אמרינן אין דרך בישול בכך.

ומש״כ עוד דאין כונתו לבשל, צ״ע דהלא פסיק רישיה הוא, ואע״ג דהכא מיקרי פס״ר דלא ניחא ליה הואיל ולא איכפת ליה בבישול הטיפין, הלא מנהגינו להחמיר בפס״ר דלא ניחא ליה אפילו בחשש איסור דרבנן וכל שכן הכא שיש בו צד איסור דאורייתא.

וראיתי בספר זה השלחן בסי׳ שי״ח שכתב דמעיקר הדין יש להחמיר בזה אבל אין למחות ביד המקילין. ותוכן דבריו דהכא הוי פס״ר דלא ניחא ליה [וכתב שם שכן שמע מהחזו״א זצ״ל דעירוי על הטיפין הוי פס״ר דלא ניחא ליה], ואע״ג דבעלמא מחמירין בפס״ר דלנ״ל אבל במקום שיש עוד טעם להקל שפיר מקילין [כמש״כ במ״ב סי׳ ש״כ ס״ק נ״ה], והכא יש לנו טעם אחר להקל דהא שיטת הרשב״ם ורבינו יונה דעירוי כלי ראשון דינו ככלי שני ואינו מבשל הטיפין, והגם דלא קיי״ל הכי מ״מ יש לסמוך אסברתם בפס״ר דלא ניחא ליה, ולכן אין למחות ביד המקילין ובפרט שהוא דבר שלא ישמעו לנו להחמיר עכ״ד. ועי׳ בשו״ת שבט הלוי ח״ז ס׳ מ״ב אות ב וז״ל אשר שאל למעשה האם צריך לייבש הכוס לפני ששופכים בו מים חמים וכו׳ דרכי להקל אחרי הכאת הכוס על היד וכיוצ״ב שהוציאו עיקר ליחת המים, והנצוצים שנשארו עוד איננו עוד בגדר בישול כלל דלא נתוסף לו כלום בזה ואינו נהנה מן הבישול עיי״ש.

15. אגרות משה או״ח ח״א סי׳ צ״ג וז״ל אולי יש להקל בהדיח במים קרים שהיו מבושלים ונצטננו, כיון דיש סוברים דאין בישול אחר בישול אף בלח שנצטנן, והוא גם פס״ר דלא ניחא ליה עכ״ל. ובחלק ד׳ סי׳ ע״ד דיני בישול ס״ק י״ט הקיל בהחלט וז״ל בהיו בהם מים רותחים שנצטננו, שמעצם הדין אין בישול אחר בישול דכן סוברים רוב

Pouring Cooks only the Surface – עִירוּי מְבַשֵּׁל כְּדֵי קְלִיפָּה

There is one difference between immersing food in a *kli rishon* and pouring onto food from a *kli rishon*. While immersion can cause the food to become cooked through and through, pouring will cook only the surface.[16] One leniency arises from this distinction.

Although we have seen that it is forbidden to immerse a container of food or drink (e.g. a baby bottle) in a *kli rishon*, it is permissible to pour water from a *kli rishon* onto such a container. Since pouring can cause only the *surface* of the container to be cooked, the food within the container cannot become cooked, because the container stands in place of the 'surface' of the food. Thus, the container's contents may be heated up in this manner.[17]

This leniency holds true with all foods, so long as the hot water that is poured onto the container is allowed to run off (i.e.

הפוסקים, ודאי לא שייך להחמיר בהטפות, ואם יש מים הרבה מבושלים שנצטננו יש לאסור לערות עלייהו הרבה מים רותחין באופן שגם המים הצוננין יעשו רותחין, כיון דהוא פסיק רישיה דניחא ליה עכ״ל.

וע׳ בספר זה השלחן סי׳ שי״ח וז״ל דמנהגינו כדעת הפוסקים שאף בלח אין בישול אחר בישול, ואף דבעינן שעכ״פ לא יצטננו לגמרי בדאיתא שם מ״מ מעיקר הדין מותר אפי׳ בנצטננו לגמרי כדאיתא שם ובחזו״א או״ח סי׳ ל״ז ס״ק י״ג ואין זה רק חומרא בעלמא וכו׳ וכן אמר החזו״א זצ״ל, שהיה ראוי להניח להדיח הכוסות במים שכבר נתבשלו אך קשה להנהיג כן עכ״ל. ובספר אמרי יושר [מועד] בסוף הספר אות נ״ט כתב בשם החזו״א וז״ל אמר שיש לנגב את הכוס אם רוצים לערות לתוכו מים חמים מכלי ראשון עכ״ל.

אכן באמת מאי דנקטו החזו״א והאג״מ דמעיקר הדין אין צריך לנגב הכוס הוא משום דאזלי לטעמייהו דס״ל לפרש דברי הרמ״א בסי׳ שי״ח סט״ו דמעיקר הדין אין בישול אחר בישול בדבר לח אפילו כשנצטנן לגמרי, וחומרא בעלמא הוא דמחמירין כשנצטנן לגמרי, לכן הקילו הכא היכא דהוי פס״ר דלא ניחא ליה, [ע׳ פרק א׳ ציון 30], אבל יש פוסקים שפירשו בדעת הרמ״א דכשנצטנן לגמרי יש בישול אחר בישול מעיקר הדין, והוא איסור דאורייתא [ע״ש בהערה הנ״ל] ולדידהו אי אפשר להקל בנידון דידן אע״ג דהוי פס״ר דלא ניחא ליה כיון דהוא חשש איסור דאורייתא, ולכן בודאי טוב להחמיר לנגוב את הכוס קודם ששופך לתוכו מים חמין.

16. ע׳ ציון 13.

17. ש״ך יור״ד סי׳ צ״ב ס״ק ל״ה.

the pouring is done in a sink). If the pouring is done in a bowl, the procedure will result in the container remaining immersed in a *kli sheni*. In such a case, this method of heating can be used only on items which may be immersed in a *kli sheni*.[18]

Summary

It is forbidden to pour hot liquids from a *kli rishon* onto any item which may not be immersed in a *kli rishon*. However, one may pour the hot water onto a container of food, provided that the water runs off.

IV. The Laws of Kli Sheni — A Second Vessel

Hot liquids, when transferred to a *kli sheni* (a second vessel), are still deemed capable of cooking foods that require relatively little cooking. The Sages classified certain foods as קַלֵּי הַבִּישּׁוּל — *readily cooked* items, and determined that these foods are so sensitive to heat as to become cooked in a *kli sheni*.

Over the centuries, however, our knowledge of which food items should be classified as *readily cooked* has diminished. Therefore, the *Poskim* rule that we must treat all foods and liquids as *readily cooked*, except those positively known not to be. Accordingly, it is forbidden to immerse *any* uncooked food in a *kli sheni* (except those listed below).[19]

In general, any food which may not be immersed in a *kli*

---

18. כן נראה, וע׳ ציון 21.

19. גמרא שבת דף מ: אמר רב יצחק בר אבדימי פעם אחת נכנסתי אחר רבי לבית המרחץ ובקשתי להניח לו פח של שמן באמבטי ואמר לי טול בכלי שני ותן וכו׳ שמע מינה כלי שני אינו מבשל ע״כ הגמרא. ומסתימות לשון הגמרא היה משמע דשום דבר אינו מתבשל בכלי שני, אבל בגמרא שם דף מב: איתא סבר רב יוסף למימר מלח הרי הוא כתבלין דבכלי ראשון בשלה בכלי שני לא בשלה א״ל אביי תני רב חייא מלח אינה כתבלין דבכלי שני נמי בשלה ע״כ, ומבואר דיש דברים שמתבשלים בכלי שני וכתב ע״ז בספר יראים [עמוד ז׳ איסורים שאינם רע לבריות כי אם לשמים] וז״ל ואין בישול תלוי לא בכלי ראשון ולא בכלי שני אך לפי שהוא דבר המתבשל, פעמים שהוא דבר רך ומתבשל אף בכלי שני, ויש דבר קשה שאפילו בכלי ראשון אינו מתבשל, ויש דבר המתבשל בכלי ראשון ולא בכלי שני וכו׳ למדנו לפי רכיכותן הוי בישולן, הלכך יזהר אדם שלא להכניס בשבת שום דבר בכלי שני ואף בכלי שלישי שהיד סולדת בו, שאין

rishon (e.g. spices, previously baked foods, containers of uncooked foods or liquid) may not be immersed in a *kli sheni*.

However, there are several areas in which we treat a *kli sheni* leniently.

Leniencies Which Apply to Kli Sheni

a) Foods known not to be easily cooked may be immersed in a *kli sheni*.
b) Cooked liquids that have cooled may be reheated in a *kli sheni*.
c) Soluble pre-cooked foods may be dissolved in a *kli sheni*.
d) Pouring water onto food from a *kli sheni*

A. Items Which Are Not Readily Cooked

The following items are definitely *not readily cooked* and may be immersed in a *kli sheni*.[20]

אנו בקיאים בדברים רכים וקשים מי הוא מתבשל ומי שהוא אינו מתבשל וכו׳ עכ״ל.

וע׳ במג״א סי׳ שי״ח ס״ק י״ח ומ״ב שם ס״ק מ״ב שכתבו ג״כ שלא ליתן שום דבר בכלי שני [חוץ מאותם הדברים שמפורש בפוסקים להתיר], ולכן יש לתמוה על מה שכתב החזו״א סי׳ נ״ב ס״ק י״ח שאין להחמיר בכלי שני אלא בפת שהוא נוח להתבשל אבל לא בשאר דבר, וצ״ע.

20. החיי אדם כלל כ׳ ס״ד, כתב דכלי שני אינו מבשל אפילו אם היד סולדת בו וכו׳ ואם הוא רותח כל כך עד שהיד נכוית בו נראה לי דלכו״ע מבשל, ע׳ בחבורי שערי צדק פ״ב עכ״ל. וע״ש בשערי צדק שהביא ראיה מדברי הרמב״ם פ״ג מהל׳ מעשר, דמבואר שם דבישול הוא אחד מהדברים הקובע פירות למעשר, שאם בישל פירות אסור לאכול מהם עראי עד שיעשר, וכתב שם הרמב״ם בהט״ו דמותר ליתן שמן שאינו מעושר לתוך התבשיל אע״פ שהוא חם מפני שאינו מתבשל בכלי שני, ואם היה חם ביותר כדי שיכוה את היד לא יתן לתוכו מפני שהוא מתבשל עכ״ל. והרי מבואר מדברי הרמב״ם דאפילו כלי שני מבשל אם הוא חם כל כך שהיד נכוית בו.

ואולם הרדב״ז בביאורו על הרמב״ם שם כבר עמד בהערה זו, וז״ל איכא למידק דמשמע מדבריו דאפילו כלי שני מבשל ואנן קיי״ל בכל דוכתא דכלי שני אינו מבשל, וי״ל דלא איירי רבינו אלא בכלי שנתבשל בו על האש והעבירו רותח אז הוא מבשל וכו׳ ועוד י״ל דאע״ג דבעלמא בישול כלי שני לא חשוב בישול, לענין קביעת מעשר הוקבע, כיון שעל ידי בישול זה הוא מכשירו לאכילה נגמרה מלאכתו וכו׳ עכ״ל. נמצא דלפי דברי הרדב״ז אין להביא ראיה כלל מדברי הרמב״ם הללו לענין איסור בישול בשבת. וע׳ בספר אמרי בינה (בהלכות בשר בחלב סוף ס״ג) שהביא דברי החיי אדם ואח״כ כתב

וז״ל אולם ממה דסתם הרמב״ם בפ״ב מהל׳ שבת דאם יצק התבשיל מהקדירה לקערה אע״פ שהוא רותח דמותר ליתן תבלין לתוך הקערה שכלי שני אינו מבשל, ואינו מחלק בין חם ביותר, כנראה דעתו דלעולם אינו מבשל, והך דמעשר כבר כתב שם הרדב״ז וכו׳ לענין קביעות מעשר הוקבע כיון שעל ידי בישול זה מכשירו לאכילה נגמרה מלאכתו עכ״ל, וכן כתב בשואל ומשיב (מהדורא ה׳ סי׳ י״א), ובערוך השלחן העתיד (הל׳ זרעים סי׳ צ״ח ס״ט). וכן מצאתי בחזו״א (מעשרות ס״ד ס״ק י״ח) דלענין מעשר דיש הרבה דברים שקובעים שפיר י״ל דבחם ביותר נקבע אף בכלי שני, אבל לענין שבת אפשר דלא קיי״ל הכי דהא בגמ׳ שבת מ: כללא כייל דכלי שני אינו מבשל עכ״ד, נמצא שהרבה אחרונים דחו הראיה שהביא החיי אדם מדברי הרמב״ם בהל׳ מעשר.

וגדולה מזו מצאנו בבית יוסף יו״ד סי׳ ק״ה שכתב מפורש דלא כהחיי אדם, וז״ל אבל כלי שני שאין דופנותיו חמין והולך ומתקרר, אע״ג דיד סולדת בו אינו מבשל וכו׳, דאפילו מעלה רתיחות בכלי שני כעין שהיה בכלי ראשון אינו מבשל, דכלל גדול הוא דכלי שני אינו מבשל בשום פנים, דאם לא כן לא ה״ל לתלמודא לסתום ולומר דכלי שני אינו מבשל עכ״ל. וע׳ בשביתת שבת בהקדמתו להל׳ בישול (אות י׳) שהביא דברי החיי אדם וכתב עליו, וז״ל והנה אם אמנם דבריו נתנו להאמר בסברא, אך לא מצינו לו חבר בכל הפוסקים וכו׳ ואם היה אסור מן התורה איך סתמו כל כך באיסור סקילה דזימנין טובא גם תבשיל שהוא לאכילה היד נכוית בו ואיך סתמו להתיר עכ״ל. וע׳ בחזו״א סי׳ נ״ב ס״ק י״ט שהביא דעת החי״א וראייתו מדברי הרמב״ם הנ״ל ואח״כ כתב, ז״ל מיהו כתבנו שם דגמרא דידן פליגא [העתקנו דבריו בזה לעיל], ומ״מ קשה להקל באיסור שבת, ולפ״ז נפל בבירא היתר כלי שני, דקשה לשער בין יד סולדת לנכוית וכו׳ ומיהו מעיקר הדין נראה דאין איסור בכלי שני אפילו יד נכוית כיון דלא הזכירו זה הפוסקים הרי״ף והר״מ והרא״ש והטוש״ע עכ״ל.

אכן במ״ב סי׳ שי״ח ס״ק מ״ח הביא דעת החיי אדם להלכה, דהנה הרמ״א כתב שם בס״ה ונהגו ליזהר לכתחלה שלא ליתן פת אפילו בכלי שני כל זמן שהיד סולדת בו עכ״ל, והיינו מפני שחוששין לדעת האומר יש בישול אחר אפיה, וכתב ע״ז במ״ב בשם החיי אדם דהיכא שהיד נכוית בו לכו״ע מבשל אפילו בכלי שני עכ״ד.

ובאמת יש מקום עיון בשיטת המ״ב בזה, דהנה לקמן בסעיף י״ב כתב המחבר דמותר לצוק מים חמין לתוך צונן או צונן לתוך חמין והוא שלא יהיו בכלי ראשון מפני שמתחממין הרבה עכ״ל, ולא הזכיר שם המ״ב כלל שאם היד נכוית בהן אף בכלי שני אסור, וכן בסי״ג כתב המחבר מותר ליתן קיתון של מים או של שאר משקים בכלי שני שיש בו מים חמין אבל בכלי ראשון אסור עכ״ל, וגם שם שתק המ״ב ולא הזכיר דאם היד נכוית בו אף בכלי שני אסור, ולכאורה תמוה דהא בסעיף ה׳ הביא המ״ב דעת הח״א, ואילו בסעיף י״ב וסי״ג שתק ולא הזכירו כלל. ואפשר לומר דהמ״ב לא חשש לדעת הח״א אלא לענין פת שהוא מתבשל בנקל, [ויש אומרים שפת הוא בכלל קלי הבישול], ולכן הביא שם המ״ב דעת הח״א שאם היד נכוית בו לכו״ע מבשל, וכונתו להחמיר כהח״א לענין פת, אבל לענין מים דודאי לאו מקלי הבישול הוא לא הביא המ״ב דעת הח״א דבמים א״צ להחמיר אפילו אם היד נכוית בו. וכעין זה ראיתי בשמירת שבת כהלכתה (פ״א הערה קנ״ג) בשם ספר תולדות שמואל, שגם הח״א נתכוין רק לבצלים וכיו״ב או דברים רכים, עיי״ש.

a) water, oil,[21]

ועי' בשו"ת שבט הלוי (ח"ז סי' מב) וז"ל בסוף דבריו, איברא פשוט מאד דסתימת הש"ס שלנו וכל הפוסקים דלא כהחיי אדם וכו' מכל מקום גם המחמיר לא צריך להחמיר רק מיד אחרי הבישול בכלי ראשון ועירה לכלי שני שאז חומו עוד גדול, דכיון דכל עיקר הדין של הח"א מפוקפק, גם המחמיר לא צריך יותר, וגם רק בכלי שני לא בכלי שלישי עכ"ל.

ועי"כ לא הבאנו שיטת החיי אדם כיון דרוב הפוסקים חולקים עליו.

21. שער הציון סי' שי"ח ס"ק ס"ח. ועי' בשלחן ערוך הרב' סי' שי"ח סי"ב כתב וז"ל יש דברים שהתירו חז"ל בפירוש דמותר ליתנן בכלי שני כגון תבלין וכן מים ושמן והוא הדין לשאר משקין עכ"ל, וכוונתו דאע"ג דלא מצאנו מפורש בחז"ל היתר אלא לענין מים ושמן, אין לחלק בינם לשאר משקין, וכן משמע מהפמ"ג במשב"ז סי' שי"ח ס"ק ט"ו, וכן פסק האז נדברו חי"ב ס' י"ט. מיהו בכלכלת השבת כללי הטמנה כתב דאסור ליתן חלב צונן לתוך coffee רותח שבכלי שני אם היד סולדת בו, ומבואר מדבריו דס"ל דדוקא יין ושמן מותרין בכלי שני ולא שאר משקין וכן פסק הכף החיים בס"ק פ"ה. וכן פסק הנודע ביהודה, דעיין בספרו דרושי הצל"ח [דרוש ל"ו ד"ה וכל ההתירים] וז"ל ואפי' בכלי שני ממש אסור ליתן חלב כי יש דברים שמתבשלים בכלי שני ואין אנו בקיאים וספק סקילה הוא זה עכ"ל.

והנה בשער הציון סי' שי"ח ס"ק ס"ח כתב דמותר לתת מים ושמן בכלי שני, ומשמע דשאר משקין אסורין, וכן משמע במשנה ברורה ס"ק ל"ט שכתב שכשעושין tea מותר לתת לתוך כלי שני חלב שנצטנן, ומשמע דדוקא חלב שנתבשל כבר ונצטנן מותר, דלענין בישול אחר בישול מקילין בכל שני, אבל חלב שלא נתבשל כלל אסור ליתן בכלי שני רותח, ומבואר דשאר משקין חוץ ממים ושמן אסורין בכלי שני.

ובספר שמירת שבת כהלכתה פ"א הערה קנ"א הקשה ע"ז ממה שפסק המחבר סי' שי"ח סי"ג מותר ליתן קיתון של מים או של שאר משקין בכלי שני שיש בו מים חמין עכ"ל ומפורש דשאר משקין נמי מותרין בכלי שני, ואין לחלק דשאני התם דהמשקין נמצאים בקיתון המפסיק בינם לכלי שני, דהא כל המקור דשמן מותר בכלי שני הוא מגמרא שבת דף מ: [הובא לעיל הערה 19] והתם איירי בשמן הנמצא בתוך קיתון, ואם נחלק כך אז אין לנו מקור להקל בשמן בתוך כלי שני עצמו, ועל כרחך דאין חילוק בין משקין שבקיתון למשקין בכלי שני עצמו, וא"כ יש לנו ראיה מפורשת מדברי המחבר בסעיף י"ג דכל משקין מותרין בכלי שני. עכ"ל.

ואפשר ליישב דעת המ"ב, דהנה התוס' בשבת דף לט. ד"ה כל, כתבו דאפילו דבר שאינו מתבשל בכלי שני אסור לשרות בו משום דמיחזי כמבשל, והא דשרי לתת תבלין בכלי שני משום דכיון דעשויין למתק את הקדירה לא מיחזי כמבשל עכ"ד. ובמהרש"א הקשה ע"ז מהא דמבואר שם דף מ: דמותר לתת קיתון של שמן בכלי שני, והתם לא בא למתק הקדירה, וה"ל לאסור משום דמיחזי כמבשל, ותי' ע"ז המהרש"א וי"ל דשאני התם דמפסיק כלי וכו' עכ"ל, וכנראה דכונתו דכשהשמן בתוך קיתון לא מיחזי כמבשל, ולכן מותר לתתו בכלי שני, דמצד עצם איסור בישול מותר משום דשמן לאו מקלי

b) ginger and cinnamon sticks.[22] [In powdered form, however, these items may be considered readily cooked.]

These items do not cook readily and require more heat than that of a *kli sheni* to cook. Therefore, they may be introduced into a *kli sheni*, even if they will be heated to *yad soledes bo*. [This is an exception to the rule that liquids are considered cooked when heated to *yad soledes bo*.]

To illustrate: It is permissible to pour cold water into the hot water of a *kli sheni*, even though the mixture remains *yad soledes bo*. Thus, one may add cold water to a cup of hot tea or coffee (*kli sheni*).

הבישול הוא, ומצד מיחזי כמבשל ליכא הואיל ומפסיק כלי.

ולפ״ז נראה ליישב דעת המ״ב, דס״ל דבאמת כל משקין לא הווין קלי הבישול, ולהכי שפיר מותר לתת קיתון של משקה לתוך כלי שני, דליכא איסור בישול בכלי שני בשום משקה ומשום מיחזי כמבשל נמי ליכא דהא המשקין הם בתוך קיתון, והא דחילק המ״ב בין שאר משקין לשמן ומים היינו כשנותנן לתוך הכלי שני עצמו, דהתם אסור בשאר משקין משום דמיחזי כמבשל, אבל בשמן ומים אפילו זה מותר, דבשמן ומים לא מיחזי כמבשל, והטעם הוא דשמן בכלל תבלין הוא ולא מיחזי כמבשל כמ״ש התוס׳, ובמים כתב הפמ״ג בא״א ס׳ שי״ח ס״ק ל״ד דכיון שהמים מתערבין יפה בהחמין שבכלי שני ואינם נכרים בפני עצמו לא מיחזו כמבשל].

22. מקור הדין הוא בשבת דף מב: האילפס והקדירה שהעבירן מרותחין [מעל האש] לא יתן לתוכן תבלין [משום דכלי ראשון מבשל] אבל נותן הוא תבלין לתוך הקערה או לתוך התמחוי [דכלי שני אינו מבשל תבלין] ע״כ. והנה מפורש במתני׳ דמותר ליתן תבלין בכלי שני אבל לא נתברר איזה דברים הם בכלל תבלין וגם בשו״ע סי׳ שי״ח ס״ט הובא דין זה ולא נתברר שם כלל מהו הגדר של תבלין. וכנראה שיש כמה שיטות בהפוסקים בזה. הקצות השלחן (בס׳ קכ״ד בבדי השלחן אות י״ד הביא דברי התפארת ישראל פ״ט דשבת משנה ה׳ שפירש [עפ״ד הרמב״ם] דתבלין הם א) [פ׳ מרקחות שריחן טוב כגון ginger, pepper] ב) שומים ג) בצלים ד) שומן [נראה דצ״ל שמן].

וכתב עוד בקצות השלחן וז״ל מיהו דוקא שומים ובצלים שאינם עשוים רק לתבל הקדירה או לאוכלם ע״י תערובת, אבל דברים שראויים לאכילה בפני עצמן כגון מעריי״ן [carrots] אע״פ שמתבלין בהן קדירה למתק, אין ללמוד מהמשנה דאינם מתבשלים בכלי שני, דאולי לא היו נוהגים בזמן המשנה לתבל בהן הקדירה, וגם פרי הנקרא לימו״ן אפשר דאינו בכלל תבלין במשנה דאולי לא היה הפרי [נמצא] בזמנם שהרי לא נזכר כלל בש״ס עכ״ל. מיהו בחזו״א סי׳ נ״ב ס״ק י״ט כתב דלימון הוי בכלל תבלין.

וע׳ בששכ״ה פרק ה׳ ציון קנב וז״ל שמעתי מהגרש״ז אויערבאך שליט״א, דלא מסתבר שהם תבלינים הרגילים בינינו, שהם באים להטעים התבשיל, דכיון שהם דקים מאד, כל שכן שהם מתבשלים גם בכ״ש עכ״ל [וע׳ באג״מ או״ח ח״ד סי׳ ע״ד דיני בישול

B. Previously Cooked Liquids

Cooked liquids may be reheated in a *kli sheni*, even if they have cooled completely.[22a] [Since it is not confirmed that liquids are 'readily cooked', we adopt a lenient attitude with regard to re-cooking, which itself is the subject of debate (see Chapter 1, Section IV-b).]

Thus, it is permissible to add pasteurized milk to a cup of hot coffee (*kli sheni*) because the milk has already been cooked (i.e. pasteurized).[23]

It is similarly permissible to warm up a baby's bottle containing milk (or other pre-cooked liquid) by immersing it in a *kli sheni*.

C. Foods that Dissolve

We have learned that soluble foods (e.g. coffee) should not be dissolved in hot liquids that are in a *kli rishon*, even though they have been previously cooked. It is permissible, however, to dissolve such pre-cooked foods in a *kli sheni*. Therefore, instant coffee, sugar and salt, all of which are cooked during factory processing, may be dissolved in hot liquids that are in a *kli sheni*.[24]

D. Pouring from a Kli Sheni – עִירוּי כְּלִי שֵׁנִי

Pouring hot liquids from a *kli sheni* onto food is not subject to the rules of *kli sheni*, but falls into the more lenient category of *kli shelishi*.[25]

Summary

The only uncooked foods which may be immersed in a *kli sheni* are those that are not readily cooked: water, oil and sticks

---

אות י״ח שכתב שלא כזה עי״ש].

22a. מ״ב סי׳ שי״ח ס״ק ל״ט.

23. שו״ת מנחת יצחק ח״ה ס׳ קכז, שו״ת ציץ אליעזר חי״ד ס׳ ל״ב, ובשו״ת אז נדברו חי״ב סי׳ יט, שו״ת חשב האפוד ח״ג סי׳ מ.

24. מ״ב סי׳ שי״ח ס״ק ע״א.

25. פמ״ג א״א סי׳ שי״ח ס״ק ל״ה.

of ginger or cinnamon. Previously cooked liquids may be reheated in a *kli sheni*. Soluble pre-cooked foods (e.g. coffee, sugar, salt) may be dissolved in a *kli sheni*.

V. The Laws of Kli Shelishi — A Third Vessel

Hot food or liquid transferred from a *kli sheni* to yet another vessel is said to be in a *kli shelishi* (a third vessel).

Once transferred to a *kli shelishi*, liquids do not retain the capacity to cook most foods. Therefore, it is generally permissible to immerse any raw or cooked food in a *kli shelishi*, even if the hot water of the *kli shelishi* is *yad soledes bo*.[26]

There are, however, several foods so sensitive to heat that they can become cooked even in a *kli shelishi*. These are: tea leaves,[27] eggs[28] and extremely salty fish which is unfit to be eaten due to its saltiness.[29] It is forbidden to heat these items by pouring on them the liquids of a *kli sheni* or by immersing them in a *kli shelishi*.

Furthermore, even if hot liquids are transferred to a fourth or

---

26. פמ״ג ס׳ שי״ח בא״א ס״ק ל״ה, במשב״ז ס׳ שי״ח ס״ק ט״ו, ובאג״מ או״ח ח״ד ס׳ ע״ד דיני בישול ס״ק ט״ו כתב וז״ל ולענ״ד לא נראה כלל לומר דאיכא דברים שמתבשלים בכלי שלישי, דלא מצינו אלא שבכלי שני יש דברים שמתבשלים וממילא מאחר שאין אנו יודעין יש לאסור כל דבר, ובכלי שלישי לא מצינו עכ״ל. ויש פוסקים שאוסרים כלי שלישי ע׳ בספר שביתת שבת [מלאכת מבשל הלכה כג] שהביא שיטת היראים [ע׳ לעיל ציון 19] וז״ל שלא יכניס בשבת שום דבר בכלי שני ואפי׳ בכלי שלישי וכו׳ שאין אנו בקיאים מה הם דברים קשין או רכין וכו׳, וכבר כתבנו לעיל בפתיחה בשם הח״ס חיור״ד דאנו רגילים להחמיר בכל הכלים אפי׳ כלי שלישי כ״ז שהיס״ב עכ״ל. ושיטת המ״ב אינה ברור בדין זה הגם דבס׳ שי״ח ס״ק מ״ז הוא מביא שיטת הפמ״ג דבכלי שלישי יש להקל, אבל זהו אפשר דווקא בפת בצירוף הדעות שאין בכלל בישול אחר אפיה, ויש לעיין ואכמ״ל. וע״ע בזה בחזו״א או״ח ס׳ נ״ב ס״ק י״ט, ובשו״ת מנחת יצחק ח״ה ס׳ קכ״ז, ובשו״ת שבט הלוי ח״ז ס׳ מ״ב.

27. מ״ב ס׳ שי״ח ס״ק ל״ט, ערוך השלחן ס׳ שי״ח סכ״ה. וע׳ באג״מ או״ח ח״ד ס׳ ע״ד דיני בישול ס״ק ט״ו שכתב שעלי הטיי מותר בכלי שלישי.

28. ששכה״כ פ״א ציון קמ״ח בשם הגרש״ז אויערבאך שליט״א. וע׳ בחזו״א או״ח ס׳ נ״ב ס״ק י״ט.

29. ש״ע סי׳ שי״ח ס״ד מ״ב, וביאור הלכה.

fifth vessel, it is forbidden to heat in them these three items. So long as a liquid is *yad soledes bo*, it is considered capable of cooking tea leaves, eggs and salted fish, regardless of how many vessels it has been transferred to.

It is therefore prohibited to use tea bags on Shabbos, as the tea leaves become cooked by the hot water, unless the water is first cooled below *yad soledes bo*. (For the permissible method of preparing tea see Section VIII. Practical Applications)

All other foods, however, may be heated in a *kli shelishi*.

Summary

All foods, whether raw or cooked, may be heated in a *kli shelishi*, or by liquids poured upon them from a *kli sheni*, except eggs, tea leaves and salted fish, which may never be heated with a liquid that is *yad soledes bo*.

VI. Cooking with the Heat of Solid Foods (Seasoning Dry Foods)

The laws of solid foods differ somewhat from those of liquids with regard to the three grades of vessels described above. [The term 'solid foods' in this context refers to any food which contains virtually no liquid or gravy (e.g. meat, chicken, *kugel*, *kishke*) and foods which are clumped together (e.g. a dry *cholent*).][30]

A. Solid Foods in a Kli Rishon

Solid foods in a *kli rishon* are, like liquids, capable of cooking anything that comes into contact with them. Therefore, it is forbidden to add uncooked seasoning to any food in a *kli rishon* that is *yad soledes bo*.[31]

Liquid condiments (e.g. ketchup, mustard, mayonnaise) may also not be added to a hot *kli rishon*. [Although these are

---

30. ע' פרק א' ציון 24.

31. ש"ע ס' שי"ח ס"ט.

generally pre-cooked during factory production, they are nevertheless subject to the prohibition of re-cooking cold liquids (בִּישׁוּל אַחַר בִּישׁוּל).[32]

However, *dry* pre-cooked seasoning (e.g. sugar, salt) may be used on hot solid foods, even in a *kli rishon*, as there is no prohibition against re-cooking dry items.[33]*

This ruling applies only to a *kli rishon* that has been removed from the *blech*. Under no circumstances may any seasoning be added to a pot while it is on a flame or hot *blech*.

B. Solid Foods Transferred to a Kli Sheni or Kli Shelishi

Many *Poskim* rule that hot solid foods maintain the status of *kli rishon* even after they are transferred to another vessel. Their reasoning is that, in contrast to liquids, solid foods do not lose much of their heat to the cool walls of the second vessel. Since they retain their heat even in the second vessel, they remain in the category of *kli rishon* regardless of how many times they are transferred, so long as they are *yad soledes bo*.[34]

Other *Poskim* dispute this ruling and hold that the rules of *kli sheni* and *kli shelishi* apply to solid foods as well.[35] In practice, we do the following:

1) With regard to *uncooked* spices, we follow the stringent

---

*Note: Although we learned above that items which dissolve when heated may not be added to hot liquids, even though they have previously been cooked, such pre-cooked items *may* be added to hot solid foods. The reason for this distinction is that when dissolved in liquids, soluble foods are themselves considered liquids, and are thus subject to the prohibition of בְּשׁוּל אַחַר בְּשׁוּל בְּלַח — *re-cooking [cold] liquids*. However, when dissolved on solid foods, soluble items are treated as solids, and are therefore exempt from the prohibition of *re-cooking*.

---

32. ע' לעיל ציון 8.

33. ש"ע ס' שי"ח סט"ו.

34. דעת המהרש"ל הובא בש"ך יור"ד ס' ק"ה ס"ק ח, ומ"ב ס' תמ"ז ס"ק כ"ד.

35. דרכי משה הובא בש"ך שם.

view which always considers solid foods to be a *kli rishon*. Accordingly, one must refrain from seasoning any hot solid food with uncooked spices, whether in a pot (*kli rishon*), platter (*kli sheni*), or plate (*kli shelishi*), so long as the food is *yad soledes bo*.

2) With regard to pre-cooked liquid condiments (e.g. ketchup, mustard, mayonnaise), where the question is one of *re-cooking*, one may follow the lenient view that, once transferred, solid foods are reduced to the status of *kli sheni*. Therefore, one may pour pre-cooked condiments onto dry foods in a *kli sheni.*[36]

Summary

Pre-cooked seasoning (e.g. salt) may be added to dry foods, even in a *kli rishon*. Pre-cooked liquid condiments (e.g. ketchup) may be used only in a *kli sheni*. Uncooked spices should never be used on dry foods that are *yad soledes bo*, regardless of how many vessels they have been transferred to.

VII. The Status of a Ladle

When a ladle is used to take soup from a *kli rishon* (i.e. a pot), there is a question as to the status of the ladle. Some *Poskim* take the basic view that the ladle is a *kli sheni*, making the bowl in which the soup is served a *kli shelishi*. [According to this opinion, it would be permissible to add baked items or any spices to the bowl of soup.]

Other *Poskim* rule that because the ladle is submerged in the *kli rishon* (the pot), it too is treated as a *kli rishon*. According to this view, the bowl is only a *kli sheni* [into which one is forbidden to add baked items or uncooked spices].[37]

---

36. אג״מ או״ח ח״ד ס׳ ע״ד דיני בישול ס״ק ה.

37. הט״ז ביור״ד ס׳ צ״ב סק״ל הביא דברי מהרי״ל וז״ל כתוב במהרי״ל בהלכות פסח וז״ל והמגעיל על ידי עירוי ששופך הרותחין על הכלי להגעילו יזהר שישפוך המים הרותחים דוקא מן הכלי שבשלו בו והוא הנקרא כלי ראשון ואל ישאוב מן הכלי שבו הרותחין בכלי אחר ולערות ממנו להגעיל משום דכלי ששואב עמו הוא כלי שני ונתבטל בו בישול הרותחין טרם שמגעילן אכן אם שוהה את הכלי ששואב עמו תוך

In practice, the following rules should be observed:

1) With regard to uncooked spices, the ladle should be considered a *kli rishon*, making the bowl a *kli sheni*. Therefore, before adding any uncooked seasoning to a bowl of soup, one must transfer the soup to a *kli shelishi*, or wait until the soup cools below *yad soledes bo*.

2) With regard to baked items, we may consider the ladle a *kli sheni* and the bowl a *kli shelishi*. [Since the issue of cooking a previously baked item is itself the subject of debate, in the case of a ladle we may follow the lenient view which considers the ladle a *kli sheni* and the bowl a *kli shelishi*.] Thus, it is permissible to add pieces of matzoh or croutons to soup that was put into a bowl with a ladle. One is also permitted to pour soup from the ladle directly onto a baked item, as pouring from a *kli sheni* falls under the rule of *kli shelishi*.[38]

A Ladle Left In the Pot

If the ladle is left in the pot for an extended period, or if it is

---

הכלי שמבשלין בו הרותחין ובעוד הוא שם מעלין רתיחות שפיר מיקרי גם הוא כלי ראשון עכ״ל. וע״ז הקשה הט״ז כמה קשיות ולכן פסק שהכלי ששואב עמו הוא כלי ראשון גם אם לא שהה בתוכו.

והמג״א בס׳ תנ״ב ס״ק ט׳ כתב וז״ל ויזהר שישפוך מהכלי שיבשל בו המים ולא ישאב עם כלי אחר מהקדירה ולערות עליהן להגעיל דזהו מיקרי כלי שני אכן אם שוהה את הכלי ששאב עמו תוך הקדירה שמעלין המים רתיחתן מקרי שפיר כלי ראשון וע״ע בזה בחוות דעת ס׳ צ״ב ביאורים ס״ק כ״ז.

38. בדין זה יש סתירה בהמ״ב דבס״ק פ״ז כתב וז״ל אבל אם שואב בכלי ריקן מתוך כלי ראשון י״א דדינו ככלי ראשון ובפשטות אם משהה הכלי ריקן בתוכו עד שמעלה רתיחה ודאי מקרי כלי ראשון עכ״ל, הרי שפסק המ״ב דהכף נדון בכלי ראשון, ובס״ק מ״ה בנוגע ליתן פת בתבשיל חם שהיד סולדת בו כתב המ״ב ונ״ל אם רוצה ליתן פת ימתין עד שלא יהי׳ היד סולדת במרק, או שלכל הפחות ישאב בכף מן הקדירה כדי שתהיה הקערה כלי שלישי עכ״ל, ומבואר דס״ל דהכף נדון ככלי שני. ועיין בשו״ת מנחת יצחק ח״ה סי׳ קכ״ז אות ג׳ שהעיר בזה ותירוץ ונ״ל הנה פשוט כיון דיש פלוגתא אם כף שתחבו לכ״ר יש לו דין כ״ר, ממילא הוי ספיקא דדינא על כן בספק שבין כלי ראשון לשני החמיר, ובספק שבין כלי שני לשלישי הקיל, והחילוק מובן וביותר בנדון שבס״ק מ״ה שיש מתירין אפילו בכ״ר [ר״ל דאין בישול אחר אפי׳] ואף שהרמ״א החמיר אפילו בכלי שני מ״מ בספק כלי שני כלי שלישי בודאי יש להתיר עכ״ל ועפי״ז כתבנו ההלכות בפנים.

immersed many times in succession, all *Poskim* agree that it must be considered a *kli rishon*. In this case, the bowl is certainly only a *kli sheni*, and one may not add baked items or uncooked seasoning unless the soup is transferred to a *kli shelishi* or cools below *yad soledes bo*.[39]

Note: This question regarding a ladle is irrelevant with respect to pre-cooked seasonings (e.g. salt), which may be added to a *kli sheni* according to all opinions.

Summary

Soup transferred from the pot to a bowl by means of a ladle is in some respects treated as a *kli sheni*, and in others as a *kli shelishi*. Uncooked spices should not be added to that bowl, but baked items may be added.

If the ladle was left in the pot for an extended period or was immersed many times, the bowl is definitely considered only a *kli sheni*, and even baked goods should not be added until it cools.

VIII. Practical Applications

A. Warming up a Baby's Bottle

A baby's bottle containing a pasteurized liquid (e.g. milk) may be immersed in a bowl or cup of hot water (*kli sheni*). It is also permissible to pour hot water from a kettle (*kli rishon*) onto the bottle. However, the bottle may not be immersed in a *kli rishon*.

A bottle that contains a non-pasteurized liquid may not be immersed in a *kli sheni*, but only in a *kli shelishi*.

B. Adding Noodles to Hot Soup

Cooked noodles may be added to hot soup that is still in the pot (*kli rishon*), provided that the pot is first removed from the *blech*.

---

39. מ״ב סי׳ שי״ח ס״ק פ״ז.

C. Adding Croutons to Hot Soup

Baked croutons (soup nuts) may not be added to a pot of soup (*kli rishon*) or to a bowl (*kli sheni*) into which the soup was poured.

However, if a ladle was used to transfer the soup to a bowl, croutons may be added to the bowl. One is also permitted to put croutons in a bowl and pour soup on them with a ladle. The same holds true for *challah* or *matzah*.

[Deep-fried croutons may be added directly to the pot or bowl.]

D. Seasoning Hot Soup

It is forbidden to add *any* seasoning (e.g. pepper, sugar, etc.) to hot soup while in a pot (*kli rishon*).

Seasoning that was cooked during processing (e.g. salt, sugar) may be added once the soup is transferred to a *kli sheni*.

Uncooked seasoning may not be added to a *kli sheni* until the soup cools below *yad soledes bo*. In a *kli shelishi*, however, even uncooked seasoning may be added.

E. Seasoning Dry Foods (Hot Meat or Thick Cholent)

Pre-cooked seasoning (e.g. salt, sugar) may be used on dry foods even in a *kli rishon*.

Uncooked spices should never be used on solid foods in any vessel, until they cool below *yad soledes bo*.

F. Condiments

Liquid condiments which were cooked during processing (e.g. ketchup, mustard) may not be added to a *kli rishon*. However, these may be used when the food is transferred to a *kli sheni*.

G. Adding Cold Water to a Hot Drink

It is permissible to add cold water to hot tea or coffee in a cup (*kli sheni*), or to hot soup in a bowl (*kli sheni*), but not to a pot of hot water or soup (*kli rishon*).

It is permissible to pour a large quantity of cold water into a small amount of hot water in a *kli rishon* that has been removed from the fire, if the resulting mixture will not be *yad soledes bo*. However, this is permitted only if the cold water is added all at once.

H. Adding Hot Water to Cold Water

One may not pour hot water from a kettle or urn (*kli rishon*) into a cup containing some cold water. It is, however, permissible to add a small amount of hot water to a larger quantity of cold water, if the resulting mixture will not be *yad soledes bo*.

I. Pouring Hot Water into a Wet Cup

One should not pour hot water from a kettle or urn (*kli rishon*) into a wet cup, as the droplets of cold water clinging to the walls of the cup will be cooked by the flow of hot water. If the droplets of water were previously boiled, one is not obligated to dry the cup before pouring hot water into it. Nevertheless, it is preferable to first dry the cup or to shake out the remaining liquid.

J. Serving Soup (or Liquid Cholent) with a Ladle

When using a ladle to serve soup from a pot (*kli rishon*), the ladle should not be allowed to cool between servings. If some time elapsed and the ladle did cool off, it is preferable that one shake any excess liquid from the ladle before reinserting it in the pot, to avoid re-cooking the droplets of cold soup remaining in the ladle.

The same holds true when replacing the cover on a pot of hot food (*kli rishon*). If the cover was left off long enough to cool, it is preferable that one shake off any liquid from the cover before replacing it on the pot.

Note: In the following chapter we will see that a ladle may not be used at all unless the pot is first removed from the *blech*.

K. Preparing Instant Coffee or Tea

Coffee and tea may be prepared in the following manner: Hot water should be poured from the kettle or urn (*kli rishon*) into a dry cup (*kli sheni*). One may then add instant coffee, sugar and milk. Cold water may also be added to coffee in the *kli sheni*.

The same procedure may be used for instant tea.

Some observe a more stringent practice, tıansferring the hot water to a *kli shelishi* before adding the other ingredients.[40]

L. Hot Cocoa

Instant cocoa may be prepared the same way as coffee.

Unprocessed cocoa, however, may be prepared only in a *kli shelishi*.

M. Tea Bags

Tea bags or tea leaves may never be immersed in hot water (i.e. *yad soledes bo*) on Shabbos, in any vessel. Therefore, one must prepare 'tea essence' before Shabbos, by pouring boiling water over the leaves or tea bags and allowing them to steep in the water.

If the essence of tea is kept hot during Shabbos (i.e. on the *blech*), it is best to pour some essence into a glass and then add hot water to it. If the essence is not kept hot, one must first pour hot water into a cup (*kli sheni*), and then add the essence.

---

40. שו״ת אג״מ או״ח ח״ד ס׳ ע״ד דיני בישול ס״ק ט״ז. וע״ע בזה בשו״ת מנחת יצחק ח״א ס׳ נ״ה, שו״ת חלקת יעקב ח״ב ס׳ קט״ז, שו״ת הר צבי דף רסח, שו״ת יחוה דעת ח״ב ס׳ מ״ד, שו״ת באר משה ח״ב ס׳ כ״א.

3 / Reheating and Serving Cooked Foods

In Chapter 1 we learned that certain cooked foods may be reheated on Shabbos. These are: fully cooked dry foods (even if cooled), and fully cooked liquids which have not cooled completely (i.e. are still suitable as warm drinks). However, even with these foods, certain restrictions apply as to the method of reheating. This chapter contains a discussion of the various methods of reheating, describing those which are permitted and those forbidden. Included is a discussion of the *blech*, and related *halachos*.

I. נְתִינָה לְכַתְּחִלָּה – The Prohibition of Placing Cooked Food on a Flame

Even in a case where a cooked food or drink may be reheated, one is forbidden to do so by placing it directly over a flame, or on any source of heat normally used for cooking. This prohibition, known as נְתִינָה לְכַתְּחִלָּה — *Initially placing [on a direct source of heat]*, was enacted by the Sages because even where the *melachah* of *bishul* does not apply, putting food on a flame *resembles* cooking and might lead to actual cooking.[1]

Therefore, cooked foods may not be warmed up on Shabbos on a flame, an electric range, or inside an oven. [The *blech* is discussed in Section II of this chapter.]

There are, however, several unconventional methods of

---

1. ש״ע הרב סי׳ רנ״ג ס״ד בשם הר״ן.

heating which do not fall under the prohibition of נְתִינָה לְכַתְּחִלָּה because they do not resemble cooking.

1) קְדֵירָה עַל גַּבֵּי קְדֵירָה – A pot atop another pot

It is permissible to reheat a fully cooked food by placing it *on top* of a pot which is on the flame or *blech*[2]. This is permitted only if the lower pot contains food.[3]

---

2. שו״ע סי׳ רנ״ג ס״ה

3. ביאור הלכה ס׳ רנ״ג ד״ה ויזהר. וע׳ בזה בשו״ת שבט הלוי ח״א ס׳ צ״א וז״ל מאחר שישבנו מנהג המקילים לדון מנהג שלנו דגו״ק ומותר בחזרה, עלינו לדון במנהג שמניחים קדרה ע״ג קדרה ואח״כ מסירין התחתונה, אם אפשר למצא היתר להושיבה על הפח למטה או לא, והנה רבינו בעל החזון איש כתב בפשיטות לאיסור גם אם יעמיד קדרה ריקנית להפסיק דחשיב כמשהה בתחילה בשבת, ואני עפר תחת רגליו נראה בעניותי דלפי מנהג הנ״ל גם זה מותר, [וע״ע בזה בשו״ת ציץ אליעזר חי״ב ס׳ כ״ט. ובשו״ת הר צבי בטל הרים מלאכת מבשל אות ו.] רצוני אם משים קדרה ריקנית על הפח המפסיק ורק על הקדרה הריקנית מעמיד המלאה שבידו, וטעמא דילי, דהנה הפמ״ג כתב בטעם הדבר דלמה לענין קדרה ריקנית לא התיר המחבר אלא חזרה לא נתינה בתחלה, ולענין ליתן ע״ג קדרה אחרת מתירין אפילו לכתחלה גם בשבת כמבואר בסימן רנ״ג ס״ה ושי״ח סעי׳ ז׳,ח׳,ט׳, וכתב דה״ט משום דקדרה ריקנית משמשת לכירה וחשיב כמעמיד ע״ג כירה, אבל מעמיד ע״ג קדרה שתבשיל בתוכה, חשיב כמעמיד על הקדרה ולא כמעמיד ע״ג כירה, או כמש״כ שאר פוסקים דזה אין דרך בשול בכך, והנה דבר פשוט מאד דזה לא שייך אלא כשהקדרה הריקנית עומדת ע״ג אש דמזה מיירי בסעיף ג׳ ובהא הוא דאיכא למימר דהיא בטלה לגבי כירה, אבל כשפח גדול ע״ג כירה ומשום עוד בתוך הפח קדרה ריקנית (שאינה מותאמת כלל לגודל הכירה וכיו״ב) פשוט מאד דהיא דבר נפרד בפני עצמו מופסק מהכירה ובודאי הדין נותן דיהי׳ דומה כקדרה שיהי׳ מותר ליתן עליה קדרה מדבר שנתבשל כבר והוא חם כהאי דסי׳ שי״ח הנ״ל. ומרן החזון איש דהחמיר בזה לטעמו אזיל דלא מחשיב הפסק הפח כלל, אבל לפי מה שישבנו מנהג העולם גם כאן נשתנה הדין כמש״כ. וע׳ באז נדברו ח״ג סי׳ י״ד שחולק ע״ז דקדירה ריקנית בטילה לגבי הכירה, והוי ככיסה הכירה בשתי כיסוי פח דודאי אסור השהי׳ לכתחילה, ושאני מקדירה שהתבשיל בתוכה, שאף באופן זמני אינה בטילה להכירה אלא להתבשיל שבתוכה עי״ש.

ועי׳ בששכה״כ פ״א הלכה לח וז״ל שתי קדירות העומדות על גבי האש, אחת על גבי חברתה, הסיר את התחתונה לא יתן את העליונה במקומה שעל גבי האש בשום אופן עי״ש. ועי׳ בהערה קיא מה שהביא בשם הגרש״ז אויערבאך שליט״א. ועי׳ עוד בזה בשו״ת ציץ אליעזר חי״ב סי׳ כ״ט וז״ל מיראים ושלמים שנהגו בכזאת בפשיטות להסיר את התחתון לקחתו לאכילה ולהשים במקומו את העליון שהיה מבושל כל צרכו אם עמדה העליונה על התחתונה מערב שבת.

2) אֵצֶל הַמְדוּרָה – Near a flame

Fully cooked foods may be placed *near* a flame for reheating.[4]

3) Kli Rishon

It is permissible to immerse fully cooked foods in a *kli rishon* which is off the flame.[5] [Baked items may be reheated only in a dry *kli rishon*. See p. 13.]

4) Electric Hot Plate

A hot plate that has only one temperature setting (i.e. it has no temperature-control knob) and is generally not used for cooking, but only for keeping food warm, may be used for reheating cooked foods.[6] (Of course, the hot plate must be connected before Shabbos.)

A hot plate that has adjustable temperature settings is considered a conventional means of cooking. It is forbidden to place food on such a hot plate on Shabbos.[7]

Summary

Cooked foods may not be reheated in a way which resembles cooking (e.g. on a flame or inside oven), but only by unconventional methods (e.g. atop another pot, near a flame, in a *kli rishon*, on a non-adjustable hot plate).

II. Halachos of the Blech

For halachic purposes the *blech* is divided into three areas:

1) Directly above the flame.

2) The area near the flame in which food could become heated to *yad soledes bo*.

3) The perimeter of the *blech*, where food cannot be heated to *yad soledes bo*.

---

4. שו״ע סי׳ שי״ח סט״ו.

5. שו״ע ס׳ שי״ח ס״ד.

6. אגרות משה או״ח ח״ד סי׳ ע״ד דיני בישול ס״ק ל״ה. וע׳ ששכה״כ פ״א הערה ע״א מש״כ בשם הגרש״ז אויערבאך שליט״א.

7. אג״מ הנ״ל.

As we shall now see, different *halachos* apply to each of these three areas.

A. Placing Food on the Blech

Cooked foods which were not on the *blech* before Shabbos may not be placed over the flame or in the section of the *blech* where they could become *yad soledes bo*, since these areas are suitable for cooking. It is permissible to warm up foods only on the perimeter of the *blech* where they cannot become *yad soledes bo*(110° F).[8]

B. Rearranging Pots on the Blech

1) Foods that were left on the perimeter of the *blech* (i.e. not *yad soledes bo*) may not be moved into the *yad soledes bo* area on Shabbos:[9]

It is common that when several pots are left on the *blech* Erev Shabbos, one or more are placed on the perimeter of the *blech* (i.e. not *yad soledes bo*). These may not be moved closer to the flame, into the area where they can become *yad soledes bo*.

2) Fully cooked food, left within the *yad soledes bo* area at the onset of Shabbos, may be moved directly over the flame on Shabbos.[10]

---

8. אגרות משה או״ח ח״א סי׳ צ״ד, ולהסבר הענין ע׳ בספר ברכת השבת דף כו. אבל בספר אז נדברו ח״ח סי׳ ט״ז כתב דאסור להניח תבשיל על הבלעך אפילו במקום שאין היד סולדת בו.

9. אגרות משה או״ח ח״ד סי׳ ס״א, וכ״כ הגאון ר׳ יחזקאל ראטה שליט״א בקובץ בית תלמוד להוראה חלק ג דף קנ״ה.

10. אגרות משה או״ח ח״ד סי׳ ס״א וז״ל ואם הניח הקדירה במקום על הפח שהיד סולדת בו, אפי׳ אינו ע״ג האש ממש, יכול להחזירה, דכל זמן שהפח חם מחמת האש שייכת להאש, ויכול להחזירה על האש עכ״ל. וע׳ בקובץ בית תלמוד להוראה ח״ג, שהגאון ר׳ יחזקאל ראטה שליט״א כתב וז״ל ורגיל אני להורות דאם הקידרה מונחת במקום שעדיין התבשיל יס״ב שרי להזיזו נגד האש עי״ש.

ובספר פני שבת דף עא כתב וז״ל ודבר זה שאלתי מכ״ק מרן אדמו״ר הגה״ק מקלויזענבורג שליט״א, והשיב לי שכל המקום סביב האש דינו כעל האש, ומותר לזוז הקדירה שמונח על הטס במקום שאין אש תחתיו והוא יס״ב, למקום שיש אש תחתיו, דעל הטס במקום שיס״ב והוא סביב לאש דינו כמו על האש עי״ש, ואח״כ כתב בשם הגאון ר׳ אפרים פישל הערשקאויץ שליט״א, דנלענ״ד בכוונת רבינו שליט״א במה

Note: Since the exact temperature of *yad soledes bo* is unclear, this rule applies only to the area that is 160° F (see p. 5).

3) Cooked food, which was left directly above the flame or in the *yad soledes bo* area before Shabbos, and was moved on Shabbos to the non-*yad soledes bo* area, may be returned to its original position, so long as it is still warm.[11]

[Returning a pot to the *blech* after it was taken off is discussed in Chapter 5.]

Summary

The hot area on the *blech* (i.e. *yad soledes bo*) is suitable for cooking; cooked foods may not be warmed up there.

The edge of the *blech* (i.e. not *yad soledes bo*) is not suitable for cooking and may be used to warm up cooked foods.

Moving food from the edge of the *blech* (not *yad soledes bo*) to the interior (*yad soledes bo*) is forbidden. Moving cooked food within the *yad soledes bo* area(160°), even directly over the flame, is permitted. Food moved from the *yad soledes bo* area to the perimeter of the *blech* on Shabbos may be returned to its original position.

שאמר שכל המקום סביב האש דינו כמו על האש, דזה דווקא במקום שיכול להתבשל שם הקדירה, דאל״ה המקום ההוא לא מיקרי על האש עי״ש, וכן נראה בכוונת מרן בעל אגרות משה זצ״ל שהבאתי לעיל.

11. ע׳ אגרות משה או״ח ח״ד סי׳ ע״ד דיני בישול אות י״ב, שנשאל [ממרן זצ״ל] האם מותר להחזיר דבר המבושל, שנמצא על הבלעך במקום שאין היד סולדת, למקום שהיד סולדת ולמקום שעל גבי האש ממש, והשיב דכיון שהוא על הבלעך לא נחשב חזרה, ואם הוא עדיין חם (דליכא דין בישול אחר בישול) מותר להעמידה גם ע״ג המקום שע״ג האש עכ״ל. והנה מרן ז״ל קיצר מאד דלכאורה תמוה כיון דהיא על מקום דאין היס״ב האיך נחשב זה כמו ע״ג האש שיהא מותר להעמידה ע״ג האש ממש? והנה באמת לפי הבנה הפשוטה בדבריו קשה מדידי׳ אדידי׳. דבאגרות משה (או״ח ח״א סי׳ צ״ד) כתב דמותר להניח אוכל לכתחלה בשבת על חלק הבלעך שאיננו יד סולדת בו, ובהכרח דס״ל דנתינה במקום זה לא נחשב כנתינה על גבי האש, וא״כ איך פסק כאן דמותר לקחת תבשיל הנמצא במקום זה ולהניחו על גבי האש?

אכן יבא הכתוב השלישי ויכריע ביניהם, דבאגרות משה (או״ח ח״ד סי׳ ס״א) כתב וז״ל וכשהסיר בשבת מעל גבי אש והניח במקום שאין היד סולדת תלוי גם זה במחלוקת הר״ן תוס׳ והרא״ש [דדעת הר״ן דאם נטל קדירה מע״ג האש בשבת והניח ע״ג קרקע

III. הֲגָסָה – Stirring [and Scooping Food from a Pot]

A. Stirring

We learned in Chapter One that stirring food which has not been fully cooked violates the *melachah* of *bishul*. This prohibition extends to fully cooked foods as well.[12] Accordingly, it is forbidden to stir any food, cooked or uncooked, while over a flame, even if the flame is covered by a *blech*.

מותר להחזירה, ותוס׳ והרא״ש אוסרים] ואף שהתם כתב הרמ״א [סי׳ רנ״ג ס״ב] דטוב להחמיר, הכא עדיף עכ״ל. ומה שכתב דהכא עדיף, נראה בכוונתו דאע״פ שמקום שאין היד סולדת בו מותר להניח שם לכתחלה בשבת, ולא נחשב כמו על גבי האש, מ״מ כשנוטל קדירה מע״ג האש ומניח במקום זה לא נחשב כהנחה על גבי קרקע דנימא דנתבטלה שהייה הראשונה, אלא דומה קצת למי שאוחז הקדירה בידו, דכיון דסוף סוף יש במקום הזה קצת חמימות לא נתבטלה שהייה הראשונה, וממילא מותר להחזירו משם על גבי האש.

והנה מתוך דברי מרן זצ״ל מבואר שלא רצה לסמוך על סברא זו אלא בתבשיל שניטל מן האש בשבת עצמה, דאז לשיטת הר״ן בלא״ה מותר להחזירה, אפי׳ אם הניחה ע״ג קרקע, ואע״פ שכתב הרמ״א דטוב להחמיר כשיטת התוס׳ והרא״ש, מ״מ כשמניח בקצה הבלעך במקום שאין היד סולדת, אין צריך להחמיר, כיון דמסתבר דלא דמי למניח ע״ג קרקע. אבל בתבשיל שניטל מן האש ערב שבת, דאף הר״ן מודה בו דאם הניחה ע״ג קרקע אסור להחזירה בשבת, ונמצא דלכו״ע יש איסור חזרה מעיקר הדין, בזה לא סמך מרן זצ״ל על סברתו הנ״ל דקצה הבלעך עדיף ממניח ע״ג הקרקע, וס״ל דאין להקל להחזירה בשבת למקום שהיד סולדת.

נמצא דהעולה מתוך דברי רבינו, דקדירה שניטל מע״ג האש בשבת, והונחה בבלעך במקום שאין היד סולדת, מותר להחזירה משם למקום שהיד סולדת, ולמקום שע״ג האש, אבל קדירה שניטלה מן האש קודם השבת, והונחה בכניסת השבת בקצה הבלעך שאין היד סולדת בו, אסור להחזירה בשבת למקום שהיד סולדת. ולפ״ז נמצא דאין כוונתו בח״ד ס׳ ע״ד רק לענין חזרה וכנ״ל.

12. בבית יוסף סי׳ רנ״ג הביא שיטת הכלבו דהמגיס קדירה שעל גבי האש חייב משום מבשל אפי׳ בתבשיל שנתבשל כל צרכו שהיא על האש. ובשער הציון (סי׳ שי״ח ס״ק קמ״ח) כתב ע״ז וז״ל ולא אדע טעם, דמאי עדיפא הגסה מבישול ממש, וכל הפוסקים מודים דבמבושל כל צרכו אין בו משום בישול וכו׳ עכ״ל, מידו אע״פ שאין ידוע לנו טעמו של הכלבו, הרבה אחרונים הביאו דבריו להלכה, והם המג״א סי׳ שי״ח סס״ק מ״ב, התוספות שבת שם ס״ק נ״ה, והאלי׳ רבה שם חושש להחמיר כדבריו, והדגול מרבבה ריש סי׳ רנ״ב, והתהלה לדוד ריש סי׳ רנ״ב [וכתב שם שכן הוא הסכמת האחרונים], והמ״ב סי׳ שי״ח ס״ק קי״ח, והחזו״א סי׳ ל״ז ס״ק ט״ו.

והנה בספר שביתת השבת (בדיני בישול ס״ק פ״א) כתב שני טעמים לדברי הכלבו.

However, there is a difference with regard to this prohibition between fully cooked foods and foods that are not completely cooked. Foods that are not fully cooked may not be stirred, even if the pot is taken off the *blech*, so long as the food is *yad soledes bo*. With fully cooked foods, the prohibition applies only while directly over a flame. If the pot is lifted off the flame, or moved to the part of the *blech* not directly over the flame, cooked food may be stirred.[13]*

---

*Note: This is the only *halachah* in which we differentiate between the area on the *blech* directly over the flame, and that area near the flame which is *yad soledes bo*.

א – יל״פ על פי מ״ש הר״ן סוף פ״ק דשבת [הובא בשו״ע סי׳ שי״ח סי״ח] דהנותן צמר ליורה [ליצבע] אסור להגיס בו אע״פ שקלטו העין, מפני שדרך הצבעים להגיס בהם תמיד כדי שלא יחרכו, [ולכן חשוב ההגסה כמו מעשה בישול, ואע״פ שכבר נתבשל הצמר וקלט העין, מפני שההגסה מסייע ומתקן להבישול, שלא יתחרך הצמר], וסבר הכלבו דהוא הדין בכל תבשיל שכבר נתבשל כל צרכו, הדרך להגיס בה בעודה על האש, כדי שלא יתחרך וידבק בדופני הקדירה, וממילא חשוב הגסה זו מעשה בישול.

ב – עוד טעם יש ליתן לדעת הכלבו, מפני שיש מיני גריסין וקמחין שמפני התדבקותם יחד אין מתבשלים יפה, שאין מגיע להם רתיחת המים, ועל כן אפילו כשעומד על האש ונראה שנתבשל כל צרכו, מ״מ יתכן שיש חלקים שלא נתבשלו עוד, ועל ידי ההגסה והמיעוך שולטת רתיחת המים בכולה, ויכול לבא לידי בישול, וכעין זה כתב באגרות משה (או״ח ח״ד סי׳ ע״ד דיני בישול אות ח׳). עוד כתב שם באג״מ בשם התפארת שמואל דחוששין שמא יחשוב האדם שהוא מבושל, ובאמת אינו מבושל, ונמצא כשמגיס חייב חטאת, לפיכך אסור מדרבנן להגיס כשהוא ע״ג האש. ובספר אמרי פנחס (דף קמ״ח) הביא בשם הגרש״ז אויערבך שליט״א וז״ל וצריך לדחוק בדברי הכלבו שכונתו משום גזירה שמא יגיס בקדירה שלא נתבשלה כל צרכה ורק אז יתחייב משום מבשל עכ״ל. וע׳ באגלי טל (מלאכת אופה ס״ק מ׳) שחידש עוד טעם לאסור הגסה מדרבנן, משום דמיחזי כמבשל, עיי״ש בדבריו.

13. כתב הרמ״א סי׳ שי״ח סי״ח, ולכתחלה יש ליזהר [בהגסה] אף בקדירה בכל ענין [פי׳ אפילו כשהוסר מע״ג האש] עכ״ד, ובמ״ב ס״ק קי״ז כתב בשם האחרונים דלא נהיגין להחמיר בזה, ומותר להגיס דבר המבושל כל צרכו לאחר שהוסר מעל האש, ומסיים המ״ב שהרוצה להחמיר יחמיר (בהגסה ממש אבל להוציא בכף אין להחמיר כלל) עכ״ל. והנה לא כתבנו בפנים שהרוצה להחמיר יחמיר מפני שבאגרות משה (או״ח ח״ד סי׳ ע״ד דיני בישול אות ח) פירש בכונת המ״ב שהרוצה להחמיר אין בזה משום יוהרא, אבל באמת אין צורך להחמיר כלל.

Stirring Water

Water and other pure liquids (e.g. milk), once cooked, are exempted from this prohibition. If they were boiled and are still warm, liquids may be stirred, even while on a flame.[14] (Once cooled, however, liquids are subject to all the restrictions of *bishul* and, like uncooked liquids, may not be stirred.)

B. Scooping Food from a Pot

Scooping food from a pot is a form of stirring, since it is inevitable that the food be stirred somewhat each time a spoon is inserted. Therefore, while a pot is over the flame it is forbidden to scoop out any food, even if it has been completely cooked.[15] The pot should be lifted, or moved on the *blech* to an area not directly over the flame, while the food is scooped out.[16]

For example: when serving *cholent* Friday night, the pot must be lifted or moved off the flame while the *cholent* is doled out.

However, this procedure is subject to the conditions of חֲזָרָה — *returning* (Chapter 5), and is not always permitted. There are cases where, once lifted, it would be forbidden to return the pot to its original position (e.g. the pot was left on an uncovered flame). In these cases one is permitted to scoop food from the pot without lifting it from the flame. One should be careful, however, not to stir the food when inserting the

---

14. בשו״ת אבני נזר או״ח סוף סי׳ נ״ט כתב בשם הר״י מקוטנא דבמים לבד אין בו משום מגיס, ובאגרות משה (או״ח ח״ד סי׳ ע״ד דיני בישול ס״ק יד) כתב ע״ז דסברתו נכונה דבין למה שכתבתי לעיל לדעת הכלבו משום דאיכא קרטין שלא נתבשלו, ובין לטעם התפארת שמואל שיש מקום לטעות, ליכא חשש במים אם כבר נרתחו ממש עכ״ד. והנה כל זה נכון לפי הטעמים שהבאנו בדעת הכלבו, אבל לפ״מ שכתב בשערי ציון [ע׳ ציון 12] דלא ידע טעם הכלבו צ״ע בהיתר זה דאולי יש טעם אחר לדעת הכלבו, אשר לפי אותו הטעם אין חילוק בין מים לשאר תבשילים. ומצאתי במקור חיים להחוות יאיר (בקיצור הלכות לסי׳ שי״ח סי״ח) דמבואר להדיא דלדעת הכלבו יש איסור מגיס אף במים.

15. מ״ב סי׳ שי״ח ס״ק קי״ג.

16. שו״ת אג״מ או״ח ח״ד סי׳ ע״ד דיני בישול ס״ק יא.

spoon. The same rule applies if the pot is too heavy to be lifted.[17]

[This ruling applies only to fully cooked food. If not completely cooked, it is absolutely forbidden to remove food from a pot by any method, as this causes the remaining contents of the pot to cook more speedily. (See Chapter 1.)]

Summary

It is forbidden to stir or to scoop food from a pot of fully cooked food while directly over a flame. The pot must first be lifted or moved away from the flame.

In a case where it would then be forbidden to return the pot to its position (see Chapter 5), fully cooked food may be scooped out (but not stirred) while directly over the flame.

Boiled liquids, while hot, are exempt from this prohibition.

[Partially cooked food may never be scooped from its pot while it is *yad soledes bo*.]

---

17. חזו״א סי׳ ל״ז. ס״ק י״ד, שו״ת ציץ אליעזר ח״ז סי׳ ט״ו, שו״ת אז נדברו ח״ה סי׳ יג. וע׳ בשו״ת אג״מ או״ח ח״ד סי׳ ע״ד דיני בישול ס״ק ט שהחמיר בזה.

4 / שְׁהִיָּה – Maintaining Food on a Flame

It is forbidden to leave uncooked food on an open flame before Shabbos in order that it cook on Shabbos. The Sages enacted this prohibition because if it were permissible to maintain raw food on a flame, one might be inclined to adjust the flame in order that it cook more speedily and thereby transgress the prohibitions of מַבְעִיר — *kindling*, and מְבַשֵּׁל — *cooking*.[1]

---

1. שו״ע סי׳ רנ״ג ס״א, כירה שהוסקה בגפת [שהוא פסולת של זתים] או בעצים, אסור ליתן עליה תבשיל מבעוד יום להשהותו עליה וכו׳ דחיישינן שמא יחתה עכ״ל. והנה בזמנינו שמבשלים בתנורי גז (נפט) נהגו העולם ג״כ להחמיר ולאסור שהייה על האש, כמו שכתב בשו״ע לענין כירה שהוסקה בגפת או בעצים אבל הפוסקים הביאו שני סברות להקל יותר בתנורים שלנו מבכירה שהוסקה בגפת או בעצים.

ע׳ בשו״ת יחוה דעת ח״ו סי׳ כ׳ שהביא מספר גידולי ציון ח״ט סי״א וז״ל שמה שגזרו חז״ל בתבשיל המונח על גבי כירה וכו׳ שמא יחתה בגחלים, זהו משום שדרך הגחלים לדעוך קימעא קימעא, ואינם נשארות באותו מצב של חום כמו שהיו בשעת ההדלקה, לכן חששו שמא יראה שהן עוממות והולכות, ויבא לחתות בגחלים להבעירן כמקדם, אבל בפתילה של נפט שאין לחוש לכך, אין לגזור שמא יחתה וכו׳ והסכים לדבריו בשו״ת ציץ אליעזר ח״ז סי׳ ט״ז אות ג׳, וריש סי׳ י״ז עכ״ל, וסברא זו הוזכרה ג״כ בשו״ת משנה הלכות ח״ז סי׳ ל״ט.

והנה בביאור הלכה ריש סי׳ ער״ה הובא כעין סברא זו לענין הא דכתב שם בשו״ע דאין קורין בספר לאור הנר משום גזירה שמא יטה הנר, וכתב שם במ״ב סק״ד דבנרות הטובים שלנו שאין צריכים הטייה כלל לעולם מותר לקרות כנגדן, דלא שייך שמא יטה אלא בדבר שדרכו להטות לפעמים בחול כדי שידלק יפה עכ״ל. ובביאור הלכה (ד״ה לאור) כתב דלענין נרות שקורין לאמפי״ן שיש להם פתילה וכשרוצים שיגדול האור מוציאים הפתילה יותר, לכאורה שייך בהם גזירה שמא יטה, ותמה על מה שנהגו העולם להקל לקרות כנגדן, ובסוף הביא סברא להתיר מספר מסגרת השלחן, דלא חשו שמא יטה אלא בדבר שאחר שמדליקין אותו מתמעט אורו, וצריך להטותו כדי להעמיד אורו, אבל לאמפי״ן דרכו שדולקין מעט שמתחילין להדליק אותן עד סוף הדלקה בדרך אחד,

The prohibition was established only for conditions in which it is reasonable to suspect that one might adjust the flame. In a situation where this occurrence is unlikely, one is permitted to allow uncooked food, placed on the flame before Shabbos, to cook on Shabbos.

I. The Talmudic Procedure

In Talmudic times, when most cooking was done in ovens filled with hot coals, the Sages outlined two procedures for eliminating the likelihood of stirring the embers, and thereby permitting one to maintain food in the oven:

1. גְרִיפָה – Removing the Coals

If the coals were removed, it was permissible to leave uncooked food in the oven before Shabbos, allowing it to be cooked by the heat retained in the oven.[2]

2. קְטִימָה – Covering the Coals

It was also permissible to leave raw food in the oven if the coals were covered with ashes. Since their heat was thus diminished, one indicated by doing so that he was not concerned with cooking speedily and was unlikely to stir the embers on Shabbos.[3]

ואין האור מתמעט כלל, לכן אין בהם חשש שמא יטה עכת״ד. והנה זהו ממש סברת הפוסקים שהבאנו לעיל לענין שהייה, אולם בביאור הלכה מסיים שם דאין היתר זה ברור, עיי״ש. ובשו״ת אגרות משה או״ח ח״א סי׳ צ״ג כתב עוד סברא להקל בתנורי גז שלנו, דלא גזרו חז״ל אלא שמא יחתה הגחלים, אבל לא גזרו שמא יביא עוד עצים ויוסיף על האש, שהרי בתנור שהסיקו בקש ובגבבא לא גזרו, משום דלא שייך בהו החשש שמא יחתה, ואע״פ דשייך להביא עוד קש ולהוסיף על האש, אלא ע״כ דלא חששו חז״ל כלל שמא יוסיף על האש, וגזרו רק שמא יחתה אותן הגחלים שמונחים כבר בתנור, לכן בתנורי גז שלנו דלא שייך כלל לחתות באותו הגז שיש שם, אלא שאם רוצה להגדיל האש צריך להוסיף יותר גז, לא שייך גזירת חז״ל עכת״ד. אכן מבואר שם דאין לסמוך על סברא זו למעשה. ובאמת כבר נהגו העולם להחמיר בתנורים שלנו כמ״ש למעלה.

2. שו״ע סי׳ רנ״ג ס״א, ורש״י שבת דף יח: ד״ה יחתה.

3. שו״ע סי׳ רנ״ג ס״א, ומ״ב שם ס״ק י״ג וי״ד.

II. The "Blech"

Nowadays, the prevalent practice is to maintain food on the stove top by covering the flame with a sheet of metal (the *blech*). This is considered similar to קְטִימָה (covering the ashes), as one is not likely to adjust a flame thus covered.[4]

Some *Poskim* rule that, as an added stringency, the knobs which control the flame should also be covered. It is proper to abide by this ruling.[5]

It should be noted that one may not concoct an original idea for eliminating the risk of adjusting the flame. The only conditions that qualify are those which fall within the guidelines established by the *Poskim;* specifically: covering the flame with a *blech*. Covering the knobs alone does not permit one to maintain food on an open flame, nor does any similar idea.[6]

Other Methods Of Cooking

When maintaining uncooked food inside an oven or on an electric appliance (e.g. crockpot, hot plate), one is obligated to cover the source of heat, to indicate that he is no longer concerned with raising the temperature. The proper method of covering these appliances will now be described.

A. Hot plates and Urns

Hot plates, urns and all appliances that operate at a single temperature, and cannot be adjusted, may be used without any *blech*.

Adjustable hot plates should be covered with a sheet of

---

4. חיי אדם כלל כ׳ הלכה י״ב, כתבי הג״ר יוסף אליהו הענקין זצ״ל דף כא, אגרות משה או״ח ח״א סי׳ צ״ג, וע״ע בספר פני שבת דף קע״ח, ובשו״ת ציץ אליעזר ח״ז סי׳ ט״ו. אבל בחזו״א או״ח סי׳ ל״ז ס״ק ט׳ וס״ק י״א כתב דטס של מתכת לא מהני, מפני שכיסוי כזה דרכו בכך, ואינו ממעט החום כל כך עיי״ש.

5. אגרות משה או״ח ח״א סי׳ צ״ג שו״ת באר משה ח״ז בקונטרס עלעקטריק סי׳ ג׳ וד׳.

6. אגרות משה שם.

aluminum foil. As with stove tops, it is proper to also cover the temperature-control knob.[7]

With urns, there is no way of covering the heating element. Therefore, *adjustable* urns may not be used unless the water has been boiled, and is above 160° F at the onset of Shabbos.

B. Crockpots

With adjustable crockpots, one must line the entire heating element with aluminum foil. The knob should, preferably, also be covered.

C. Inside an Oven

The only permissible way to maintain uncooked food inside an ignited oven is to use an oven insert (i.e. a metal box, inserted in the oven, in which the food is cooked). It is preferable that the knob also be covered.[8]

III. When Is a Blech Required

A. Dry Foods

Uncooked food which is not edible at the onset of Shabbos may not be maintained on a flame unless a *blech* is used. If the food has been partially cooked, reaching a minimal degree of edibility *('like the food of Ben De'rusai')* before Shabbos, one is not obligated to use a *blech*.[9]

---

7. שו״ת באר משה ח״ו בקונטרס עלעקטריק ס״ב, וברכת השבת דף לא.

8. שו״ת אג״מ או״ח ח״ד ס׳ ע״ד דיני בישול ס״ק כז. אבל ע׳ בשו״ת שבט הלוי חלק ג׳ מ״ח שחולק על האג״מ עיי״ש. וע״ע בזה בשו״ת מנחת יצחק ח״ג ס׳ כ״ח.

9. בריש פרק כירה (דף לו:) תניא חנניה אומר כל שהוא כמאכל בן דרוסאי מותר לשהותו על גבי כירה אע״פ שאינו גרוף ואינו קטום, ונחלקו עליו חכמים וס״ל דאסור להשהותו ע״ג כירה שאינו גרוף וקטום אלא א״כ מבושל כל צרכו ומצטמק ורע לו. והנה הרי״ף והרמב״ם ועוד הרבה פוסקים כתבו דהלכה כחכמים דאסור להשהות אפילו בדבר שהוא כמאכל בן דרוסאי, אבל הבעל המאור ורש״י ותוס׳ ועוד כמה פוסקים כתבו דהלכה כחנניה דמותר להשהות דבר שהוא כמאב״ד, והובא כל זה בבית יוסף סי׳ רנ״ג.

We have previously mentioned (see p. 5) that there is a question with regard to defining *'the food of Ben De'rosai'*.

והנה בשו״ע סי׳ רנ״ג ס״א כתב דאסור להשהות אפילו דבר המבושל כל צרכו (אלא אם כן מצטמק ורע לו), והיינו כשיטת הרי״ף והרמב״ם דהלכה כחכמים, ואח״כ כתב המחבר דיש אומרים שכל שנתבשל כמאכל בן דרוסאי מותר להשהותו ע״ג כירה. וידוע דכל מקום שמביא המחבר דעה ראשונה בסתם ואח״כ מביא דעה אחרת בשם יש אומרים, דעתו להלכה כדעה ראשונה [ע׳ שו״ת הרמ״ע מפאנו סי׳ צ״ז, וש״ך יו״ד סי׳ פ״ד ס״ק י״ב]. אבל בספר מנחת כהן (במשמרת השבת פ״ה ד״ה והנה) כתב להוכיח דהכא סובר המחבר דהלכה כחנניה להקל. וע׳ בספר זכור ליצחק סי׳ ע״ד שכתב שכנראה שנתפשט המנהג בזה דלא כהרי״ף והרמב״ם [שפסקו כחכמים] ואף ע״ג שבכל דבר אזלינן בתר מרן הבית יוסף [שנראה מדבריו שפסק כהרי״ף והרמב״ם] מ״מ בזה לא נוהגים כן עכ״ד.

והנה הרמ״א כתב (שם) ונהגו להקל כסברא האחרונה [היינו כחנניה] וכתב ע״ז בביאור הלכה וז״ל עיין בבית יוסף שהאריך הרבה באלו השתי דעות, והעתיק דברי הרא״ש שכתב דמפני שישראל אדוקים במצות עונג שבת ובודאי לא ישמעו לנו על כן הנח להם וכו׳, משמע מזה דרק משום זה לא רצה למחות, וכן הבית יוסף גופיה ממה שהעתיק דעה ראשונה בסתמא והשניה בשם יש אומרים משמע ג״כ שדעתו נוטה להחמיר [עמש״ל בשם מנחת כהן], אך מ״מ אין בנו כח למחות בהמקילין שכבר נהגו העם כהיש אומרים וכמו שכתב הרמ״א, ועל כן לפי זה לכתחילה בודאי טוב ליזהר שיהיה מבושל כל צרכו קודם חשכה ולסלקו מן האש, אך אם אירע שנתאחר הדבר כגון שבאו אורחים קודם שקיעת החמה והוצרך לבשל איזה תבשיל עבורם, יכול להעמיד על הפטפוט לבשל אף שלא יתבשל עד השקיעה רק כחצי בישול סגי וכו׳ עכ״ל. מבואר מדברי הבה״ל דלכתחלה טוב ליזהר בזה ורק בשעת הדחק יש להקל. ויש להביא סמך לדבריו דעיין בספר דעת תורה שציין לדברי המג״א סוף סי׳ ת״צ בשם תשובות הרמ״א, דהיכא דכתב ״והעם נהגו״ ולא כתב ״וכן נוהגין״ כונתו שהעם נהגו כן מעצמם אף שאיננו נכון עיי״ש, וה״נ מה שכתב כאן הרמ״א ״ונהגו״ להקל כסברא האחרונה, אין כונתו לפסוק דהלכה כסברא האחרונה, אלא שכן נהגו, ומשמע דלכתחלה טוב להחמיר בזה. אבל בחזו״א סי׳ ל״ז ס״ק ג חולק על הביאור הלכה, וכתב דמ״ש הרא״ש דאין למחות מפני שלא ישמעו אין כונתו משום מוטב שיהיו שוגגין, אלא כונתו שכיון שהמחמירים הם גדולי עולם כגון השאילתות והרי״ף ועוד, היה ראוי להחמיר שלא ליכנס לפלוגתא, אבל מפני שיש כאן הרבה פעמים ביטול עונג שבת לא ישמעו לנו להחמיר [שלא ליכנס לפלוגתא] אלא כל שיש להקל מעיקר הדין יאמרו להקל, ומעיקר הדין אפשר להמקילין להקל אחרי שהם מבני בניהם של אלו שהקילו ע״פ הוראת רבותיהם וכו׳ ולכן הנח להם שיסמכו על דעת רבותינו המקילים וכו׳, ומסיים החזו״א, ואפשר שאין להחמיר אחרי שהגאונים לא החמירו לעצמן וכו׳ עכ״ל.

ובאמת אף במ״ב בסוף ס׳ רנ״ט כשהעתיק בקצרה כל דיני שהייה כתב בסתמא דאם נתבשל כמאכל בן דרוסאי מותר להשהות אע״פ שאין התנור גרוף או קטום, ומשמע שמעיקר הדין דעתו להקל, ומה שכתב בבה״ל סי׳ רנ״ג הנ״ל דלכתחלה טוב ליזהר

Some *Poskim* rule that food is considered edible when one third cooked. Accordingly, food which is one-third cooked before Shabbos (i.e. it has been heated past *yad soledes bo* for one-third of its usual cooking time[10]) may be maintained on a flame without a *blech*. Others rule that only half-cooked food is considered edible and a *blech* is required unless the food is half-cooked before Shabbos (i.e., heated for half its cooking time).

In keeping with the stringent view, one must use a *blech* unless the food is half-cooked before the onset of Shabbos. However, in a case of necessity (i.e., no *blech* is available), one may maintain food on a flame if it is at least one-third cooked before Shabbos.[11]

This defines the actual obligation of the *halacha*. It is proper, however, to use a *blech* at all times, and to make sure that all food is fully cooked before Shabbos.[12]

B. Liquids

With liquids, a *blech* must be used unless they are above *yad soledes bo* at the onset of Shabbos. We learned in Chapter 1 that the exact definition of *yad soledes bo* is unclear and only a temperature of 160° F can be considered definitely *yad soledes bo*.

Therefore, a *blech* must be used for *maintaining* liquids on the stove unless they are above 160° at the onset of Shabbos.[13]

It is proper, however, to always use a *blech*, and to make sure that the liquids have been boiled and are still warm at the onset of Shabbos. [For a kettle, which will be lifted from the flame and replaced, it is imperative to use a *blech* and to make sure the water has boiled, as we will see in the following chapter.]

כדעה ראשונה ע״כ כונתו דטוב להחמיר לכתחלה, אבל מעיקר הדין מותר להשהות אם נתבשל כמאב״ד. ובש״ע הרב סי׳ רנ״ג ס״ז כתב ג״כ דהלכה כסברא האחרונה להקל.

10. חזו״א סי׳ ל״ז ס״ק ו׳.

11. מ״ב סי׳ רנ״ג ס״ק ל״ח.

12. שמירת שבת כהלכתה פרק א׳ סעיף ס״ג.

13. אגרות משה או״ח ח״ד סי׳ ע״ד דיני בישול ס״ק ג׳.

C. Raw Meat — קִדְרָא חַיְיתָא

The *Poskim* mention one exception to the requirement of covering the flame. Raw meat in a pot could be placed on an open flame *immediately* before Shabbos, since it could not possibly be cooked in time for the evening meal. In this case there was no risk of one increasing the heat since the food would, in any event, only be ready for the morning meal.[14]

Nowadays this leniency cannot, generally, be relied upon, since with modern cooking methods almost any type of food can be cooked in a relatively short period. However, this ruling does apply with a crockpot, which cooks slowly.[15]

Therefore, it is permissible to put raw meat in a crockpot,

---

14. שו״ע סי׳ רנ״ג ס״א וז״ל כירה וכו׳ אסור ליתן עליה תבשיל מבעוד יום להשהותו עליה אא״כ וכו׳ או שהיה חי שלא נתבשל כלל, דכיון שהוא חי מסיח דעתו ממנה עד למחר, ובכל הלילה יכול להתבשל בלא חיתוי, אבל אם נתבשל קצת ולא נתבשל כל צרכו וכו׳ חיישינן שמא יחתה ואסור להשהותו עליה וכו׳ עכ״ל. ובמג״א ס״ק ב׳ כתב דהא דמותר להשהות דבר חי היינו דוקא כשנותנו סמוך לחשיכה ממש, דאם נותנו מבעוד יום הרי יתבשל קצת קודם השבת ושוב חיישינן שמא יחתה עיי״ש.

וע׳ בספר שביתת השבת בדיני שהייה והטמנה (בבאר רחובות ס״ק ט״ו) שכתב דלפי דברי המג״א צריך עיון אם שייך בזמנינו היתר זה, שהרי אין אנו רגילין לאחר מלקבל שבת עד חשיכה ממש, ובפרט בירושלים עיה״ק שמקבלים שבת יותר מחצי שעה קודם השקיעה, ועד שחשיכה כבר נתבשל קצת עיי״ש.

אבל ראיתי בספר תולדות שמואל ח״ג מלאכת סי׳ ל״ג ס״ק ג׳ שכתב דדין זה שייך אפי׳ לדידן וז״ל נ״ל שכל מה שנזכר בדין זה הן נתבשל כל צרכו הן כמאב״ד הן שלא נתבשל כלל כולן משערין באיכות הבישול בשעת קבלת שבת ואפי׳ יש עדיין משעת קבלת שבת עד ביה״ש זמן רב באופן שבתוך זמן זה תשתנה לגמרי איכות הבישול הן להקל והן להחמיר אפי״ה לא אזלינן רק בתר איכות הבישול בשעת קבלת שבת דאם לא תאמר כן נמצא שנפל גם כל עיקר דין זה בבירא כי בוודאי א״א לצמצם הזמן של כניסת השבת ויש מקדימין ויש מאחרין קצת ומ״מ כו״ע מקדימין עכ״פ זמן מסויים קודם השיעור האמיתי בצמצום אע״כ שהכל תלוי כנ״ל אבל הא מספקא לי אם קצת ב״ב כבר קבלו עליהם את השבת וקצת לא קבלו עדיין כי כן היא המנהג גם עפ״י רוב שהאשה מקבלת שבת תיכף בהדלקת הנרות והבעל ושאר ב״ב לא קבלו עדיין את השבת והשתא איכא לספוקי בתר מי אזלינן בכה״ג ונ״ל שהעיקר תלוי בהאשה או המשרתת וכיוצ״ב שעוסקים במלאכת הבישול ומוטל עליהם כי כן מסתבר שאלו הדינים תלויים בהם דווקא [כן נ״ל ומ״מ צ״ע] עכ״ל.

15. כתבי הג״ר יוסף אליהו הענקין זצ״ל ח״ב דף י״ט.

without any *blech*, immediately before Shabbos, provided that one is certain the food will not be ready for the evening meal. Moreover, even with a pot of partially cooked food, it is sufficient to put in one piece of raw meat to exempt the entire pot from requiring a *blech*.

Summary

It is proper and advisable that all foods be completely cooked before Shabbos, and be maintained only on a flame covered by a *blech*. The absolute requirement of the *halachah*, however, is to use a *blech* for foods that are less than half cooked (in a case of necessity: one-third cooked), and for liquids that are below 160° F at the onset of Shabbos.

A piece of raw meat may be put in a crockpot immediately before Shabbos to exempt the pot from requiring a *blech*.

Note: Concerning the use of Shabbos clocks, see Appendix.

5 / חֲזָרָה – Returning a Pot to the Blech

Often, the need arises on Shabbos to remove a pot from the *blech* to take out food, and to replace it on the *blech* afterward. It is also necessary, on occasion, to transfer hot food from one *blech* to another (e.g. taking the food to a different house, within an *eruv*). These actions, known as חֲזָרָה — *Returning [food to the blech]*, resemble cooking and are therefore permitted only under strict conditions.[1]

I. The Five Conditions for Returning

We learned in Chapter 3 of the prohibition of נְתִינָה לְכַתְּחִלָּה: *Initially placing* food on a flame or *blech*. This prohibition applies only to placing on the flame or *blech* 'new' foods which were not there at the beginning of Shabbos. *Returning* (i.e. replacing on a *blech*) food which was taken off during Shabbos

---

1. משנה שבת לו: וגמרא שם לח:, הובא בשו״ע סי׳ רנ״ג ס״ב עי״ש. והנה בטעם הדבר שאסור להחזיר ע״ג האש בשבת תבשיל המבושל כל צרכו, נחלקו הראשונים, דעת ר״ת בספר הישר [הובא בשעה״צ סי׳ רנ״ג ס״ק ל״ז] דחיישינן שמא יחתה בגחלים, וכ״כ בחידושים המיוחסים להר״ן דף לו:, ובמג״א סי׳ רנ״ג סק״כ, ובש״ע הרב סט״ו. ובאמת זהו עצמו הטעם שאסרו חז״ל להשהות מערב שבת ע״ג כירה שאינה גרופה וקטומה. ולפ״ז צ״ב למה החמירו יותר לענין חזרה מלענין שהייה, שהרי חזרה אסור אפילו בתבשיל המבושל כל צרכו, ואילו שהייה מותר לחנניה אם נתבשל כמאכל בן דרוסאי ולרבנן אם נתבשל כל צרכו ומצטמק ורע לו. מיהו כבר כתב ע״ז ר״ת [ע״ש בשעה״צ הנ״ל] דיש לחוש יותר לענין חזרה משום דכשנוטלה מן האש פעמים שמצטננת קצת וחיישינן שמא יחתה בחזרתו עכ״ד.

אולם רש״י והר״ן ריש פ׳ כירה כתבו דחזרה אסור מטעם אחר, והיינו משום דמיחזי כמבשל, וביאור הדבר דחיישינן שאם יהיה מותר להחזיר ע״ג האש תבשיל המבושל כל צרכו יהיה נראה כמו שמבשל בשבת, ויבאו עי״ז להשים על האש אף תבשיל שלא נתבשל כל צרכו, וטעם זה הובא במ״ב סי׳ רנ״ג ס״ק ל״ז.

is permitted. Transferring food from one *blech* to another (or from a flame to a *blech*) is considered a form of *returning* and is also permitted.

However, to be exempt from the prohibition of נְתִינָה לְכַתְּחִלָּה — *initially placing*, and to qualify instead as חֲזָרָה — *returning*, five conditions must be met.

1) גָרוּף אוֹ קָטוּם: The flame to which the food is being 'returned' must be covered (with a *blech*).
2) מְבוּשָׁל כָּל צָרְכוֹ: The food must have been completely cooked.
3) עוֹדוֹ חַם: The food must still be warm when returned to the *blech*.
4) עוֹדוֹ בְּיָדוֹ: (Literally: still in his hand.) The pot should not have been set down during the entire time it was off the *blech*.
5) דַּעְתּוֹ לְהַחֲזִירָה: One's original intention, when removing the pot, was to return it to the *blech*.

These conditions will now be explained in detail.

1) גָרוּף אוֹ קָטוּם — The Flame Must Be Covered

A pot may be 'returned' only to a flame that is covered by a *blech*. [It is preferable that the knobs also be covered.] *Returning* a pot to an open flame is never permitted.

Even fully cooked food, which may be 'maintained' on an open flame (as detailed in the previous chapter), may not, when taken off the fire, be returned to its place.[2] However, it is permissible to transfer the pot from the open fire to one which is covered by a *blech*[3] (if the other four conditions are also met).

[Accordingly, it is advisable that one always use a *blech*, even when not obligated under the rules of שְׁהִיָּה: *maintaining*, in order to permit lifting and returning the food.]

Ovens, Crockpots, Hot plates

Any appliance normally used for cooking requires a *blech* (i.e.

---

2. שו״ע סי׳ רנ״ג ס״ב.

3. שו״ע סי׳ רנ״ג ס״ג.

a covering) to permit *returning:* ovens require an insert;[4] crockpots and adjustable hot plates must be lined with aluminum foil.[5] [It is preferable that the knobs also be covered.]

Non-adjustable hot plates which cannot be used for cooking, but only for keeping food warm, require no *blech*.[6] However, non-adjustable crockpots do require a *blech*, as these are generally used for cooking.[7]

2) מְבוּשָּׁל כָּל צָרְכּוֹ – The Food Must Have Been Completely Cooked

Returning a pot to the *blech* is permitted only if the food has

---

4. בשו״ע שם פסק דכירה גרופה וקטומה מותר להחזיר דוקא על גבה אבל לתוכה אסור, ובשו״ת אג״מ או״ח ח״ד סי׳ ע״ד ס״ק כ״ו כתב דתנורים שלנו דינם ככירה ואסר להחזיר לתוכן אפילו בגרוף וקטום וכ״כ במנחת יצחק ח״ג סי׳ כ״ח סק״א, ולפ״ז כתב שם דלא סגי בכיסוי פח [״בלעך״] על האש שבתוך התנור, אלא צריך דוקא להשים insert בתוך התנור, והיינו כעין תיבה המפסיק לגמרי בין הקדירה ודופני התנור עי״ש.

אבל בספר הלכות שבת [להרב שמעון איידער שליט״א] דף 354 הערה תתקס״ג כתב וז״ל שמעתי בשם מו״ר הגר״א קאטלער זצ״ל שלתנורים שלנו מותר להחזיר, וטעמו דעיקר בישול שלהם היה בתוכו לפיכך יותר מיחזי כמבשל בתוכו מעל גביו [פי׳ דלכן החמיר המחבר יותר בתוך הכירה מעל גביו, וכ״כ במ״ב סי׳ רנ״ג ס״ק נ״ח], משא״כ בשלנו על גביו הוא כמו בתוכו, ולפיכך התיר להחזיר בתוכו בתנאי חזרה עכ״ל. וכך פסק בשו״ת שבט הלוי ח״ג סי׳ מ״ח.

5. כן נראה עפ״י שו״ת שבט הלוי ח״א סי׳ צ״א, והסכים לי בזה הגאון ר׳ ח.פ. שיינבערג שליט״א, הגאון ר׳ יחזקאל ראטה שליט״א, הגאב״ד דדעברעצין שליט״א. באמת יש לצרף עוד מה שהביא הרב שמעון איידער שליט״א בספרו על הלכות שבת ח״ב דף 354 ההערה תתקסג וז״ל וטעם מו״ר הגר״א קאטלער זצ״ל שהתיר חזרה בלא בלעך בתוך התנור כיון שכסו את הכפתורים שבהם מגביהים האש דלדעתו היא עיקר דין הבלעך. וע״ז העיר המחבר הנ״ל ולא אבין דהא ניחא לענין שהייה מהני כיסוי על הכפתורים דגו״ק לשהייה משום גזירה שמא יחתה ובכפתורים מכוסים א״א לחתות. אבל לגבי חזרה דגו״ק גם משום מיחזי כמבשל בענין היכר בגוף האש ואיך מהני כיסוי על הכפתורים לזה עכ״ל. אבל עיין בשו״ת הר צבי דף רכא [בהרר״י בשד״ה] וז״ל אמנם יש לדחות ולומר שגם בטעם מיחזי כמבשל לא שייך אלא במקום שישנה גזירה משום שמא יחתה עכ״ל ועי״ש שהביא ראיה ליסוד הנ״ל.

6. כן נראה עפ״י שו״ת אג״מ או״ח ח״ד ס׳ ע״ד דיני בישול ס״ק ל״ה.

7. עפ״י הנ״ל

been completely cooked.[8] 'Completely cooked' means that the food has been cooked to the point where it would be eaten by most people without further cooking. Partially cooked food, even that which has reached the edible state *('like the food of Ben De'rusai')*, may not be returned to a *blech* once removed. Doing so violates the Torah Prohibition of *cooking*.

3) עוֹדוֹ חַם – The Food Must Still Be Warm

A fully cooked item that is removed from the *blech* on Shabbos may be 'returned' only while it is warm; i.e. it could be enjoyed as a warm food or drink. Once cooled, it may not be returned to the *blech*, as this is considered a new, initial warming procedure.[9] [With liquids, once cooled, the prohibition of *cooking* also applies.]

4) עוֹדוֹ בְּיָדוֹ – The Pot Is Still in His Hand.

Another condition necessary for *returning* to be permitted is that the pot be held in one's hand the entire time it is off the *blech*.

It is not necessary to keep the pot suspended in mid-air; it can be set down on a counter or tabletop so long as one does not release his grip. Only if one set down the pot and released his grip is he fobidden to return it.[10]

---

8. רמ״א סי׳ רנ״ג ס״ב, ומ״ב שם ס״ק ס״א.

9. רמ״א שם, ומ״ב ס״ק ס״ח דכשנצטנן לגמרי בטלה שהייה ראשונה והוי כנותן עתה מחדש. ושיעור החמימות הנצרך כדי שלא יהיה נקרא נצטנן לגמרי, כתב באג״מ (או״ח ח״ד סי׳ ע״ד דיני בישול סק״ב וס״ק ל״ד) שיהיה ראוי לאכול לאלו שרוצין לאכול חמין עי״ש.

10. בשו״ע סי׳ רנ״ג ס״ב כתב דמותר להחזיר הקדירה ע״ג האש רק אם לא הניחה ע״ג קרקע, והוסיף הרמ״א ״ועודה בידו״, וכתב במ״ב ס״ק נ״ה דכונת הרמ״א להוסיף דאם הניחה ע״ג מטה או ספסל וכדומה הוי כמו שהניחה ע״ג קרקע ובטלה שהייה הראשונה.

והנה לא נתברר להדיא מהו הפירוש של ״ועודה בידו״, האם צריך לאחוז הכל באויר ולא להניחה כלל, או דלמא יכול להניחה ורק צריך לאחוז בה ולא לסלק ידו ממנה. גם צ״ע אם יש איזה חילוק לענין זה בין הניח ע״ג קרקע להניח ע״ג מטה או ספסל. וראיתי

However, if resting it on the floor, one must keep the pot partially raised the entire time. Once set down completely on the floor, the pot may not be returned to the *blech*, even if one did not let go of the handle.[11]

5) דַעְתּוֹ לְהַחֲזִירָה – The Original Intention Was to Replace The Pot

The final condition required to permit returning food to the *blech* is that one's original intent be to do so. If, when lifting the pot, one intended to remove it from the flame permanently, he is forbidden to return it. However, if one had no particular intention when lifting the pot, he is permitted to return it, so long as he did not specifically intend to remove it permanently.[12]

בספר פני שבת דף ל שכתב דגבי מטה וספסל מספיק אם אך אוחז בכלי, והביא ראיה מהא דאיתא בירושלמי (שבת פ״ג סוף ה״א) הניחו בארץ אסור לטלטלו וכו׳ תלאו ביתד והניחו ע״ג ספסל מותר, א״ר יוחנן ברבי בשלא העביר את ידו עכ״ל. מבואר מדברי הירושלמי דדוקא אם העביר ידו ממנה אסור להחזירה אבל אם לא העביר ידו ממנה מותר לההחזירה ואע״ג שהניחה ע״ג ספסל. ובשו״ת מהר״ם שיק (או״ח סי׳ קי״ז ד״ה ובלא״ה) כתב עוד דמדברי הירושלמי מוכח דאם הניח ע״ג קרקע אסור לההחזירה אף אם לא העביר ידו ממנה, שהרי רק לענין ספסל מתיר בירושלמי אם לא העביר ידו ממנה אבל במניח בארץ אסר בכל אופן.

וכן כתוב בקיצור הלכות בסוף ספר מקור חיים ח״א (להגאון בעל חוות יאיר) דבמניח ע״ג קרקע אסור לההחזיר אע״פ שעדיין אוחז בו.

אבל בשו״ת אג״מ ח״ד סי׳ ע״ד אות ל״ג כתב להקל בזה, דמותר לההחזיר הקדירה אפילו אם הניח ע״ג קרקע כל זמן שאוחז בה בידו וכן כתב בספר תורת שבת (ס׳ רנ״ג ס״ק י״ג) ונתן טעם לדבריו דעיקר הא דבעינן עודה בידו היינו כדי שיהיה ניכר שדעתו לההחזירה ולכן אין צריך שיהיה הקדירה בידו באויר אלא אפילו הניחו ע״ג קרקע מותר והעיקר שלא יניחה מתוך ידו, וכתב שכן משמע בירושלמי [וצ״ע בזה]. וע׳ בחוברת עם התורה מהדורה ב׳ חוברת א׳ מה שכתב בזה הגאב״ד דדעברעצין שליט״א.

11. ע׳ ציון 10.

12. יש להסתפק בהגדרת התנאי של ״דעתו להחזירה״, האם צריכים דעת חיובית להחזיר, דהיינו שיחשוב במפורש בשעת נטילתה שעתיד להחזירה, או דלמא לא צריך דעת כלל אלא העיקר שלא יחשוב במפורש שלא לההחזירה וכל זמן שלא חישב שלא לההחזירה לא בטלה שהייה הראשונה. וספק זה נוגע מאד למעשה במי שנטל קדירה בלי שום דעת מפורשת האם מותר לו לההחזירה, וכן אם נפל הקדירה מאליו האם מותר לההחזירה, ועוד נ״מ למעשה היכא שכבתה האש שתחת הקדירה, ולא היה דעתו על הקדירה בשעה שכבתה האש, האם מותר לסלק

הקדירה לתנור אחרת הגרוף וקטום, וע׳ בהר צבי או״ח ח״א דף רס״ח שנסתפק בזה.

והנה הגאון רעק״א בהגהות ש״ע סי׳ רנ״ג ס״ב [ע׳ בש״ע עם רעק״א השלם] נסתפק לענין ראובן שנטל קדרת שמעון מהכירה ועודה בידו ולא היה דעתו להחזירה האם מותר להחזירה, מי אמרינן דמחשבתו שלא להחזירה אוסרת או דלמא כיון דאיסור זה תלוי במחשבתו אמרינן דאין אדם אוסר דבר שאינו שלו [במניח ע״ג קרקע ודאי אסור להחזירה, דכל שאינו תלוי במחשבה רק במעשה לא שייך הכללא דאין אדם אוסר דבר שאינו שלו] וכתב רעק״א דזה תלוי בפלוגתת התוס׳ והר״ש, דדעת התוס׳ ביבמות פ״ג: דבכל דבר התלוי במחשבה אין אדם אוסר דבר שאינו שלו, ואפילו במחשבה שיש עמה מעשה, אבל הר״ש בפ״ז דכלאים מחלק דדוקא היכא דהמעשה בעצמותה איננה מעשה איסור כלל בלתי מחשבתו, כגון שוחט לעבודה זרה דהשחיטה איננה מעשה איסור מצד עצמו, ורק מחשבתו משויא לה תקרובת ע״ז, התם אמרינן אין אדם אוסר דבר שאינו שלו, דאין מחשבתו מועלת לאסור של חבירו, אבל היכא דהמעשה בעצמותו אוסר ורק דמגזירת הכתוב אין האיסור חל אלא בניחותא דידיה, כגון זורע כלאים או משתמש בפרת חטאת, התם סגי בניחותא דעושה המעשה ולא בעינן ניחותא דבעלים דוקא, דבכה״ג דעצם האיסור חל ע״י מעשיו לא אמרינן אין אדם אוסר דבר שאינו שלו, ומעתה בנידון דידן תלוי בפלוגתת התוס׳ והר״ש, דהכא הנטילה מהכירה הוא בעצמו העקירה, ולגבי זה ל״ש אין אדם אוסר דבר שאינו שלו, ורק שאם דעתו להחזירה לא עשה עקירה גמורה, וא״כ להתוס׳ י״ל דהוא בכלל אין אדם אוסר דבר שאינו שלו, אבל להר״ש כיון דזה העוקרו לא היה בדעתו להחזירה ממילא עקירתו בידים היא עקירה גמורה וממילא אסור להחזירה עכ״ד.

והנה מדברי רעק״א יש לפשוט הספק שלנו, דלא בעינן דעתו מפורשת להחזירה, אלא העיקר שלא יסכים בדעתו שלא להחזיר, דבשלמא אם הדעת שלא להחזירה גורמת האיסור אז שייך זה לדין אין אוסר דבר שאינו שלו, דהא בעינן שדעתו שלא להחזיר יאסור קדירת חבירו, אבל אם נימא דלעולם אסור להחזיר הקדירה אלא אם כן חשב במפורש להחזיר א״כ א״א לתלות זה בדין אין אדם אוסר דבר שאינו שלו, ואין אנו באין לאסור מצד מחשבת האדם שהסיר הקדירה, אלא מצד זה עצמו שלא היתה כאן מחשבה חיובית להחזיר, דבזה עצמו בטלה שהייה הראשונה, דהלא סוף סוף ניטל הקדירה מהאש ולא היה כאן דעת חיובית להחזיר, וכל זמן דליכא דעת חיובית להחזיר ממילא אסור להחזיר, וע״כ שלדעת רעק״א לא בעינן דעת חיובית להחזיר אלא בעינן שלא יסכים במחשבתו שלא להחזיר, והסכמתו שלא להחזיר אוסרת, ולכן כתב רעק״א שאם חישב על קדירת חבירו שלא להחזירה י״ל דאין אדם אוסר דבר שאינו שלו וכ״כ בספר ברכת השבת דף כט.

ועפ״ז כתבנו בפנים דגדר ״דעתו להחזירה״ הוא שלא יהיה דעתו במפורש שלא להחזיר, אבל בסתמא מותר להחזירה ואין צריך שיחשוב במפורש להחזיר. אבל ע׳ בס׳ אבי עזרי פ״ג מהל׳ שבת הלכה י׳ דנקט בפשיטות דבעינן שיהא בדעתו להחזיר ולא סגי שלא הי׳ בדעתו שלא להחזיר, ולפ״ז תמה על דברי רע״א ועי״ש מה שהוכיח סברתו מהא דמבואר בהלכות ציצית ס״ח דאם נפל טליתו צריך לברך עוד פעם ויש לפלפל בראיה זו ואכמ״ל בזה.

Summary

Food taken off a flame or *blech* may be 'returned' only 1) to a *blech*; 2) if completely cooked; 3) while warm; 4) if 'still in the hand'; 5) if one did not intend to remove it permanently.

Under these conditions it is also permitted to transfer food from one *blech* to another.

II. If Not All the Five Conditions Are Met

The first three conditions mentioned above (a *blech*, completely cooked food, still warm) are absolutely required. Never may food be 'returned', except where all three conditions exist.

The last two conditions (still in the hand, intent to return) must be adhered to *lechatchilah* (i.e. in the first place). However, *be'di'eved* (ex post facto), some exceptions do apply, and if one inadvertently neglected to abide by these two conditions, there are cases in which *returning* is permitted.

A. Pots Removed From the Blech Erev Shabbos

If one removed from the *blech* a pot of warm, completely cooked food before Shabbos intending to return it, and then set it down and forgot to return it before Shabbos, he is permitted, in a case of necessity, to return it to the *blech* on Shabbos (as long as it is still warm).

The following example illustrates this rule: When organizing the *blech* in preparation for Shabbos, one removed a pot from the *blech* and forgot to return it. This pot may be returned to the *blech* on Shabbos, so long as it is completely cooked, still warm, and his original intention was to return it.

If one's original intention was not to replace the pot on the *blech*, he is forbidden to return it on Shabbos.[13]

B. Pots Removed From the Blech on Shabbos

If one removed from the *blech* a pot on Shabbos with intent to return it there, and inadvertently put it down, he is permitted

---

13. מ״ב סי׳ רנ״ג ס״ק נ״ו.

to return it to the *blech*. Likewise, if one lifted a pot from the *blech* intending not to return it, but still has the pot in his hand, he is permitted to return it. Thus, if even *one* of the last two conditions exist, one is permitted, *be'di'eved* (ex post facto), to return a pot to the *blech*.[14] However, this leniency applies only in cases of necessity.

Moreover, in a case of genuine need (e.g. a pot of essential food), *returning* is permitted, *be'di'eved*, even if neither of these two conditions were adhered to. Thus, if a pot of essential food was taken off the *blech* on Shabbos with intent not to return it and it was set down, one is nevertheless permitted to return this pot to the *blech*.[15]

As stated above, these leniencies apply only if the first three conditions (a *blech*, completely cooked, still warm) do exist.

C. If the Fire Went Out

If fully cooked food was left on a *blech* and the fire underneath was accidently extinguished, the food may be transferred to another *blech*, so long as it is still warm. Even if the flame went out before Shabbos and one did not notice until Shabbos, the fully cooked food may be transferred while it is warm.[16]

D. If a Pot Was Mistakenly Removed from the Blech

If one mistakenly removed the wrong pot from the *blech*, he is permitted to return it there, even if he set it down and

---

14. שעה״צ שם ס״ק מ״ד.

15. רמ״א סי׳ רנ״ג ס״ב, וע׳ חזו״א או״ח סי׳ ל״ז ס״ק י״ב. וע׳ חידוש דין בספר ברכי יוסף סי׳ רנ״ג ס״ב וז״ל ויש מקילין [אם נטלו משחשיכה] אף בשאינו גרופה וקטומה ואין לסלק הנוהגים היתר ממנהגם והנח להם לישראל עכ״ל. וכן פסק הערוך השלחן סי׳ רנ״ג סי״ט, וכן משמע מתשובות חתם סופר או״ח סי׳ ע״ח עי״ש.

16. שו״ת אג״מ או״ח ח״ד סי׳ ע״ד ס״ק ל״ח, וכן נראה עפ״י שיטת רע״א הובא לעיל בציון12, והסכים לי בזה הגאון ר׳ ח.פ. שיינבערג שליט״א. וע׳ בספר פני שבת דף לד. וז״ל הנה דברתי עם כמה מורה הוראות בזה והסכימו שמותר כ״ז שקדירה עדיין חם משום עונג שבת שיהיה לו תבשילין חמין לכבוד שבת עכ״ל.
וע׳ בשו״ת בצל החכמה ח״ד סי׳ קל״ז שהחמיר בזה וכן בשו״ת עמק התשובה סי׳ כ״ז.

intended not to return it. To illustrate: If, on Friday night, one mistook the *cholent* pot for soup, and upon removing it from the *blech*, set it down with intent not to return it, he is, nevertheless, permitted to return it to the *blech.*[17] Of course, this only applies if the food is fully cooked and is still warm.

Summary

One who took a pot from the *blech* before Shabbos with intent to return it and forgot to do so is permitted to return it on Shabbos, if it has been completely cooked and is still warm.

One who took a pot from the *blech* on Shabbos and set it down or intended not to return it is, *be'di'eved*, permitted to return it to the *blech* (if completely cooked and still warm). In a case of genuine need, this is permitted even if it was set down and one intended not to return it.

If the fire under a pot of fully cooked food went out, the pot may be transferred to a different *blech* while it is warm.

If one removed the wrong pot from the *blech*, he is permitted to return it, even if he set it down and intended not to return it (as long as the food is fully cooked and is still warm).

III. Returning in a Different Pot — פִּינָה מִמֵּיחַם לְמֵיחַם

In cases where *returning* is permitted, one is also permitted to pour the food from one pot to another, and return the new pot to the *blech*. This *halacha* has notable significance:[18]

---

17. שביתת השבת הלכות שהייה וחזרה ס״ק מ״ז. וכן נראה עפ״י שיטת רע״א הובא לעיל בציון 12 והסכים לי בזה הגאון ר׳ ח.פ. שיינבערג שליט״א. וכן פסק להקל בשו״ת שבט הקהתי ח״ג סי׳ ק״ב. וע׳ בשו״ת בצל החכמה ח״ד ס׳ קל״ז אות יח שהחמיר בזה. וע״ע בזה בשו״ת באר משה ח״ו סי׳ קי״ג.

18. במסכת שבת דף ל״ח: בעי רב אשי פינה ממיחם למיחם מהו [פירש״י מי הוי כמטמין לכתחלה ואסור להחזירן לכירה או לא] תיקו. וכתבו הרבה ראשונים דלענין חזרה מחמירין בכל האיבעיות שלא נפשטו כיון דקרוב הדבר לבא לידי איסור דאורייתא, וכן הכריע הרמ״א סי׳ רנ״ג ס״ב. ולפ״ז כתב במג״א ס״ק כ׳ דלדעת הרמ״א פינה ממיחם למיחם אסור להחזיר ע״ג הכירה. אבל בשער הציון שם ס״ק מ״ז הקיל בזה וז״ל ולא הזכרתי פינה ממיחם למיחם שזכר המ״א משום דבלא״ה יש דעות שמקילין במיחם שני

If *cholent* (or other food) is in danger of drying out, one may take a kettle from the *blech* and add some of its boiled water to the *cholent*.

It is also permissible to pour boiled water from the kettle into a cup and to pour from there into the pot of *cholent*.[19] In these

---

ע׳ בתוס׳ ובר״ן על כן פשוט לפע״ד דיש לסמוך על המקילין בבעיא זו עב״ל.וכונת השעה״צ להתוס׳ דף ל״ח: ד״ה פינה שהקשו כיון דמיחם הראשון מותר להחזיר ע״ג הכירה אמאי מבעיא ליה בפינה ממיחם למיחם, הלא לענין הטמנה מקילין כשפינה ממיחם למיחם יותר מבמיחם ראשון, ותירוץ התוס׳ דלענין חזרה איכא למיחש טפי במיחם שני שמא יחתה בגחלים כיון שנצטנן התבשיל, אבל לענין הטמנה מסתבר להקל טפי כשנצטנן. וע׳ בר״ן שהקשה ג״כ קושיית התוס׳ ובתירוץ הראשון כתב כעין מ״ש התוס׳, אבל בתי׳ השני כתב הר״ן דהכא מיבעיא לן פינה ממיחם למיחם מהו להחזירן למיחם הראשון ולהחזירה ע״ג הכירה מי הוי כהניחה ע״ג קרקע או לא עכ״ל, ומשמע מדברי הר״ן דלענין מיחם השני לא קמבעיא לו דבודאי מותר להחזירה ע״ג הכירה, וכל האיבעיא הוה רק היכא שהחזירן למיחם הראשון, דכיון דבינתיים הניח התבשיל במיחם שני שלא הונחה ע״ג הכירה, מי הוי כהניחה ע״ג קרקע, ולפ״ז מבואר כוונת השע״צ, דכיון דלפי התירוץ השני של הר״ן פשיטא דמותר להחזיר מיחם השני על הכירה יש להקל בשאלה זו, כיון דאפילו לפי התירוץ הראשון הוי איבעיא דלא איפשיטא.

וראיתי להג״ר שמואל אויערבך שליט״א [בהסכמתו לספר משאת בנימין] שתמה במה שהקיל המשנה ברורה בתוקף ובפשטות נגד דברי המג״א, וכל חיליה דהמשנ״ב הוא מתירוץ השני של הר״ן דהלא מלשון הר״ן משמע דהתירוץ הראשון הוא העיקר. ובחידושי הר״ן מפורש דתירוצו השני נאמר רק לשיטת רש״י דאיסור שהייה וחזרה הוא מדין הטמנה, אבל הר״ן עצמו ס״ל לעיקר כתירוץ הראשון, דמבעיא לן אי מותר להחזיר המיחם השני, וכן כתב הריטב״א [הוצאת רייכמן] בפשיטות בדף נא, וא״כ אע״פ שיש לצרף סברת הר״ן בתירוץ השני להקל, אבל להתיר בפשיטות כאילו אין מקום להחמיר הוא תמוה, ומ״מ למעשה יצא הדבר להיתר ע״י המשנה ברורה עכת״ד.

[וע״ע בחדושי רבי משה מקויס בשבת דף לח: שכתב דמ״ש הר״ן בתי׳ השני דמבעיא לן כשהחזיר התבשיל למיחם הראשון אי הוי נתינתו למיחם השני כאילו הניח ע״ג קרקע, אין כונתו דכשהוא במיחם השני מותר להחזירה ע״ג הכירה, דא״כ בודאי לא דמי למניח ע״ג קרקע כיון דאף אותו מיחם מותר לתת ע״ג הכירה, אלא כונת הר״ן להוסיף דאת״ל אסור להחזיר המיחם השני א״כ אפילו אם החזיר התבשיל למיחם הראשון ג״כ אסור להחזירה דהוי כאילו הניח ע״ג קרקע בינתיים, ולעולם לא הקיל הר״ן יותר במיחם שני מבמיחם ראשון.]

19. ששכה״כ פ״א הערה מ״ד בשם הגרש״ז אויערבך שליט״א ע״ש. וראיתי להג״ר שמואל אויערבך שליט״א [בהסכמתו לספר משאת בנימין] שהעיר בזה דכיון דכל ההיתר של המ״ב בפינה ממיחם למיחם בנוי על דברי הר״ן הנ״ל דמשמע דמותר להחזיר המיחם השני על האש, ופירש איבעיא דגמרא רק כשהחזיר התבשיל למיחם

cases, hot water from the kettle is being returned to the *blech* in a different pot (i.e. the *cholent* pot).

Theoretically, hot water from an urn could be added to *cholent*. However, since water in an urn rarely reaches the boiling point (212°), it cannot be 'returned' to a pot where it might become boiled, as this would be a violation of *cooking*.[20]

הראשון, דכיון שהיה התבשיל בינתיים במיחם שני שלא הונח ע״ג הכירה דומה למניח ע״ג קרקע, אם כן בנידון דידן צריך להיות אסור, דכיון דפינה ממיחם לכוס. ואותו הכוס לא הונח ע״ג הכירה אלא שופך מתוכו למיחם אחר, דומה ממש להא דמבעיא לן בגמרא, ודומה למניח ע״ג קרקע. וכתב שם שהקשה כן בפני אביו הגרש״ז שליט״א, וכן הק׳ כן לפני מרן בעל קהלות יעקב זצוק״ל, שהיה פשוט לו ג״כ להתיר בנידון זה. וכתב הג״ר שמואל שליט״א לתרץ וז״ל.

אכן נראה לענ״ד, שהרי הר״ן באר צדדי האיבעיא שבפינה ממיחם למיחם ומחזירו למיחם ראשון מי הוה כהניחו ע״ג קרקע, ובאור דבריו שכיון שאותו מיחם שפינה לתוכו לא הי׳ ע״ג האש וגם אח״כ אינו מניחו ע״ג האש יש צד בגמ׳ דחשיב הך מיחם כע״ג קרקע, והר״ן לא באר מציאות הדבר מפני מה פינה למיחם אחד ע״מ להחזירו למיחם הראשון, וצ״ל שמשתמש במיחם השני ומה שנשאר מחזיר למיחם ראשון או כיו״ב באופנים אחרים ועכ״פ נלענ״ד שי״ל דרק באופנים כאלו שייך להסתפק אי הוה כע״ג קרקע, אבל בנ״ד שמה שמעביר לתוך הכוס זה רק דרך היאך להעבירו למיחם שע״ג האש והכוס הוא רק כעין גשר ומעבר מכירה לכירה בזה י״ל שאין צד דלהוי כהניחו ע״ג קרקע וממילא שרי, [והנה גם בהניחו ע״ג קרקע, אף אי נימא שאפי׳ מחזיקו בידו ע״ג קרקע ג״כ בטלה השהי׳, יש מקום לדון שזה רק באופן שהיה צריך להוריד תבשילו מן האש לשימושו, ורק שדעתו להחזיר, אבל במעביר מכירה למכירה ואין לו אפשרות רק אם יחזיקו לרגע קט ע״ג קרקע אין ביטול השהי׳, אלא שכמובן שבהניחו ע״ג קרקע ממש י״ל שבכל אופן שהוא חשיב כביטול השהי׳.] והנה אי ס״ל דפינה ממיחם למיחם אסור י״ל שבנ״ד כיון שהעבירו למיחם שאסור להחזירו תו אין היתר בשום אופן והמיחם הוי כקרקע אבל כיון שאותו מיחם שרי להחזיר ע״ג האש א״כ עכ״פ כה״ג שהמיחם הוא רק מעביר למיחם אחר וכנ״ל נמי שרי וזה שכ׳ אאמו״ר שאם מותר להחזיר הכלי ע״ג האש מותר בכה״ג לערות מה שבתוכו על האש, וכו׳.

וגדולה מזו נלע״ד דאף ההכרעת אדונינו המ״א לאיסור בפינה ממיחם למיחם מ״מ בנ״ד י״ל דשרי וראשית דבר שי״ל לאידך גיסא שלכל הראשונים שלא פירשו כהר״ן י״ל דרק כשמחזיר ע״ג האש מיחם אחר בזה יש צד בגמ׳ דחשיב כשהי׳ חדשה אבל להחזיר למיחם שעומד ע״ג האש בזה לא נסתפקו כלל דאין כאן שהי׳ חדשה. ושרי לפ״ז בנ״ד גם להכרעת המ״א ועכ״פ מיהא בנ״ד שמעביר ממיחם שע״ג האש למיחם אחר שע״ג האש ע״י כוס שזה רק מאפשר לו להעבירו מכירה לכירה בזה י״ל דשרי לכו״ע בין להמ״א בין להמשנ״ב עכ״ל.

20. כן נראה, והסכים לי בזה כמה פוסקי זמנינו שליט״א. וכן פסק בשו״ת חיי הלוי ח״ב סי׳ ל״א.

Pouring Water into Cholent

In Chapter 3 we learned that it is forbidden to stir food while it is above a fire, even if the food has been fully cooked. This *halachah* applies when pouring hot water into *cholent*, because the *cholent* is inevitably 'stirred' somewhat by the water that is poured in. Therefore, while pouring, one should lift the pot off the *blech*, or move it to the area not directly above the fire.[21]

If this is impossible, one should pour the water into the *cholent* very slowly.[22]

Summary

Food may be transferred from one pot on the *blech* to a different one. Therefore, one may take boiled water from a kettle on the *blech*, and pour it into a pot of *cholent*. However, the pot should be moved off the flame, or the pouring should be done very slowly.

איברא לדעת מרן הגר״מ פיינשטיין זצ״ל, הובא למעלה פ״א ציון 14, שדבר לח שנתבשל בשיעור קע״ה מעלות נחשב מבושל לגמרי, ומותר לחממו עוד יותר, א״כ לדעתו בנידון דידן מן הדין הי׳ מותר לערות מן הדוד מים (״אורן״ בלע״ז) שהגיע למעלה זו אל קדירת צאלענט שעל האש שמגעת למעלה נוספת, אך יען שהדבר תלוי במציאות וכמה סוגי דודי־מים לא מגיעים לדרגה זו, לכן נמנעתי מלהביא דעתו בציור זה.

21. כתבתי כן כדי לצאת שיטת הכלבו הובא בב״י סוף סימן רנ״ג וז״ל ובכלבו כתב שיש ליזהר מלתת מים חמין בעוד הקדירה על האש לפי שהן מערבות ומגיסות בקדירה כדי לערב יפה וקי״ל דמגיס חייב משום מבשל אפ׳ בקדירה מבושלת כל זמן שהיא על האש ע״כ, ומבואר מדברי הכלבו דאסור לשפוך מים לתוך קדירה כשהיא על גבי האש ולפיכך כתבתי דטוב להגביה הקדירה ולהסירה מהאש בשעה ששופך המים, וכן פסק בשו״ת באר משה ח״ג ס״נ, ובשו״ת שרגא המאיר ח״ב ס״נ. ועיין בקצות השלחן סי׳ קכ״ד בבדי השלחן סק״י שכתב דאפשר דכוונת הכלבו דאינו אוסר בנתינת המים לבד, דנתינת המית לבד אינו בכלל הגסה, אלא דאוסר משום שהן מכוונת להגיס בשעה שנותנות המים כמו שכתב בלשונו לפי שהן מערבות ומגיסות בקדירה כדי לערב יפה, והיינו שעושין פעולה שיתערב יפה אבל בנתינת המים לחוד אין איסור משום מגיס, ועפי״ז סיים שם בבדי השלחן ונ״ל אבל הנוהגין לתת מים חמים בקדירה בלי להגיס כלל מותר, אע״פ שממילא מתנער קצת התבשיל ע״י כח המים אין זה בכלל הגסה דאין המים התחתונים עולים למעלה ע״י זה וכן המנהג פשוט עכ״ל.

22. שמירת שבת כהלכתה פ״ה הערה מ״ב בשם הגרש״ז אויערבך שליט״א וע׳ בספר אמרי פנחס דף קמ״ז מ״ש עוד בזה בשם הגרש״ז שליט״א.

6 / הַטְמָנָה – Insulating

The Sages enacted an additional decree to preclude transgression of בִּישׁוּל (*cooking*) and הַבְעָרָה (*kindling*). This is the prohibition of הַטְמָנָה: *insulating.*[1] It is forbidden *mi'de-'rabbanon* to insulate a pot of hot food on Shabbos by enclosing it in any material which retains heat (e.g. a towel). In some instances it is forbidden to do so even Erev Shabbos. This prohibition applies with surprising frequency in the modern kitchen, as we shall see in the coming pages.

I. General Principles

A. Definition

'Insulation' refers to a supplementary covering (e.g. a towel) that is wrapped around a container of food to retain its heat. A primary wrapping is not considered insulation.[2]

---

1. מקור האיסור הוא בשבת דף לד. אמר רבא מפני מה אמרו אין טומנין [אפילו] בדבר שאינו מוסיף הבל משחשיכה גזירה שמא ירתיח, ופירש״י גזירה שמא ימצא קדירתו שנצטננה כשירצה להטמינה וירתיחנה תחלה ונמצא מבשל בשבת עכ״ל. וכתב הרא״ש בפ׳ כירה סי״א דלטעם זה צ״ל יש בישול אחר בישול בדבר לח שנצטנן, ולכן גזרו שמא ירתיח קדירה שיש בה דבר לח, ולמאן דס״ל אין בישול אחר בישול אפילו בדבר לח [ע׳ לעיל פרק ו הערה 29] כתב שם הרא״ש דאיסור הטמנה הוא שמא יחתה בגחלים כשבא להרתיח התבשיל ויתחייב משום מבעיר.

2. שו״ת מחזה אליהו סי׳ ל״ב אות ג׳ וז״ל והנה כיסוי אחד של הנייר מותר, אף דעוזר גם לשמירת החום (לבד מנקיות והרטיבות שנשמרת על ידו), דלעולם אין הטמנה אלא במטמין כלי שיש בתוכו אוכל בתוך כיסוי אחר. אבל הדפנות הראשונות המכסות האוכל אינן נחשבות כמטמינות את האוכל. דהטמנה ברמץ היתה שהטמינו קדירה שהיה בה אוכל בתוך אפר. וכן הוא גדרו של הטמנה, שמכסה מבחוץ כיסוי שני בכדי לשמור חומו. וכזה כתב החזו״א או״ח סי׳ ל״ז ס״ק ל״ב וז״ל דלא גזרו אלא להטמין את

Thus, it is permissible to wrap hot food in (pre-cut) aluminum foil for, although the foil helps to retain heat, its main purpose is simply to keep the food from drying out; it is therefore not

---

הכלי בבגד אבל ליתן בתוך כלי אינו בכלל הטמנה, דהרי כל כלי מגין על מה שבתוכו שלא יצטנן במהרה, ולא אסרו ליתן בתוך הכלי בשבת עכ״ל והוא כדברינו. ולכאורה הוא המבואר בר״ן ונפסק באו״ח ס׳ רנ״ז סע׳ ב׳ ומ״מ לשום כלים על התבשיל כדי לשומרו מן העכברים או כדי שלא יתטנף בעפריות שרי שאין זה כמטמין להחם אלא כשומר ונותן כיסוי על הקדירה וע״ש במ״ב ס״ק י״ד וז״ל היינו אפילו בגדים שמעמידין את החום של הקדירה שלא יצטנן אפ״ה שרי כיון שאינו מכוון לזה״ עכ״ל. וצ״ל דר״ל דהפעולה נעשית לנקיות הקדירה, ואין שמירת החום סיבת הפעולה. ולכן שרי אף דודאי ניחא ליה בשמירת החום וגם דעתו עליה. וכמו שבחזרת כיסוי קדירה רצונו של המחזיר ודאי הוא לשמור חום התבשיל ואפ״ה שרי, והטעם, משום דהיה מכסה הקדרה בלאו הכי לצורך נקיות. וכ״כ כל שהכיסוי הוא בראש וראשון לצורך נקיות אין זה נקרא הטמנה. ותמיד כיסוי הראשון שעל האוכל דהיינו דופני הקדירה והכיסוי שמלמעלה הם לשמירת נקיות, לכן אין זה הטמנה וכדברי החז״א. והטמנה הוי אך ורק בהוספת כיסוי שני להכיסוי הראשון שכבר שומר על נקיות האוכל, דהכיסוי השני בא לשמירת החום ואסור.

ולפ״ז חתיכה הראשונה של נייר כסף ודאי לאו הטמנה מיקרי מדנצרך לנקיות ושמירת רטיבות הבשר. ואף דעוזר לחימום הבשר לית לן בה.

ודע דראיתי להגאון שליט״א באגרות משה או״ח סי׳ ל״ה דלא ס״ל כהחז״א, ולשיטתו שייך איסור הטמנה אפילו בכיסוי אחד לבד, כל שהוא לשמירת חום. ומ״מ גם לדידיה נראה לענ״ד פשוט שמותר בנד״ד לכסות על הצלחת כיסוי אחד של נייר כסף. דז״ל דהא מותר לכסות הקדירה אף בשבת כיון שזהו שמירת הדבר גם מכמה דברים כמו שלא ישפך ושלא יפול עפרורית וזבובים וכדומה שלכן אף שגם משמר החום מותר כדאיתא בסי׳ רנ״ז סע׳ ב׳ וכו׳ ואף שבמ״ב ס״ק י״ד כתב דשרי כיון שאינו מכוון לזה, נראה שהוצרך לזה רק בכיסה בדברים שלא נעשו לכך, שלכן אם היה מתכוין כשמכסה בכלים אלו שמעמידין החום, ולא כיסה בדברים אחרים ובכיסוי המיוחד, בכוונה להעמיד החום, היה אסור. אבל בנותן הכיסוי המיוחד להכלי מותר בכל אופן אף שכוונתו גם להעמיד החום כיון שעכ״פ צריך לכסותו גם בשביל שלא ישפך וכדומה עכ״ל האג״מ.

ונראה פשוט שנייר כסף לכסות אוכל שעל צלחת ודאי כנותן בכלי המיוחד לו דמי, ואז אף דמכוון לחום לית לן בה. דרק כדמוכח מהכיסוי שלקח, כגון אלונטיס לעטוף בו האוכל, דהוא בא משום שהוא עדיף מדופני קדירה לשמירת חום אז יש איסור הטמנה (אף דלדעת החז״א לא יהא בזה איסור). אבל לכסות אוכל בנייר כסף דנעשה במכוון לשמירת אוכל, וא״א לומר שהמעטף בו מגלה דעתו שעשה כן בכדי לשמור חום, פשוט דכנתינת כיסוי ע״ג קדירה דמי. ואפילו יכוון לשמירת חום אין בו איסור מדהוי כיסוי אחד בלבד. ומש״כ בספר הלכות שבת להרה״ג ר׳ שמעון איידער שליט״א ח״ד עמוד שע״ו הערה תתשל״ט לא נראה כלל לענ״ד עכ״ל.

considered insulation. However, a second layer of foil, not needed to preserve the food but only to keep it warm, is considered insulation and may not be used.[3]

B. Application

The prohibition of *insulating* applies to completely cooked as well as to partially cooked foods. No pot of warm food may be wrapped in a forbidden insulation on Shabbos.[4]

C. Limitation

The prohibition of *insulating* applies only to wrapping or enclosing a container completely (i.e. on top and on all sides.) If a substantial part of the container is left exposed it is not considered to be insulated. This rule will be elaborated upon later (Section IV).

II. The Two Types of Insulation

Materials used as insulation fall into two categories:

1) Those that simply retain heat.
2) Those that intensify the heat of food which they enclose.

The many halachic differences between these two types of insulation will now be detailed.

Insulating with a Heat-Retaining Material – הַטְמָנָה בְּדָבָר הַמַעֲמִיד הֶבֶל

Most materials, when wrapped around a container of hot food, serve simply to retain its heat or to slow its cooling process. These materials, including cloth, aluminum foil, paper, wool, cotton and the like, are known as דָבָר הַמַעֲמִיד הֶבֶל — *heat-retaining substances.*[5]

A pot of hot food may be wrapped in a heat-retaining material Erev Shabbos. On Shabbos, however, it is forbidden to

---

3. ע' ציון 2.

4. שו"ע ס' רנ"ז ס"ז.

5. שו"ע סי' רנ"ז ס"ג.

insulate a pot in any such material.[6] Even a pot that was partially insulated Erev Shabbos may not be enclosed completely on Shabbos.

Thus, it is permissible to wrap a pot in a towel or blanket before Shabbos in order that it stay warm for the evening meal. However, a pot left unwrapped before Shabbos may not be insulated on Shabbos.

Exceptions

There are a number of cases in which a container may be insulated in a heat-retaining material on Shabbos. [These exceptions apply only to fully cooked food. Partially cooked food may never be insulated on Shabbos.][6a]

A. Re-insulating a Previously Wrapped Pot

A pot of fully cooked food, which was wrapped in a heat-retaining material (e.g. a towel) before Shabbos and became uncovered on Shabbos, may be re-wrapped. Moreover, it is permissible to unwrap the container on Shabbos to remove some food and re-insulate it.

It is also permissible to add an extra layer of insulation (e.g. another towel) to a pot which was insulated before Shabbos.[7]

B. Kli Sheni

With heat-retaining materials, the prohibition of *insulating* applies only to a *kli rishon* (i.e. the original pot which was

---

6. שו״ע סי׳ רנ״ז ס״א, אין טומנין בשבת אפילו בדבר שאינו מוסיף הבל אבל בספק חשיכה טומנין בו וכו׳. ולא הבאנו בפנים ההיתר להטמין בספק חשיכה, משום דמרן זצ״ל באגרות משה או״ח (ח״ד סע״ד בדיני הטמנה סק״א) כתב דאין זה נוגע לדינא בזמנינו כי הנשים העוסקות בהטמנה מקבלין שבת בהדלקת הנרות, ואחר קבלת שבת מפורש בסי׳ רס״א ס״ד דאין טומנין, וגם האנשים בדרך כלל מקבלין שבת קודם השקיעה, ואם נזדמן איש שלא קיבל שבת, ולא אמר מזמור שיר ליום השבת, מותר להטמין עד חצי שעה לאחר השקיעה, כי באיסור דרבנן יש להקל כשיטת ר״ת עכ״ד.

6a. שו״ע ס׳ רנ״ז ס״ד, ובאור הלכה.

7. שו״ע סי׳ רנ״ז ס״ד.

heated on the flame). If the food is transferred to a *kli sheni* (i.e. a second vessel), it is permissible to insulate that vessel with a heat-retaining material.[8]

Thus, if the need arises to insulate hot food on Shabbos, one should transfer the food to a *kli sheni* and insulate that second container.

Based on this rule, a baby bottle filled with a warm drink (*kli sheni*) may be wrapped in a towel to retain its heat.

C. Cases of Necessity

There is an additional exception which applies only in cases of necessity: Even while in a *kli rishon*, if food has cooled below *yad soledes bo* (110° F), it is permissible, in a case of necessity, to insulate the pot with a heat-retaining material.[9] Thus, if there is no container available to which to transfer the food, one may insulate a *kli rishon* (i.e. the original pot) to preserve hot food essential to the Shabbos meal.

Summary

A pot may be wrapped in a heat-retaining material Erev Shabbos. The pot may then be uncovered and re-wrapped on Shabbos.

However, it is forbidden to insulate a pot on Shabbos. If the food is transferred to a *kli sheni*, it may then be insulated in a heat-retaining material. In cases of necessity even a *kli rishon* may be wrapped in a heat-retaining material after it cools below *yad soledes bo* (110° F).

III. Insulating with a Substance Which Intensifies Heat – הַטְמָנָה בְּדָבָר הַמּוֹסִיף הֶבֶל

Some materials actually have the ability to intensify the heat of an item that they enclose. These materials, including salt,

---

8. ש״ע סי׳ רנ״ז ס״ה ומ״ב שם.

9. מ״ב סי׳ רנ״ז ס״ק כ״ח, וע׳ בחזו״א ס׳ ל״ז ס״ק ל״א.

peat, lime, sand, and wet cotton, grass or straw, are known as דָּבָר הַמּוֹסִיף הֶבֶל — *heat-intensifying substances.*[10]

It is forbidden *without exception* to insulate any container (i.e. even *kli sheni*) in such a material, even Erev Shabbos.[11]

Modern Applications

Although it is unusual nowadays to store food in any of the materials mentioned above, there are several common applications to this prohibition:

A. Insulating a Pot that is on the Blech

A pot that is wrapped in a towel and left on the *blech* or hot plate is considered to be insulated in a heat-intensifying material because the towel combines with the heat from below to help raise the temperature of the pot. Therefore, it is forbidden to completely enwrap any pot left on the *blech* or hot plate, even Erev Shabbos.[12]

---

10. שו״ע סי׳ רנ״ז ס״ג.

11. שו״ע סי׳ רנ״ז ס״א, וטעם האיסור מבואר בשבת דף לד: אמר רבא מפני מה אמרו אין טומנין בדבר המוסיף הבל ואפילו מבעוד יום גזירה שמא יטמין ברמץ שיש בה גחלת אמר ליה אביי ויטמין [פירש״י דהא מבעוד יום הוא] ומתרץ רבא גזירה שמא יחתה בגחלים [פירש״י משחשיכה].

12. מקור הדין הוא בשו״ע סי׳ רנ״ז ס״ח, וז״ל אע״פ שמותר להשהות קדירה ע״ג כירה שיש בה גחלים וכו׳ אם הוא מכוסה בבגדים אע״פ שהבגדים אינם מוסיפים הבל מחמת עצמן מ״מ מחמת אש שתחתיהם מוסיף הבל ואסור עכ״ל. והנה במ״ב שם ס״ק מ״ג כתב שיש נוהגין להעמיד תבשיל ע״ג תנור גרוף מבעוד יום ומכסין אותו בבגדים ולכאורה זהו נגד דברי השו״ע דהא אע״ג דהתנור גרוף מ״מ מוסיף הבל, ולליישב המנהג כתב שיש אומרים דהא דאסור להטמין ע״ג כירה היינו דוקא כל זמן שיש אש בכירה, אבל אם אין אש בכירה כלל אין לאסור להעמיד קדירה עליה ולכסותה בבגדים, דאף שחום הכירה שתחתיה ג״כ גדול ומוסיף הבל מ״מ שרי, דדוקא ע״ג גפת וכדומה אסרו משום דראוי להטמין בתוכה וגזרו שמא יטמין ברמץ, אבל הכא אין ראוי להטמין בתוך הקרקע של הכירה הלכך ליכא למיחש למידי, וגם מטעם אחר י״ל דלא דמי לגפת דגפת מוסיף הבל בעצמו, אבל כירה אין חומה אלא מחמת האש ובכל שעה מתקרר והולך [כיון שכבר גרף הגחלים], ויש שחוששין בזה להחמיר וכו׳ ומ״מ אין למחות ביד הנוהגין להקל עכ״ל. (ושני הטעמים של המ״ב הם שני תירוצי התוס׳ דף מח. ד״ה דזיתים שכתבו ליישב מנהג העולם).

והנה בדברות משה פ׳ במה טומנין הערה ג׳ כתב לענין קדירה המונחת ע״ג ״בלעך״

B. Insulating an Urn

Insulating a hot-water urn with any ordinary wrapping is considered 'intensifying insulation' because the wrapping helps raise the temperature of the water. Accordingly, an urn may not be completely covered with any type of wrapping, even Erev Shabbos.[13]

C. Submerging a Container in a Pot of Hot Food

A container that is completely submerged in hot food is considered to be insulated in a heat-intensifying material, since the hot food will help raise the temperature of the container. Thus, it is forbidden to submerge a small pot in a larger pot of hot food, even Erev Shabbos. Food that is

---

שתחתיה אש, אם מותר לכסות הקדירה בבגדים כדי להטמינה תלוי בשני הטעמים הנ״ל, דלטעם הראשון דבתנור גרוף מותר מפני שא״א להטמין בתוך הקרקע של התנור, ה״נ א״א להטמין בתוך הבלעך וליכא למיחש למידי, ולהכי מותר אע״פ שיש אש תחת הבלעך, אבל לטעם השני דתנור גרוף מותר מפני שמתקרר והולך, הכא בבלעך אסור מפני שיש תחתיה אש ואינו מתקרר והולך ע״ש, ולפ״ז אף כשטומן קדירה ע״ג פלטה חשמלית תלוי בשני הטעמים הנ״ל.

אבל בס׳ שמירת שבת כהלכתה פ״א הערה קצ״ג כתב בשם הגרש״ז אויערבך שליט״א דאסור להטמין ע״ג פלטה חשמלית כיון שאינו מתקרר והולך משום דס״ל דכיון דאפילו בצירוף שני הטעמים לא החליט המ״ב להקל, אלא כתב שאין למחות ביד המקילין, א״כ הכא דלא שייך הטעם השני, דהא אינו מתקרר והולך, בודאי צריך להחמיר. וע״ע בשו״ת יביע אומר ח״ו סי׳ ל״ג שהאריך בזה.

13. פני שבת דף עח. בשם הגאון מדעברעצין שליט״א, הגאון ר׳ יחזקאל ראטה שליט״א בקובץ בית תלמוד להוראה ח״ג דף כד וכן שמעתי מהרבה מפוסקי זמנינו שליט״א.

וראתי דבר חדש בשו״ת שבט הלוי ח״ה סי׳ ל׳ וזהו תוכן דבריו, לענין דוד מים חשמלי המופעל בטרמוסטט [thermostat] המחזיק חום המים בדרגא מסויימת, האם מותר לכסותו בבגדים בערב שבת כיון שהבגדים מוסיפים הבל מחמת דוד המים, ומסיק להקל בזה כיון דאין צריך להבגדים שיחמו המים, דהא מבלעדי הבגדים יגיעו המים לשיעור הרצוי ע״י החשמל, ואין צריך להבגדים אלא כדי שכשיכבה החשמל ע״י הטרמוסטט ישארו המים בחמימותן, ואין זה בכלל מוסיף הבל עכ״ד. ולכאורה תמוה דהא אע״ג שאין צריך להוספת הבל, סוף סוף הטמין בדבר המוסיף הבל, והגע עצמך אילו חימם מים לחום ׳212 עד שא״א להתחמם יותר, וכי נימא שמותר להטמינו א בדבר המוסיף הבל, בודאי לא, אלא אסור להטמינו בדבר המוסיף הבל אע״פ שאינו צריך להוספת הבל.

wrapped in aluminum foil may also not be submerged in a pot of hot food.[14*]

Exclusion: Submerging Food to Enhance Its Flavor

It is permissible to submerge a container of food in a pot of hot food if one's intention is for it to absorb the flavor of the surrounding food.[15]

---

*Note: Unwrapped food may be immersed in hot food Erev Shabbos; this is not considered *insulating* at all.

---

14. מוכרחנו להאריך לבאר דין זה. הנה פשיטא דמותר לשום חתיכת בשר או קוגעל ושאר מאכל לתוך קדירת החמין [צולנט] בערב שבת, דאין זה הטמנה כלל אלא הבשר והקוגעל מתערבים עם הצולנט ומתחממים עמו ונעשה לתבשיל אחד, אבל אם מעטף הבשר או הקוגעל בנייר אלומינום [aluminum foil] דאז איננו מתערב עם הצולנט יש מקום לאסור משום הטמנה, שטומן מאכל אחד בתוך קדירה שבו תבשיל אחר.

והנה בט״ז סי׳ רנ״ח ס״ק א׳ כתב שאסור ליקח כלי ובתוכו משקה צונן ולתחוב אותו בשבת לכלי מלא מים חמין כדי שיתחמם בתוכו שזהו דרך הטמנה ממש כיון שכולו טמון בתוכו, והובא זה להלכה במ״ב שם ס״ק ב׳. ועפ״ז כתב בערוך השלחן (סי׳ רנ״ח ס״ג) שמענו שיש אנשים שלוקחים את הכלי שהקוגעל בתוכה ונותנין את הכלי כולה לתוך הקדירה של החמין [צאלענט] וזוהי הטמנה גמורה, ובדבר המוסיף הבל [כיון שקדירת החמין הוא ע״ג האש] עכ״ד. ולפ״ז היה נראה לכאורה דאסור להשים קוגעל המעוטף בנייר אלומינום [aluminum foil] לתוך קדירת חמין, דעטיפת אלומינום הוא כמו כלי, ונמצא טומן כלי של קוגעל בתוך הקדירה. ובאמת שכן פסק בשו״ת שבט הלוי (ח״ג סי׳ מ״ז) דכיון שהסכמת הפוסקים הוא כדברי הט״ז דכלי בתוך כלי מיקרי הטמנה, אסור להטמין כלי קטן בתוך כלי גדול, כל שכן שאסור להטמין מאכל מעוטף באלומינום בתוך כלי גדול עיי״ש.

אבל בשו״ת מנחת יצחק ח״ח סי׳ י״ז כתב דלפעמים מותר לעשות כן, והיינו אם הקוגעל לא נתבשל כל צרכו קודם השבת, דאז לא מיקרי הטמנה כשנותנו לתוך הקדירה דדרך בישול הוא זה, ורק היכא דנתבשל כל צרכו לפני השבת לא מיקרי דרך בישול כשנותנו מעוטף באלומינום בתוך הקדירה, אלא הטמנה גמורה היא ואסור, אלא אם כן מניח מקצת הקוגעל מגולה, דהיינו שאינו טומנו לגמרי בתוך החמין. ובאמת שעל פי דבריו יש לומר דאפילו אם נתבשל כל צרכו נמי מותר, ולעולם דרך בישול הוא ולא דרך הטמנה, דהא מי שטומן קוגעל וכדומה בתוך קדירת צ׳ולנט בודאי כוונתו הוא שהקוגעל יקלוט טעם הצ׳ולנט, דאל״כ היה יכול להשהותו ע״ג הכירה מבחוץ, או על גבי הקדירה מלמעלה, ומדנותנו לתוך הקדירה בודאי רוצה שיקלוט טעם הצ׳ולנט, ולכן אפילו אם נתבשל כל צרכו נמי דרך בישול הוא, שהרי מצטמק ויפה לו בתוך הקדירה, שקולט טעם התבשיל, ולא דמי למש״כ בערוך השלחן דאסור להטמין כלי שיש בו קוגעל בתוך

For example, one may submerge a foil-wrapped piece of *kishke* or *kugel* in a pot of *cholent* Erev Shabbos. Even though the *kishke* is wrapped in aluminum foil, this is not considered *insulating* since one intends for it to absorb the *cholent's* flavor.

Summary

It is forbidden *without exception* to insulate any container of food (i.e. even *kli sheni*) in a material which intensifies heat. This prohibition applies Erev Shabbos as well as on Shabbos.

Accordingly, one may not insulate a pot left on the *blech* or hot plate, even Erev Shabbos. A hot water urn may not be completely wrapped, even before Shabbos.

Submerging a container of food (or food wrapped in aluminum foil) in a pot of hot food is also forbidden, unless this is done to enhance its flavor (e.g. *kishke* or *kugel* in *cholent*).

IV. Permissible Methods of Insulating

There are several methods of wrapping that do not fall under the prohibition of *insulating*. Both types of insulation (i.e. heat retaining or intensifying) may be used to enclose a pot by these methods:

A. The Pot Is Left Partly Exposed

The term *insulating* refers to enclosing a pot completely — on top and all sides. If a substantial portion of the pot is left uncovered, wrapping the remainder does not constitute *insulat-*

קדירת חמין, דהתם שהקוגעל בתוך כלי איננו קולט טעם התבשיל ואין כונתו אלא להטמין הקוגעל, אבל הכא שהוא רק מעוטף בנייר אלומינום ידוע שהוא קולט טעם התבשיל וכוונתו לכך. [ושורש סברא זו שמעתי מידידי הרה״ג ר׳ שמואל פעלדער שליט״א] וכעין זה מצאתי בשו״ת להורות נתן (ח״ז סי׳ י״ב) וז״ל דעד כאן לא אמרו דכלי בתוך כלי הוי הטמנה אלא בכלי גמור וכו׳ אבל במאכל העטוף בנייר כסף שאין זה אלא כלי רעוע, יתכן דלא חשיב הפסק כלל והוי כמעורב עם המאכל שבקדירה עכ״ל.

וע״ש בשו״ת להורות נתן שכתב עוד כמה טעמים להתיר בזה, וע״ע בקובץ עם התורה חוברת י״ג שהגאב״ד דעברעצין התיר בזה, ובשו״ת וישב משה ח״א סי׳ כ׳ שכתב ג״כ להתיר, ובאז נדברו ח״ו סי׳ ע״ח.

15. מבואר בהערה הקודמת.

ing and is permitted.[16] [It is not sufficient to leave a minute section of the pot uncovered.]

B. The Wrapping Does Not Touch the Pot

It is permissible to insulate a pot if a substantial part of the wrapping does not touch the surface of the pot. A loose wrapping is not considered 'insulation' and is therefore not covered by the prohibition.[17]

---

16. כתב הרמ״א סי׳ רנ״ג סוף ס״א וי״א דאפילו אם הקדירה עומדת ע״ג האש ממש, כל זמן שהיא מגולה למעלה לא מיקרי הטמנה ושרי וכן המנהג עכ״ל. אולם לא נתברר בפוסקים אם יש בזה שיעור כמה צריך להיות מגולה כדי שלא יהיה נחשב הטמנה, וראיתי בספר מגילת ספר סימן ד אות ז׳ שעמד בזה וז״ל לדידן שמקילין בענין הטמנה במקצת צ״ב מה נחשב מקצת, וע׳ במ״ב סי׳ רנ״ז ס״ק מ״ג בהביאו דברי הח״א שמשמע שאם רוב הקדירה טמונה בחול המוסיף הבל יש לאסור דרובו ככולו וכ״ה בשו״ע הרב במהד״ב בד״ה והנכון, ועיין גם בפרי מגדים במשב״ז סוף סי׳ רנ״ט דנקט שאם כל צדדי הקדירה מכוסים בבגדים אף שמגולה מלמעלה זה נחשב להטמנה גמורה, מאידך גיסא מצינו במ״ב סי׳ רנ״ח ס״ק ב׳ שאוסר הטמנה כלי צונן בתוך מים חמין דוקא באופן שכולו מטומן בתוכו ומשמע דברובו אין איסור, וע״ע במ״ב סי׳ רנ״ג ס״ק ט׳ שמשמע כן, ויותר מפורש בש״ע הרב סי׳ רנ״ג סי״ד שאף אם הבגדים כרוכים סביב כל דופני הקדירה אין בזה איסור אם פיה מגולה מלמעלה, גם בח״א כלל ב׳ ס״ה כתב שצריך להיות מכוסה מלמעלה ומלמטה ומכל הצדדים עכ״ל.

וע׳ בספר שמירת שבת כהלכתה פ״א הערה קצ״ה שהביא עוד מראה מקומות בזה ובסוף כתב ושמעתי מהגרש״ז אויערבך שליט״א, דאם בגובה של דפנות הקדירה מגולה חלק ממנה ברוב הקיפה, אין זה חשוב הטמנה דלא משכחת כה״ג הטמנה ברמץ, ובלבד שהחלק המגולה יהיה ניכר לכל אדם, ולא רק במקום אחד בשיעור מועט, וכמ״ש בסה״ת, כיון שאינו מכסה הקדירה מסביב מכל צד וקא שליט ביה אוירא עכ״ל וע״ש. וע״ע בזה בשו״ת אג״מ או״ח ח״ד סי׳ ע״ד בדיני הטמנה אות ד. וע׳ בקובץ בית תלמוד להוראה ח״ג דף קנז שהגאון ר׳ יחזקאל ראטה שליט״א כתב בזה וז״ל וא״כ בנידון המכסה של פערקאלעטער אסור להלבישו ולכסותו בהמכסה וכו׳. אמנם רגיל אני להקל לאותן הצריכין לזה הרבה בשביל רבים, דילבשנו רק במקצת ורוב הכלי יהי׳ מגולה דהואיל ורובו מגולה אף שלמעלה וקצת צדדיו מכוסין מסתבר טובא דלאו שם הטמנה עלי׳ עכ״ל. וע׳ בספר אבני ישפה דף פח וז״ל בשם הגרש״ז אויערבאך שליט״א וז״ל שהעיקר שישאר עיגול, סביב סביב שאינו מכוסה בבגדים, כי דרך מהטמינים הוא לא להשאיר בזה מקצת מגולה עכ״ל.

17. שו״ע סי׳ רנ״ז ס״ח וז״ל, ומיהו כל שהוא בענין שאין הבגדים נוגעים בקדירה אע״פ שיש אש תחתיה כיון שאין עושה דרך הטמנה שרי וכו׳ ואם נתן על הקדירה כלי רחב שאינו נוגע בצדי הקדירה ונתן בגדים על אותו כלי רחב מותר דכיון שאין

Accordingly, one may drape a towel over a pot or urn, allowing it to hang loosely, even though the entire pot is covered.

Similarly, a pot covered with a wide plate may be wrapped in a towel, as the towel will not touch the entire pot, but will slope inward from the plate to the base of the pot.

Summary

Any type of insulation may be used if a substantial part of the pot is left exposed.

A loose wrapping which does not touch the entire pot is not considered insulation and is permitted.

V. Practical Applications

A. Insulating Pots Erev Shabbos

A pot of hot food may be wrapped in a towel or blanket Erev Shabbos to retain its heat.

B. Insulating Pots on Shabbos

It is forbidden to insulate a pot on Shabbos by wrapping it in a towel, unless a substantial part of the pot is left uncovered.

A pot which was wrapped in a towel Erev Shabbos may be uncovered and re-wrapped on Shabbos.

C. Insulating Pots that Are on the Blech

A pot left on a *blech* or hot plate may not be insulated, even before Shabbos. However, a towel may be draped over the pot loosely. The pot may be wrapped tightly if a substantial part of it is left uncovered.[18]

הבגדים נתונים אלא על אותו כלי רחב שאינו נוגע בצדי הקדירה אין כאן הטמנה וכו'.

18. במחבר בסי' רנ"ג סוף ס"א כתב שאם הקדירה נוגעת בגחלים מלמטה מיקרי הטמנה אע"פ שמגולה מלמעלה, והרמ"א השיג עליו וכתב י"א דאפילו אם הקדירה עומדת ע"ג האש ממש, כל זמן שהיא מגולה למעלה לא מיקרי הטמנה ושרי וכן המנהג עכ"ל. וע' בפרי מגדים (סי' רנ"ט במשב"ז ס"ק ג') שכתב דאע"פ דהמנהג להקל מ"מ מעיקר הדין

D. Electric Urns

An urn may not be completely enclosed in a wrapping. It is permissible to wrap the urn if part of it is left exposed. Alternatively, a towel may be draped loosely over the urn.

E. Warming up a Baby Bottle

It is prohibited to completely submerge a bottle in hot water on Shabbos. However, a bottle may be immersed in hot water (where the prohibition of *cooking* does not apply) if part of it is left uncovered.[19]

F. Insulating a Baby Bottle

It is permissible to wrap a baby bottle in a towel to retain its heat.

G. Submerging Kishke Or Kugel In Cholent

A piece of *kishke* or *kugel* may be submerged in a pot of *cholent* before Shabbos if one's intention is that it absorb the *cholent's* flavor. This is permitted even if the *kishke* is wrapped in aluminum foil.

However, if one desires simply to keep the *kishke* hot, it may not be completely submerged.

צריך להחמיר, ובחזו״א סי׳ ל״ז ס״ק י״ט כתב דאין להקל בזה כלל משום דרוב ראשונים ס״ל דאפילו במקצתו מגולה מיקרי הטמנה, אבל במ״ב סי׳ רנ״ז ס״ק מ״א ובס׳ רנ״ח סק״ב מבואר דמעיקר הדין מותר, ולא מיקרי הטמנה כשמקצתו מגולה.

ובספר קצות השלחן [סי׳ ע״א בדי השלחן ס״ק כ״ט] כתב דאפילו לדעת המחבר מותר לשום בקבוק בתוך מים חמים אם מקצתו מגולה, דלא אמרינן הטמנה במקצת שמיה הטמנה אלא בגחלים שמוסיפין הבל מחמת עצמן אבל בשאר דברים שאין מוסיפין הבל מחמת עצמן לא, דאל״כ נמצא לדעת המחבר דאסור להשהות קדירה על גבי טס שעל האש, דמכיון שהקדירה נוגעת בהטס מיקרי הטמנה, ומוסיף הבל מחמת האש שתחתיו, ואילו יעמיד הקדירה באוויר בלי הפסק טס בינו לאש יהיה מותר, ולא יתכן דבלא הפסק טס יהיה קל יותר מבהפסק טס. ועל כרחך שלא נאמרו דברי המחבר אלא בגחלים וכיוצא בהן שמוסיפין הבל מחמת עצמן, דהתם חמיר טפי ואפילו הטמנה במקצת שמיה הטמנה.

19. מ״ב ס׳ רנ״ח ס״ק ב.

H. Thermos

Hot liquids may be poured into a thermos on Shabbos.[20]

---

20. איתא בשבת דף נא. רשב״ג אומר לא אסרו [להטמין] אלא אותו מיחם [שהוחמו בו] אבל פינה ממיחם למיחם מותר השתא אקורי קא מקיר לה ארתוחי קא מירתח לה ע״כ, והנה רש״י פי׳ דדוקא אם פינה ממיחם למיחם במתכוין כדי לקררן אז מותר להטמין, דלא חיישינן עוד שמא ירתיח, אבל בדברי הרמב״ם פ״ד מהל׳ שבת ה״ה מבואר דאפילו אם פינה משום איזה סיבה שהוא ג״כ מותר להטמין הכלי שני, כיון דסוף סוף פינה לכלי שני הוי דין התבשיל כצונן ומותר להטמין את הצונן [וכ״ז מבואר בר״ן ס״פ במה טומנין ע״ש].

והנה המ״ב סי׳ רנ״ז ס״ק כ״ט נקט לדינא כדעת הרמב״ם דלעולם הטמנה מותר בכלי שני ולא איכפת לן בכוונתו, ולפ״ז כתב בחזו״א סי׳ ל״ז ס״ק ל״ב דמותר לערות מים ממיחם לבקבוק הטרמוס [thermos] בשבת, דאפילו אם נחשוב זה להטמנה ג״כ מותר מפני שהוא כלי שני, והוסיף החזו״א וז״ל ואפשר דכלי מרוצף בבגד לא חשיב הטמנה, דלא גזרו אלא להטמין את הכלי בבגד, אבל ליתן בתוך כלי איננו בכלל הטמנה, דהרי כל כלי מגין על מה שבתוכו שלא יצטנן במהרה, ולא אסרו ליתן בתוך הכלי בשבת, ולפי זה אף לפירש״י שרי עכ״ל.

[וע׳ בספר אז נדברו ח״א סי׳ מ״ח ומ״ט שנושא ונותן בדברי החזו״א].

וכן הסכימו להיתר בקצות השלחן בבדי השלחן דיני שהייה והטמה ס״ק ל״ו ובשו״ת קרן לדוד סי׳ ע״ז. וע״ע באגרות משה או״ח ח״א סי׳ צ״ה שכתב עוד טעם להתיר בזה, דכשנותן תבשיל לתוך הטרמוס עדיין לא עדיפא מכלי אחר, ורק במה שסותם אח״כ את פיה בהכיסוי המיוחד לזה, ובזה ג״כ ליכא איסור דהא מותר לכסות קדירה בשבת כיון שזהו דרך שמירת הדבר שלא ישפך ושלא יכנס בה עפרורית וכדומה ולכן אע״ג שגם משמר החום מותר כיון שעכ״פ צריך לכסותו גם בשביל שלא ישפך ע״ש. וע״ע בשו״ת באר משה ח״א סי׳ י״ב. ויש מחמירים וסוברים שאין לערות מכ״ר לתוך הטרומס, אלא יערה לכלי אחר ומשם להטרמוס, שו״ת לבושי מרדכי ח״ב סי׳ נ״ה, שו״ת שבט הלוי ח״א סי׳ צ״ג.

7 / בּוֹרֵר – **Sorting**

Borer: *sorting* is one of the thirty-nine *Avos Melachos*.[1] *Borer* is unique among the *melachos* in that it applies with great frequency not only in food preparation but also during the meal itself. Hardly a meal passes without one being faced with a question of *borer*.

It is imperative, then, to be well versed in the *halachos* of *borer*: to understand which activities are forbidden and to be acquainted with the permitted procedure to be followed in every instance.

I. The Melachah of Borer

A. Definition

Borer is literally defined as *sorting*; that is, taking out one variety from another.[2]

The *melachah* forbids not only sorting an entire mixture into its individual components, but even selecting a single item from a mixture.[3] This, too, falls under the category of *borer*, for one is,

---

1. משנה שבת דף עג. והנה בערוך השלחן סי' שי"ט כתב ראיתי מי שמקשה קושיא כללית על חיובא דבורר פסולת מתוך אוכל שחייב, והא הוה מלאכה שאינה צריכה לגופה שהרי אינו צריך להפסולת כלל ואין כונתו אלא לדחות הפסולת מעליו והוי כמוציא את המת לקוברו וכו', ותי' הערה"ש דלא דמי, דמוציא את המת א"צ להמלאכה כלל, משא"כ הבורר הא צריך להאוכל ואינו יכול לאכול אלא בהפריד את הפסולת ממנו, א"כ צריך לגופה עכ"ל.

2. רש"י שבת דף עג: ד"ה היינו

3. פשוט הוא. וע' בירושלמי פרק כלל גדול הובא בפמ"ג בא"א סוף ס' ש"מ וז"ל הבורר אמר ר' יודן הי' יושב על הכרי ובורר כל היום אין מתחייב פי' המפרש שלא הועיל כלום שעדיין יש צרורות ומ"מ פטור אבל אסור. וע' בפמ"ג בשב"ז שי"ט ס"ק י"ג וז"ל הנה

in effect, sorting that one item from the rest of the mixture. Taking items from a mixture at random and laying them down separately is also a form of *borer*. [Certain types of 'sorting' are indeed permitted, and these will be described in the course of this chapter.]

B. Where Is the Melachah Applicable?

The term 'sorting' naturally applies only to a 'mixture' of different elements. What constitutes a mixture of different elements? In the case of foods, a mixture can be comprised of food and waste material[4] or two different types of food.[5]

For example, if a food item is mixed with waste material (e.g. dirt, pits, bones, shells), separating the foreign matter from the food is an act of *borer*. Thus, sifting or straining foods to remove unwanted matter is forbidden under this *melachah*. Removing the waste material by hand is equally prohibited.

Other activities in this category are : peeling fruits, vegetables or eggs and shelling nuts. These are subject to *borer*, because in all of these cases one separates the unwanted peel from the desired food. [In Section IV we will learn the proper, permissible method of preparing these items.]

Another example: A platter of mixed cold cuts (two types of food) may not be sorted[6] [except under the conditions outlined

---

משמע דכל שאינו בורר לגמרי אוכל מפסולת אלא מניח קצת אוכל עם הפסולת וכן יניח קצת פסולת עם האוכל יכול לברר כל היום בענין זה והא דבורר בגרוגרות חייב כשלא היו בפסלת עם האוכל כי אם גרוגרות ובורר הכל וי״ל כל שיש חיוב חטאת אסור עכ״פ מדרבנן כה״ג וכל היכא דאי בורר הכל לית חיוב חטאת אז כשמניח מקצת ל״ג עכ״ל וצע״ק דלא הביא הכא דברי הירושלמי, ובערוך השלחן בסי׳ שי״ט ס״ד נמי אוסר כה״ג.

4. שו״ע סי׳ שי״ט ס״ג.

5. שו״ ע הנ״ל.

6. בפמ״ג סי׳ שי״ט (במשב״ז ס״ק ב׳) נסתפק בשני מיני אוכלים מעורבים יחד ובירר אחד מחבירו ודעתו להניח שניהם אלאחר זמן האם שייך בזה בורר דהי אוכל והי פסולת, פי׳ דכיון דאינו רוצה במין אחד יותר מחבירו א״א שיקרא אחד מהם פסולת לגבי חבירו, והובא דבריו בביאור הלכה סי׳ שי״ט ס״ג ד״ה היו לפניו, וכתב ע״ז בבה״ל וז״ל ולענ״ד

further in the chapter]. This is forbidden even if one takes items from the mixture at random and places them in separate piles.[7]

C. Sorting Part of a Mixture

As mentioned, sorting even part of a mixture is a form of *borer*. Thus, in mixtures of food and waste, selecting only part of the food or removing only part of the waste falls under the

---

נראה פשוט מלשון הרמב״ם דס״ל דהברירה מה שבורר מין אחד מחבירו ועי״ז הוא כל מין בפני עצמו זהו עצם המלאכה, אלא דאם דעתו לאכול תיכף והוא בידו הוי דרך מאכל, ואי״כ ק״ו הדבר ומה היכא שהניח מין אחד על מקומו שייך שם ברירה כ״ש בזה שלקח כל מין ומין ובירורו לעצמו דחייב עכ״ל.

וכוונת הבה״ל לדברי הרמב״ם פ״ח מהל׳ שבת הי״ב ז״ל הבורר אוכל מתוך פסולת או שהיו לפניו שני מיני אוכלים ובירר מין ממין אחר בנפה וכברה חייב עכ״ל, ולמד הבה״ל מדבריו דעצם ברירת מין אחד ממין השני הוא המלאכה ואע״פ שאין לו צורך בשום אחד מהם. וע׳ באגלי טל מלאכת זורה ס״ק ב׳ שהביא מתוספתא דשבת פי״ז נתערבו לו פירות עם פירות אחרים וכו׳ בדק אלו לעצמן ואלו לעצמן וכו׳ הרי זה חייב, ודקדק באגלי טל דמלשון התוספתא ובררן אלו לעצמן ואלו לעצמן משמע שרוצה בברירת שניהם ואינו חפץ במין אחד יותר מחבירו, ואעפ״כ חייב, וזהו כדברי הבה״ל דאע״פ שאינו רוצה בשום אחד מהם ולכאורה אין אחד מהם נקרא פסולת לגבי חבירו, מ״מ חייב על עצם ברירת שני מינים זה מזה.

ובאמת שהפמ״ג עצמו בספרו ראש יוסף (שבת עד. ד״ה והנה) עמד בזה וכתב דלדעת הרמב״ם ליכא לספוקי כלל, כיון דמחייב על עצם ברירת שני מינים זה מזה, וכל ספיקו הוא רק אליבא דתוס׳ (דף עד. ד״ה היו) שכתבו דבאוכל מתוך אוכל שייכא ברירה שבורר אותו שאינו חפץ לאכול מתוך אותו שרוצה לאכול דאותו שאינו חפץ בו חשיב פסולת לגבי אותו שחפץ לאכול עכ״ל, ולשיטתם נסתפק האם שייך בורר היכא שמניח שניהם לאחר זמן, דכיון דכל האיסור הוא רק משום שאותו שאינו חפץ בו נקרא פסולת לגבי אותו שחפץ בו א״כ הכא שאינו חפץ בשום אחד מהם הי אוכל והי פסולת, אבל לשיטת הרמב״ם דעצם ברירת שני מינים זה מזה אסור, פשיטא דאם אינו חפץ בשום אחד מהם לאלתר אסור לבוררם זה מזה.

[ודע דכמה פוסקי זמנינו פירשו דאף הרמב״ם ס״ל כסברת התוס׳ דאין איסור בורר כשמפריד שני מיני אוכלים זה מזה אלא משום שאחד מהם חשוב פסולת לגבי חבירו ופירשו דמ״ש הבה״ל דלדעת הרמב״ם אסור לברור כל מין בפני עצמו כשאינו צריך לשום אחד מהם לאלתר, היינו משום דבכה״ג כל אחד חשוב פסולת לגבי חבירו, ע׳ בזה במש״כ הג״ר ח״פ שיינברג שליט״א בחוברת אור השבת ח״ג, וע״ע בספר איל משולש דף יז, ובספר ברכת השבת דף קפ״ו.]

ועכ״פ להלכה למעשה כתבנו בפנים דאסור לברור מין אחד מחבירו אא״כ צריך לאחד מהם לאכול לאלתר, וכהכרעת הבה״ל.

category of *borer*. In mixtures of different types of food this rule also applies: It is forbidden to remove one item from a mixture in order to find other items, even if the remaining items still constitute a mixture.

For example, it is forbidden to remove potatoes from a *cholent* in order to expose the meat and beans.

Accordingly, if one desires only meat from a *cholent* (or only tomatoes from a salad or only almonds from a bowl of nuts, etc.), one must use the method of selecting that does not violate the laws of *borer*. [This proper method of selecting is described in Section III of this chapter.]

D. To What Does the Melachah Apply?

Foods and Liquids

As mentioned above, the *melachah* of *borer* applies to all food items: sorting one type of food from another or separating unwanted waste from a food item. The *melachah* applies to liquids as well: Straining a liquid to remove impurities (e.g. sediment from wine) or unwanted matter (e.g. herbs from soup) is an act of *borer* and is forbidden.[8] Likewise, removing a particle of dirt or an insect from a drink falls under the category of *borer*.[9]

Separating one liquid from another (e.g. skimming fat from soup) is another form of *borer*.[10] Similarly, separating liquid from a food (e.g. pouring excess water from *cholent*) also falls into this category.[11]

Non-Foods

The prohibition of *borer* also applies to non-food items.[12] For

---

7. שו״ת מחזה אליהו סי׳ מ״ט, וכתב שם שכן פסקו הגאון ר׳ ש.ז. אויערבאך שליט״א, והגאון ר׳ יוסף שלום אלישיב שליט״א.

8. שו״ע סי׳ שי״ט ס״י.

9. מ״ב סי׳ שי״ט ס״ק ס״א.

10. מ״ב שם ס״ק ס״ב.

11. שו״ת אג״מ או״ח ח״ד סי׳ ע״ד דיני בורר ס״ק א.

12. מ״ב סי׳ שי״ט ס״ק ט״ו בשם אחרונים. וע׳ בספר מנורה הטהורה או״ח סי׳ שי״ט בקני

example, sorting cutlery, choosing a particular *bentcher* from a pile or selecting a specific towel from an assortment are all subject to the *halachos* of *borer*, and must be performed only in the permitted manner described further (Section III).

Summary

Borer is defined as sorting a mixture into its components. Sorting part of a mixture or selecting one item from a mixture falls under the category of *borer*. Taking items from a mixture at random and placing them separately is also a form of *borer*.

The *melachah* applies to foods, liquids and non-foods. In any mixture of these items, or when waste material is mixed with a useful item, sorting all or part of the mixture falls under the category of *borer*.

II. The Scope of Borer

The *melachah* of *borer* has been defined as sorting or selecting one item from a mixture of different items. However, choosing an article from a group of identical items (e.g. taking one apple

---

המנורה ס״ק ל׳ וז״ל מיהו בכלים הניכרין גם בעודן בתערובתן יש להקל, דהא בירושלמי גבי בני אדם יהי׳ משום בורר ומשמע דסובר גבי בני אדם בודאי אין לחייבו משום בורר וע״כ הטעם משום דהם כנפרדים וניכרים גם בעודן בתערובתן עכ״ל. וע׳ בערוך השלחן סי׳ שי״ט ס״ז אחר שהביא הך דינא דאיסור בורר שייך בכלים כתב וז״ל ולפ״ז יש לשאול שאלה גדולה דאיך מצינו ידינו ורגלינו בכמה דברים כגון שמונחים מעורבים כפות ומזלגות וסכינים ואנו צריכים כעת לסכינים ובוררים הסכינים מביניהם או את הכפות או המזלגות וכו׳ וכן על השלחן אצל העשירים יש כמה מיני קערות קטנות וגדולות ולכל מאכל בוררין קערות שונות, וכיוצא בזה כמה עניינים, ואם יש ברירה בכל דבר לא מצינו ידינו ורגלינו בהרבה עניינים. ותשובות דבר זה משני פנים, האחד דבדבר הניכר הרבה לעין הרואה לא שייך לומר בזה ברירה, שאין זה ברירה אלא נטילה בעלמא וכל אלו הדברים שחשבנו הם נראים לעין כמו בבגדים וכלים וספרים כמובן ואין לומר הא גם שני מיני פירות נראים לעין כמו תנאים וענבים, דאינו כן דמתוך קטנותם וריבויין צריכים לברור זה מזה, משא״כ בבגדים וכלים וספרים עכ״ל. וע׳ בשו״ת מהרש״ג ח״א סי׳ ל״ז שחידוש דבורר שייך רק בסוג דברים שאחר הברירה הדרך להשאירו מבורר, אבל בכלים וספרים שאחר השימוש מערבם ומניחם שוב באותו המקום שלקחם משם אין זה צורת מלאכת ברירה עי״ש וכן כתב בשו״ת באר משה ח״ו סי׳ ס״ח. וע״ע בזה בשו״ת ציץ אליעזר חי״ב סי׳ ל״ה, וביביע אומר ח״ה סי׳ ל״א.

from a bowl of similar apples) is not an act of *borer*, since there has been no selection from a 'mixture' of 'different' elements.[13] Thus, we must define:

A. How 'different' must items be to constitute a mixture?

B. To what degree must items be 'mixed' for the *melachah* to apply?

A. How Different Must Items Be to Constitute a Mixture?

'Food' Mixed with 'Waste'

We have already seen that food and waste are considered 'different' items and constitute a mixture. This is true even for waste that occurs naturally in food, such as bones, fat, shells or pits.[14] Similarly, any liquid containing impurities is considered a mixture of 'food' and 'waste' and may not be strained, whether the impurities are foreign matter (e.g. dirt) or natural substances (e.g. sediment in wine).[15] Even if the waste material is edible (e.g. fat), the laws of *borer* apply, for so long as that material is not desired it is considered a 'waste' product, which may not be separated from 'food.'[16]

'Food' Mixed with 'Food'

[Note: Although *borer* applies to non-food as well as to food

---

13. רמ״א סי׳ שי״ט ס״ג וז״ל אבל כל שהוא מין אחד אע״פ שבורר חתיכות גדולות מתוך קטנות לא מיקרי ברירה וכו׳. וע׳ בחמד משה ס״ק ב׳ שהסביר דברי הרמ״א וז״ל דבמין אחד לא מיקרי פסולת מה שמניח משום שאינו חפץ לאכול שהרי חפץ באותו מין עצמו, ובשביל שאוכל זה ומניח הנשאר לא נקרא פסולת, אבל בשני מינים מה שאינו חפץ לאכול שפיר נקרא פסולת שאותו מין כולו לא נחשב בעיניו ואינו רוצה בו והוי כמו פסולת מין האוכל עכ״ל.

והנה בש״ע הרב ס״ו הסכים עם הרמ״א דבמין אחד לא שייך בורר, ובמ״ב ס״ק ט״ו כתב שכן הוא הסכמת הרבה אחרונים, אבל הט״ז בס״ק ב׳ חולק על הרמ״א וס״ל דאף במין אחד שייך איסור בורר כשבורר גדולים מתוך קטנים, ובמאמר מרדכי ס״ק ה׳ כתב ומיהו מעיקרא דדינא טוב לחוש להט״ז, וכ״כ בחיי אדם כלל ט״ז ה״ה.

14. רמ״א סוף סי׳ שכ״א, ומ״ב ס״ק פ״ד.

15. שו״ע סי׳ שי״ט ס״י.

16. איל משולש דף צה.

items, the *Poskim* use the term 'food,' as opposed to 'waste,' to describe any useful or functional item in a mixture.]

As stated above, in addition to mixtures of 'food and waste,' the *melachah* applies to mixtures of 'food with food,' i.e. mixtures of different types of useful products.

The criteria by which useful items can be considered 'different' are:

1) Different Species
2) Different Quality

1. Different Species

Items of completely different species qualify as a mixture when combined. For example, a bowl of mixed fruit or nuts, a salad of mixed vegetables, or a *cholent* containing meat, potatoes and beans are mixtures of different species of food. A pile of mixed cutlery, consisting of knives, spoons and forks, is a mixture of different species of utensils.

Moreover, items of the same general species qualify as a mixture if they are different in either:

a) taste[17]
b) function[18]

The following examples illustrate this rule:

Different Taste:

Cooked apple and baked apple
Boiled and roast chicken[19]

---

17. פמ״ג א״א ס״ק ה׳ וז״ל ומהו שני מינים, אפשר ווינקשי״ל שחרות ולבנות וכדומה מיקרי שני מינים. עסי׳ רכ״ה ס״ק י׳ במג״א אם חלוקין בטעמן או בשמן לענין שהחיינו ה״ה כאן וצ״ע עכ״ל.

18. איל משולש דף טז.

19. מ״ב סי׳ שי״ט ס״ק ט״ו. וע׳ בספר איל משולש דף כ״ז וז״ל וחלקים שונים בעוף כגון החזה השוק והכנף הרי אלו מין אחד, וכ״כ באז נדברו חי״ד ס״י, אבל עי׳ בשו״ת תשובות והנהגות ח״ב סי׳ קפ״ה שכתב שחלק עליון ותחתון שבעוף דינם כשני מינים.

Different Function:

Soup spoons and teaspoons[20]
Kitchen knives and table knives[21]
Large and small plates[22]
Spoons and forks[23]

These items constitute a mixture when placed together even though they belong to the same general category.

Different Sizes

In general, different sizes of a similar item are considered one type and do not constitute a mixture unless their function is affected by their size, such as the case of spoons (soup spoons, teaspoons) or plates (platters and saucers). Among foods, however, size rarely affects the function of the food, and therefore different-sized pieces of one variety of food are not considered a mixture.[24] However, *matzah* meal, for example, is an exception: Chunks of *matzah* cannot be used for the same function as *matzah* meal. Therefore it is forbidden to sort chunks of *matzah* that are mixed with *matzah* meal.[25]

2. Different Quality

Items of the same species, but which are significantly different in quality, can also constitute a mixture because those of inferior quality are considered 'waste' when in relation to the higher quality items. The criterion of 'significantly different quality' is that the one item is perfectly usable, whereas the inferior item would be used only in cases of necessity.[26]

---

20. איל משולש דף טז. ועי' ציון 12 בזה.

21. הנ"ל.

22. הנ"ל.

23. הנ"ל.

24. רמ"א סי' שי"ט ס"ג.

25. פמ"ג משב"ז סי' שי"ט ס"ק ב'. וע"ע בזה באגלי טל מלאכת בורר ס"ק י"ז.

26. מ"ב סי' שי"ט ס"ק ז'.

For example, a cluster of grapes in which some are spoiled is considered a mixture of food (fresh grapes) and waste (spoiled grapes). Even if the spoiled grapes are still somewhat edible, they qualify as 'waste,' if they would be eaten only in cases of necessity.

Another case of significantly inferior quality is a completely fresh food that has a very poor flavor. For example, a platter of meat, some of which is burnt, is considered a mixture of food (properly cooked pieces) and waste (burnt pieces).[27] However, if there is no significant difference in the quality of the items (i.e. they are all perfectly edible), they do not qualify as a mixture even though some pieces are tastier or more attractive than others.

Summary

A 'mixture' can be composed of either food and waste or several different foods. The term 'waste' can apply even to edible items, if they are not desired.

Mixtures of 'food with food' are subject to *borer* only if the items are different in species (including different taste or function) or significantly different in quality. Similar items placed together are not subject to *borer* even if they are of varying sizes, unless each size has a separate function.

B. To What Degree Must Items Be Mixed for Borer to Apply?

The precise degree to which items must be 'mixed' in order for *borer* to apply is unclear and the *Poskim* are therefore very stringent with regard to this question. In any situation where an object has been placed in close proximity to other items so that it is perceived not as an individual unit but as part of an assortment, it is considered 'mixed,' even if each item is recognizable within the mixture.[28]

---

27. מ״ב סי׳ שי״ט ס״ק ט״ו.

28. הפוסקים הקדמונים החמירו מאד לענין בורר, וטעמם משום דתמיד נוגע באיסור דאורייתא, שאם בירר פסולת מתוך אוכל אפילו לאכול לאלתר חייב חטאת, וכן אם בורר אוכל מתוך פסולת להניח לאחר זמן או אם בירר בכלי אפילו לאכול לאלתר חייב

For further clarification, however, we can categorize three types of mixtures:

1) A random mixture
2) Items attached to one another
3) Items piled on one another

1. A Random Mixture

A random mixture is one in which different species are intermingled so that they lose their individual identity somewhat.[29] This includes cases in which the separate ingredients are not readily discernible (e.g. *cholent*) and those in which the different items are more easily recognized (e.g. a bowl of nuts or

---

חטאת [כמ״ש המ״ב בהקדמה לסי׳ שי״ט], ולכן לא התירו לברור אלא במקום שהוא ברור בלי שום ספק כלל דלא הוי תערובות, וכדאי להעתיק מקור הדברים בזה כדי להראות איך החמירו בזה הפוסקים.

הנה ברמ״א סי׳ שי״ט ס״ג כתב וז״ל ושני מיני דגים מיקרי שני מיני אוכלים ואסור לברור אחד מחבירו אלא בידו כדי לאכלן מיד אע״פ שהחתיכות גדולות וכל אחת ניכרת בפני עצמה וכו׳, ומקור דבריו הוא בתרומת הדשן סי׳ נ״ז וז״ל מ״מ שני מיני דגים לאו מין אחד מיקרי וכו׳ אמנם נראה דמאד היה כנגד סברת הלב דשני מינים שניכרים בהפרדתם חתיכות גדולות שמונחים יחד דיהא ברירה שייכא בהו, דלשון המרדכי בפרק כלל גדול לא משמע הכי וכו׳ משמע דוקא כשהם מעורבים ואינם ניכרים אבל בכה״ג אע״ג דאין כל מין ומין מסודר בפני עצמו, מ״מ לא מיקרי מעורב. אפס הואיל וכתב בסמ״ג [לאוין ס״ה] דהבורר פסולת מתוך האוכל ואפילו בורר לאלתר חייב חטאת, אין לחלק ולהקל בלא ראיה וכו׳ עכ״ל ומבואר בדברי התרה״ד דאע״ג דמסברא לא מיקרי תערובות היכא דכל מין ניכר בפני עצמו והם חתיכות גדולות, מ״מ לא מלאו לבו להקל בזה מפני שנוגע באיסור דאורייתא, ולא הקיל אלא היכא דכל מין ומין מסודר בפני עצמו ואינם מעורבים כלל, ובעקבותיו הלך הרמ״א ואסר לברור שני מיני דגים אע״פ שהחתיכות גדולות וכל אחת ניכרת בפני עצמה, כיון שעכ״פ מעורבין הן ואינן מסודרין כל מין בפני עצמו [וכ״כ שם במ״ב ס״ק י״ד לבאר דברי הרמ״א].

[עוד ראיתי בספר טל אורות [מהגאון הקדמון ר׳ יוסף גוייא] במלאכת בורר דף ל״א שכתב דבספר עץ חיים התיר להסיר יתוש הצף על כוס יין בשבת משום דלא שייך ברירה אלא במה שצריך לפשפש ולברור אבל דבר שצף למעלה כבר מבורר ועומד הוא, ותמה ע״ז בטל אורות דהא התרה״ד החמיר אפילו בכה״ג וסובר דאע״ג דניכר אית ביה משום בורר, ואיך נתיר להסיר יתוש מכוס יין בשבת מפני שניכר בפני עצמו, סוף סוף מעורב הוא ואסור לברור אותו. ולמדנו מדבריו עד היכן צריך להחמיר בענין זה. וע״ע בספר שביתת שבת בדיני בורר ס״ק כה מ״ש בזה.]

29. ירושלמי פ״ז ה״ב, תוספתא פי״ז הלכה ו׳.

cut-up fruit, a pile of cutlery). In either case, the items are not perceived as individual units but as part of an assortment and are therefore considered 'mixed.'

Moreover, even items that are not thrown together randomly, but are merely placed in close proximity to each other so as to appear as one grouping (e.g. a platter of cold cuts; a platter of cake), fall into this category.[30]

There is no fixed minimum for the number of items necessary to constitute a mixture. It depends, rather, on whether the separate units are perceived as individual items or as part of a group. Small items (e.g. nuts) lose their individuality to some degree even when a few are combined in a bowl. In contrast, large items (e.g. fruits) do not lose their individuality at all unless a relatively large amount is placed together.[31] [Each case must be individually evaluated to judge whether a group of objects does, indeed, constitute a 'mixture.' When in doubt, one should be stringent and follow only the method of selecting outlined below in Section III.]

2. Items Attached to One Another

Another type of 'mixture' subject to *borer* is one in which the various species are clearly defined, but are attached at some point.[32]

The following are examples of this category:

Fat attached to meat
Fruits or vegetables with peels[33]
Damaged fruit
Eggs or nuts in shells

---

30. איל משולש דף לז.

31. ע' ערוך השלחן סי' שי"ט ס' י"ז אחר שהביא דברי הרמ"א שהחמיר כדעת התרה"ד כתב וז"ל ומ"מ נלענ"ד דדוקא כשהחתיכות מרובות אבל בד' וה' חתיכות שנוטל מהם אחד או שנים לא מקרי ברירה וכו'.

32. ע' איל משולש דף לט.

33. כתב הרמ"א סוף סי' שכ"א אסור לקלוף שומים ובצלים כשקולף להניח אבל לאכול לאלתר שרי, וכתב במ"ב דטעם האיסור הוא משום בורר, והוא הדין דאסור לקלוף

Although in these cases the food and the waste are each clearly defined, they are nevertheless considered 'mixed' at the point where they touch; i.e. a careful separation is needed to make the food completely distinct. Thus, separating the two is an act of *borer*.

3. Items Piled on One Another

A third category of 'mixture' is one in which large items* are

---

*Note: Small objects that are piled on each other usually lose their individual identity somewhat and constitute a random mixture.

שקדים ואגוזים וכיוצא בהם כשקולף להניח. ומקור הדין הוא בירושלמי, הובא בבית יוסף סוף סי׳ שכ״א האי מאן דשחיק תומא (פי׳ שכותש שומים) כד מפרך ברישיה (פי׳ שמפרר ראשי השומים) חייב משום דש, כד מתבר בקליפייתא (פי׳ שנוטל אותם מן הקליפות) חייב משום בורר ע״כ.

ובערוך השלחן סי׳ שי״ט ס״כ חולק על המ״ב בזה, ובתחלה הביא דברי הירושלמי והב״י והרמ״א וכתב דלכאורה משמע מדבריהם דלקלוף שומים ובצלים הרבה הוי בורר ואסור אם אינו אוכל לאלתר, ומלבד שאינו מובן מה שייך ברירה בזה, הוא כנגד גמרא מפורשת בביצה יג: ע״ש [וכבר עמד בזה בביאור הלכה סוף סי׳ שכ״א ד״ה לקלוף, וע״ש מ״ש ליישב בזה], ומשום זה כתב בערוך השלחן לפרש דברי הירושלמי והרמ״א באופן אחר, דאיירי שלוקח הרבה שומים ושוחקן ביחד ועי״ז מתערבים הקליפות עם השומים, וכשבורר הקליפות מהאוכל חייב משום בורר, אבל מי שקולף כל שום לבדו אין בזה לא דישה ולא ברירה כמו שאנו עושים מעשים בכל שבת שקולפים בצלים ושומים אחד אחד, כמו שקולפים אגוזים ושקדים שבכל אגוז זורקים הקליפה, וזהו דרך אכילתם עכ״ד.

ומצאתי סמך לדבריו בפי׳ הר״ח דף עד. וז״ל נמצא שהזורה והבורר ומרקד כולן מעבירין פסולת המעורבת באוכל ואינה מחוברת, ואינה כגון קליפה שצריכה פירוק, או כגון עפרורית שצריכה ניפוץ, אלא מעורבת בלבד עכ״ל, ולשון הר״ח הובא בספר הערוך [ערך דש]. ובספר טל אורות מלאכת בורר דף ל״ב ע״ג הביא דברי הערוך ועפ״ז כתב לבאר דברי המרדכי פ״ק דביצה שכתב דיש להתיר ניקור הבשר ביו״ט, וברירה לא שייכא כאן עכ״ל, ולא כתב המרדכי טעם הדבר, דלמה לא שייך בזה ברירה, אבל לפי דברי הערוך מיושב שפיר דכיון שהגיד והחלב מחוברין בבשר לא שייך בורר בהכי ע״ש.

וע״ע בסדור בית מנוחה [דינים השייכים ליל שבת ס״ק כ״ז] שהביא דברי הרמ״א וכתב ע״ז וז״ל ולי נראה דתפוחים כיון שקליפתן היא מחוברת לאוכל והוא גוף אחד, אין במה שקולפן משום ברירה, אלא הוא כחתוך מגוף התפוח ולא דמי לקליפת בצלים ושומין שאין קליפתן מחוברת לאוכל חיבור גמור שיחשב כחותך ממנו, לכן נ״ל דתפוחים שרי לקלפן אפי׳ להניח עכ״ל. וע״ע בזה בפתח הדביר ס׳ שי״ט ס״ק ו׳.

piled one on top of the other or one next to the other.[34]

Examples of this category are:

A stack of different plates
A pile of towels

In these cases each item can be recognized individually, yet they are considered 'mixed' to some degree because they are in a pile.

Later in this chapter (Sec. IV) we will see that the laws of *borer* are more lenient with regard to these last two categories of mixtures (i.e. attached mixtures and piled mixtures) than with regard to random mixtures.

Summary

The term 'mixture' refers to a group of items in which each species has lost its individual identity to some degree and is perceived as part of an assortment.

In addition, items not actually mixed, but merely attached or piled on one another, are also considered 'mixtures' and are subject to *borer*.

III. The Proper Method of Selecting from a Mixture

It is permitted to select from a mixture if one takes *the 'food' from the 'waste' by hand for immediate use.*[35]*

---

*Note: This is not categorized as *borer* because it is a natural part of the eating process, i.e. a routine manner of obtaining an item.[36]

---

34. מ״ב סי׳ שי״ט ס״ק ט״ו.

35. שו״ע סי׳ שי״ט ס״א.

36. כנראה שנחלקו הראשונים בטעם ההיתר לברור אוכל מתוך הפסולת ביד כדי לאכול לאלתר. בפי׳ ר״ח (שבת עד:) כתב דהא דמותר לברור בכה״ג הוא משום דמלאכת מחשבת אסרה תורה והאי לאו מלאכת מחשבת היא דלא קא מכוין במלאכה אלא לאכילה בלבד עכ״ל, ומבואר מדבריו דטעם ההיתר הוא משום דזהו דרך אכילה, וכיון דלא אסרה תורה לאכול בשבת ע״כ דברירה כזו שהיא דרך אכילה ג״כ מותר,

Taking food from waste [אוֹכֶל מִן הַפְּסוֹלֶת] means that one must choose the desired object ('food') from the mixture and leave behind the unwanted items ('waste').

By hand [בְּיָד] means that the selection must be done by hand, i.e. without the assistance of a 'selecting utensil' (explained below).

For immediate use [לְאַלְתַּר] means that the item selected must be intended for immediate use.

We will now elaborate on these conditions.

1) אוֹכֶל מִן הַפְּסוֹלֶת – Taking Food from Waste

One may select from a mixture of food and waste only by taking the food and leaving behind the waste. For example, one

---

וכעין זה כתוב בחידושים המיוחסים להר״ן דף עד. וז״ל וליכא לאקשויי לאביי מכיון דבו ביום (אינו) חייב חטאת האיך שרי לאלתר דהא בישול אפילו לאלתר אסור, דכיון שאינו אלא לפי שעה אינו אלא כמתעסק באכילה עכ״ל. וכתב שם עוד ז״ל אבל לפי שעה לאכול לאלתר כשהוא אוכל מתוך פסולת אינו אלא דרך אכילה דבהיתירא עסיק, ואלו היה פסולת מתוך אוכל אפילו לאכול לאלתר אסור דלעולם הוא דרך ברירה וחייב דבאיסורא עסיק עכ״ל.

אבל בבית יוסף סי׳ שכ״א כתב בשם שבלי הלקט איכא דקשיא ליה איך מותר לדוך מלח בקתא דסכינא, כיון דכדרכו חייב משום טוחן, ע״י שינוי ליהוי פטור אבל אסור, תשובה קתא דסכינא שינוי גמור הוא וכו׳ הלכך מותר לכתחלה כדאמרינן גבי בורר בנפה וכברה חייב חטאת, בקנון ובתמחוי דהוי שינוי פטור אבל אסור, ביד דהוי שינוי גמור מותר לכתחלה עכ״ל, ומבואר מדבריו דטעם ההיתר לברור ביד הוא משום דהוי שינוי גמור, [וכן משמע ברש״י שבת עד. ד״ה פטור עיי״ש] והוכיח מזה דה״ה לענין טוחן יש להתיר ע״י שינוי גמור, ולפ״ז אין טעם ההיתר משום דדרך אכילה הוא אלא משום דכל מלאכה מותר כשעושה ע״י שינוי גמור. וכ״כ בספר קרית מלך רב (פ״ח מהלכות שבת הלכה יד) שביאר יסוד ההיתר משום שינוי. ועפ״ז הצ״ע למה בקנין פטור אבל אסור ואינו מותר.

וע׳ בש״ע הרב סי׳ שי״ט ס״א וז״ל ואם בורר האוכל בידו כדי לאכול לאלתר מותר, מפני שנטילת האוכל מתוך הפסולת כדי לאכלו מיד אין זה מעין מלאכה כלל שדרך אכילה כך הוא, שהרי אי אפשר לאכול כל האוכל עם הפסולת ולא אסרתו תורה אלא לעשותו בכלי המיוחד לכך וכו׳, אבל נטילת הפסולת אין זו דרך אכילה אלא דרך תיקון האוכל שיהא ראוי לאכילה, הרי זה מלאכה גמורה עכ״ל, וזהו כדברי הר״ח שהבאנו לעיל. וכן כתב במ״ב בהקדמה לסי׳ שי״ט וז״ל ואינו מותר לברור כי אם באופן שיזהר בכל הג׳ אופנים, דהיינו שיברור האוכל מן הפסולת, וגם שהברירה יהיה בידו ולא בכלי, וגם שיהיה דעתו לאכול מיד, שאז לאו דרך ברירה הוא אלא דרך אכילה הוא עכ״ל, וכ״כ שם עוד בס״ק ו׳ וס״ק י׳ עיי״ש.

may not remove spoiled grapes from a cluster, but must eat by choosing fresh grapes and leaving the unwanted ones behind.

Mixtures of 'Food with Food'

When choosing from a mixture of several 'food' items ('food with food'), the same rule applies. In this case, the item desired for immediate use is considered 'food' and the unwanted items are considered 'waste.' Accordingly, one must select the desired item and leave the unwanted ones behind.[37] For example, if one wants only cashews from a bowl of nuts, he is forbidden to remove the other nuts from the bowl so that he is left with cashews, but must eat by selecting the cashews and leave the remaining nuts in the bowl.

This rule also applies to non-food items. If one needs only spoons from a pile of cutlery, he may not remove knives and forks from the pile so that he is left with spoons, but must select the spoons, which are the desired item.

2) בְּיַד – [Selecting] by Hand

The second requirement for being allowed to select from a mixture is that the selection be done *by hand;* i.e. without the assistance of a utensil. This forbids using not only specialized implements (e.g. sieve), but even ordinary utensils, to assist in sorting. For example, one may not fashion a narrow opening between a pot and its cover, and strain soup through the opening, keeping the vegetables behind, because he is using a utensil to select the desired soup.[38]

This is not to say that the use of a utensil is always forbidden. Only when a utensil assists in separating food from waste more efficiently is its use forbidden. It is permissible, though, to use a utensil as a matter of convenience, where it is not meant to enhance the efficiency of the selection process.[39]

---

37. שו״ע סי׳ שי״ט ס״ג ומ״ב

38. איל משולש דף ק׳. בשם הגרי״ש אלישיב שליט״א.

39. בגמרא שבת דף עד. איתא דהבורר בנפה וכברה חייב חטאת, בקנון ותמחוי פטור

'Convenience' generally takes one of three forms. These are:

1) To avoid soiling one's hands.[40]
2) Where one is unable to reach an item with his hand.[41]

אבל אסור, וביד מותר, ופרש״י דנפה וכברה חייב משום דדרך ברירה היא, אבל בקנון ותמחוי פטור משום דאין הדרך לברר בהם וממילא אסור רק מדרבנן, וביד מותר משום דאין זה דומה לברירה. והנה מצינו דבאמת יש אופנים דעל ידי כלי נמי מותר לברור.

ולכאורה זה מוכח ממ״ש הרמ״א בסוף סי׳ שכ״א שמותר לקלוף שומין ובצלים כדי לאכלם לאלתר, והמג״א בס״ק ל׳ כתב שה״ה תפוחים, ותפוחים בודאי א״א לקלפם ביד אלא בסכין ומדהתירו לקלפן לאכול לאלתר, שמע מינה שהקולף בסכין אינו בכלל בורר בכלי. וכן מצינו עוד בתוספתא מובא במ״ב סי׳ שי״ט ס״ק ס״ו דמותר לחבץ מעשה קדירה ולאכול ופירוש המ״ב ר״ל להפריד בכף מאכל עבה מן הרוטב שמותר, הרי מבואר דגם דהברירה נעשית ע״י כלי הרי זה מותר.

וכן מוכח מתשובת הרשב״א ח״ד ס׳ ע״ד הובא להלכה ברמ״א בסי׳ שכ״א סי״ב שהתיר לחתוך בשבת דק דק ירק שדרך לחתכו סמוך לאכילתו וחותכו דק דק על דעת לאכול מיד, והרשב״א למד כן מדין בורר אוכל מתוך פסולת שמותר לאלתר. ולכאורה צריכין להבין דהלא בבורר לא התירו כ״א ביד ולא בכלי וא״כ היה לנו לאסור כשחותך הירק דק דק לאלתר ע״י כלי.

ועל כרחך שיש חילוק בין קנון ותמחוי לסכין. וההסבר מצינו בפמ״ג הובא בביאור הלכה שם וז״ל דכמו בבורר דרך אכילה הוא כשבורר בידו לאכול לאלתר ה״נ בענינו דרך אכילה הוא אפילו כשמחתך בסכין לאכול לאלתר דדרך אכילה הוא בסכין עכ״ל.

ביאור דבריו דקנון ותמחוי נקראים כלי ברירה משום דאינם כלים שמסייעים לאדם בדרך אכילתו, ולכן א״א לחשוב את הבורר בהם, לעוסק באכילה. משא״כ סכין שדרך להשתמש בו בשעת אכילה לצרכי אכילה, א״כ החותך בו וקולף את האוכל כדי לאכלו מיד אינו נחשב לעוסק במלאכה אלא לעוסק באכילה ולא גרע מבורר ביד.

ולא אכחד שמצינו שגם לפעמים נקרא כף כלי ברירה דעיין במ״ב סי׳ שי״ט ס״ק נ״ה וז״ל ואסור לשפוך השומן מן הרוטב ואפי׳ אם לא יסירם בכף אלא ישפוך בהכלי עצמה דהוה כבורר ביד ולא בכלי מ״מ אסור משום דפסולת מתוך אוכל אסור, מבואר דכף נחשב לכלי בורר, וכ״כ המ״ב שם בס״ק ס״ב.

וע׳ בששכ״ה פרק ג׳ ציון קכ״ו שכתב תירוץ על סתירת המ״ב וז״ל וי״ל דהיכי שהכף משמשת ידא אריכתא מחמת שאינו רוצה ללכלך את ידיו, או מחמת שהוא מרוחק ואינו יכול להגיע שם בידו, או מחמת שהוא דבר לח ואינו יכול ליקח בידו, הוה כבורר בידו ודרך אכילה בכך ומותר, משא״כ בס״ק נה – וסב שע״י הכף והמזלג נברר ביתר קלות מאשר בידו שנמצא שמסתייע למעשה הברירה ולכן זה נחשב לבורר באמצעות כלי וכ״ה בשו״ת אג״מ או״ח ס׳ קכ״ד, ושו״ת מנחת יצחק ח״א ס׳ ע״ו, עכ״ל וכו׳ ועפי״ז כתבנו הלכות בפנים.

40. ע׳ ציון 39.

41. ע׳ ציון 39.

3) Where the selection is difficult to accomplish without a utensil, and the utensil thus serves as a necessary extension of the hand.[42]

The following examples serve to illustrate this rule:

1) One may eat fish by removing the meat from the bones with a fork, because it is a separation of food (fish) from waste (bones) *by hand*, since the fork is used only to avoid soiling one's hands.
2) One may use a fork to remove from the bottom of a pot a piece of meat that cannot be reached by hand.
3) One may use a knife to peel an apple, because it is difficult to separate the peel from the fruit with the hand alone.

In all such cases where a utensil is used for convenience, it is considered an extension of one's hand, thus falling under the permitted category of selecting *by hand*.

Specialized Sorting Instruments

Sorting by means of specialized instruments is strictly forbidden, even if the instrument is used for the purpose of convenience. Specialized instruments include a sieve, strainer, apple corer and all similar utensils that are designed to separate 'food' and 'waste.' A perforated serving spoon (designed to extract vegetables from water) and a vegetable peeler (designed for precise peeling) are further examples of specialized instruments, which may never be used for sorting on Shabbos. A list of such instruments is provided in the Practical Application section of this chapter.

3) לְאַלְתֵּר – [Selecting] for Immediate Use

The third and final condition required to permit selecting from a mixture is that the item selected be intended *for immediate use*. The term *immediate* will now be clarified.

The concept behind the three conditions (*food from waste, by hand, for immediate use)* is that this method of selecting is

42. ע' ציון 39.

considered a natural part of the eating process. Accordingly, the requirement *'for immediate use'* restricts selection to the period routinely used for selecting an item that one is about to eat. The *Poskim* clarify that this period of *'for immediate use'* includes the time before the meal that it takes to prepare the entire meal. Accordingly, selecting during this period, in preparation for the meal, can be permitted.[43]

The period 'immediately prior to a meal' does not have a fixed time frame, but rather it varies according to the size and nature of the meal. For a simple meal of which only a few persons will partake, the 'immediately prior' period is limited to the few minutes needed for the meal's preparation. On the other hand, a lavish meal arranged for a large family requires lengthy preparation; the 'immediately prior' period is correspondingly extended. For a *kiddush* requiring hours of preparation, that entire period is considered 'immediately prior' to the *kiddush*.

During the period immediately prior to the meal, one is not required to delay selecting to the last possible moment; it is permitted at any point during this period. Thus, for example, if a particular *kiddush* takes five hours to prepare, one may begin

---

43. בשבת דף עד. איתא אמר אביי בורר ואוכל לאלתר וכו׳ ולבו ביום לא יברור ואם בירר נעשה כבורר לאוצר וחייב חטאת ע״כ. וע׳ בבית יוסף ריש סי׳ שי״ט שהביא ארבעה שיטות מהראשונים בפירוש שיעור זה של לאלתר, אבל הרמ״א שם ס״א הכריע וז״ל וכל מה שבורר לצורך אותה סעודה שמיסב בה מיד מיקרי לאלתר, ואפילו אחרים אוכלים עמו שרי עכ״ל. ובמ״ב ס״ק ד׳ כתב ע״ז וז״ל ר״ל אפילו יאריך זמן הסעודה כמה שעות מיקרי לאלתר כיון שהברירה סמוך לסעודה עכ״ל.

והנה הרמ״א והמ״ב לא ביארו אימתי מתחיל הזמן של סמוך לסעודה, ומיהו לקמן סי׳ שכ״א במ״ב ס״ק מ״ה כתב ועכ״פ אסור לעשות עד יציאת בית הכנסת דבעינן סמוך לסעודה ממש עכ״ל. וע׳ באגרות משה (ח״ד סי׳ ע״ד דיני בורר אות י״ג) שביאר יותר דסמוך לסעודה היינו הזמן שהדרך לאשה זו שמסדרת האוכלין להסעודה, וקודם לזה אפילו שעה קטנה אסור עכ״ד, וכן נראה מדברי המ״ב סי׳ תרי״א ס״ק ז׳ ושער הציון שם ס״ק ט, שהשעה שדרך בני אדם לתקן מאכלם מיקרי לאלתר עיי״ש.

וע׳ בששכה״כ ס״ג הערה קט״ו בשם הגרש״ז אויערבאך שליט״א שאם בורר בשביל אורחים וידוע בבירור שלא יאכלו הכל, רק מוכרח לעשות כן לכבוד האורחים כי בושה להביא לפניהם קערה חסרה הרי זה מותר עי״ש וע׳ באז נדברו ח״ח ס׳ ו׳ בזה.

selecting the food from waste by hand in preparation for the *kiddush* five hours before the *kiddush* is to begin.

However, this permitted period must be reckoned directly before the start of the meal. If one prepares for a meal early, intending to engage in unrelated activities afterward, this preparation is not considered 'immediately prior' to the meal.

To illustrate: A housewife planning to attend *shul* on Shabbos morning may not peel vegetables for the meal before leaving for *shul*. However, upon returning home she may commence her preparations by peeling the vegetables, even if these preparations will continue for some time.

Summary

The proper, permissible method of selecting is to take *food from waste by hand for immediate use.*

Food from waste: In any mixture, one must take the object desired and leave behind the unwanted items.

By hand: A utensil may not be used to assist in selecting more efficiently. It is permissible, however, to use a utensil as a convenience; that is, for sanitary purposes, to help reach a desired object, or for a separation that is difficult without a utensil.

The use of specialized sorting instruments is always forbidden.

For immediate use: Selecting may be done only immediately before eating or during the period of preparation immediately prior to a meal.

IV. Circumstances In Which One May Take 'Waste' from 'Food'

We have seen that as a rule one may not separate 'waste' from 'food,' but must directly select the desired 'food.' There are circumstances, however, in which waste may be separated from food. It should be noted that even in these circumstances, the other conditions mentioned above (*by hand, for immediate use*) do apply.

A. Where Selecting the 'Food' Is Impossible

In situations where it is impossible to select the 'food,' one is permitted to remove waste and leave the food behind. It is this rule which permits one to peel fruits and vegetables on Shabbos, even though one thereby separates waste (the peel) from food. Since it is impossible to gain access to the food otherwise, removing the peel is not considered an act of *borer*, but a routine manner of eating.[44] However, foods may be peeled only *for immediate use*, and specialized utensils (e.g. vegetable peeler) may not be used.[45]

---

44. כתב הרמ״א סוף סי׳ שכ״א, אסור לקלוף שומים ובצלים כשקולף להניח אבל לאכול לאלתר שרי עכ״ל, וע״ש בביאור הלכה ד״ה לקלוף שהקשה דכיון דקולף בכלל בורר הוא ליתסר אפילו לאכול לאלתר, דהא מי שקולף תפוחים ושומים ובצלים נוטל הפסולת ומניח האוכל, וכבר נתבאר לעיל סי׳ שי״ט דפסולת מתוך אוכל אפילו לאלתר חייב, ונראה דכיון דאי אפשר בענין אחר ודרך אכילתו בכך לא מיקרי פסולת מתוך אוכל, שאינו אלא לאכול התוך, וכל שהוא לאלתר שרי, אבל להניח אסור דלא עדיף מאוכל מתוך פסולת [מאמר מרדכי] עכ״ל. ובבה״ל סי׳ שי״ט ס״ד ד״ה מתוך כתב עוד טעם דמותר לקלוף שומים ובצלים כדי לאכול לאלתר, משום דלאלתר אין שם פסולת על הקליפה אלא תיקון אוכלא בעלמא הוא, ואין דומה לפסולת דעלמא שהוא פסולת גמור שהוא נפרד מן האוכל משא״כ זה שהוא מחובר ביחד עם האוכל, וע״ש שהביא שכ״כ המג״א סי׳ תק״י בשם היש״ש לענין לוזים ובטנים שנשתברו ועדיין הם בקליפתן, דאף לענין בורר מין אחד הוא ואין שם פסולת עליו, ובאיזה ענין שמתקן האוכל מתוך השומר תיקון אוכל בעלמא הוא ואין שם מלאכה עליו עכ״ל, ואף שדחה המג״א דבר זה מהא דכתב הב״י בסוף סי׳ שכ״א בשם הירושלמי דהקולף שומים ובצלים חייב משום בורר, דחייתו היה רק מה שסתם היש״ש וכתב דאין שם מלאכה עליו, ומשמע אפילו שכונתו היה בזה אלחר זמן, ולזה השיג מהא דהקולף שומים וכו׳ אבל לאלתר גם המג״א מודה דאין שם בורר עליו, כדאיתא שם בב״י גופא דלאכלן לאלתר מותר לקלוף שומים ובצלים עכ״ד.

[וע׳ בקיצור הלכות להחוות יאיר סי׳ שי״ט ס״א (נדפס בסוף ספר מקור חיים על ש״ע או״ח ח״ב) שכתב דכששובר אגוזים ומאסף האוכל וזורק הקליפות מותר אפילו לכמה סעודות, ע׳ הג״ה סי׳ תק״י ס״ב עכ״ד, וזהו ממש כדברי היש״ש הנ״ל.]

וע׳ בששכה״כ פרק ג׳ ציון פד שהביא מהגרש״ז אויערבאך שליט״א וז״ל דעצם הדין של קלוף צ״ע דהלא היה אפשר לחתוך הביצה או הבננה ולהוציא את האוכל מתוך הקליפה, ואם מפני שאין דרך אכילה היא בכך, הרי גם אם נפלה פסולת לתוך אוכל רגילים תחילה להוציא את הפסולת לפני שמתחיל לאכול, ואפי״ה חייב חטאת. ואולי י״ל כיון שהקליפה מכסה את כל האוכל מכל הצדדים וצריכים עכ״פ לחתוך הביצה והבננה ע״מ להגיע להאוכל, לכן מותר ג״כ ע״י קילוף עכ״ל.

45. אגלי טל מלאכת בורר ס״ו. וע׳ אריכות בזה בשו״ת מחזה אליהו סי׳ נ״א. ושמעתי מהגאון ר׳ ראובן פיינשטיין שליט״א שאביו מרן זצ״ל פסק שמותר להשתמש במקלף.

The same rule holds true for eggs or nuts, which may be shelled for immediate comsumption. The use of a nutcracker is permitted.[46]

Similarly, when needed for immediate use, one may remove the spoiled outer leaves of a head of lettuce, to expose fresh inner leaves.

Another application of this rule is as follows: After cutting open a cantaloupe, one may scoop the pits out of its cavity. Since there is no way to remove the food, separating the waste is permitted *for immediate use.*[47]

B. When Both Items Will Be Used in One Meal

If one item in a mixture is desired immediately and the other later in the same meal, it is permissible to remove the item desired later and leave behind the one needed immediately.[48] This is not considered a separation of waste from food, because an item desired later in the same meal cannot be termed 'waste.' Understandably, if the unwanted item will not be used until a later meal, it is considered 'waste' in the context of this meal, and may not be removed.

For example, if served soup containing rice, one is permitted to remove the rice if he will eat it during the meal. Similarly, when served a carrot-pineapple mixture, one may remove the pineapple bits to save them for dessert.

C. Removing Waste from Inside the Mouth

Another permissible way to remove waste is by separating it from the food after the food is already in the mouth. This is suggested in cases where removing the food from waste poses some difficulty.[49] For example, when eating watermelon, it is

---

46. אגלי טל ס״ק י.

47. כן נראה פשוט, והסכים לי בזה הגאון ר׳ ח.פ. שיינבערג שליט״א.

48. איל מושלש דף סד בשם הגרי״ש אלישיב שליט״א, ששכה״כ פ״ג הלכה סה. וע״ע בזה בספר מגילת ספר דף נו, ובקובץ אהלי יעקב [אדר ב׳ תשמ״א] סי׳ כ״ו.

49. חזו״א ס׳ נ״ד סק״ד.

best to place a piece in one's mouth, then spit out the pits. Similarly, when eating fish that contains bones, one may pull the bones out of a piece of fish that is in his mouth. (If one fears he may swallow the bones, he may follow the procedures outlined below in paragraph D or E.)

[Note: Pits and bones are generally *muktza*, and should not subsequently be moved by hand (see p. 214).]

D. Removing the Waste Along with Some Food

It is permissible to remove waste from food if one removes some of the food itself along with the waste.[50]

---

50. כתב הט״ז סי׳ שי״ט ס״ק י״ג כשנופלים זבובים בכוס לא יוציא הזבובים לבדן מן הכוס דהו״ל כבורר פסולת אלא יקח מן המשקה קצת עמהם עכ״ל. וכתב ע״ז בחזו״א סי׳ נ״ג דצ״ע דלכאורה אסור לברור פסולת מתוך אוכל אף אם לוקח קצת מן האוכל עמו, כיון שכונתו הוא שיהיה האוכל הנשאר ברור ונקי מפסולת, והכא פעולתו מוכיחה שאין כונתו לחלק המשקה לב׳ כלים אלא לנקות את הכוס מן הזבוב, ובמה נגרעה מלאכתו במה שלוקח קצת מן המשקה, ולכן כתב החזו״א דבאמת כל שצף ועומד ע״ג היין אין בו בורר שאין בורר אלא בדבר המעורב, והזבוב לא חשוב מעורב עם היין, ואמנם יש מקום לומר שהיין המטפח על גוף הזבוב שם תערובת עליה, ולכך ס״ל להט״ז שאם יקח הזבוב עצמו ע״כ חשוב בורר להיין שהיה טופח על גופו ובין סנפיריו, והלכך יקח קצת מן המשקה עמו, והמשקה הנשאר ודאי לאו שם בורר עליו שהזבוב לא היה מעורב בו כלל עכ״ד. ולפי דברי החזו״א אין כונת הט״ז להתיר בורר כשלוקח קצת אוכל עם הפסולת, שלא נאמרו דברי הט״ז אלא לענין זבוב שנפל לכוס בלבד. וראיתי בספר איל משולש דף עו שהביא בשם כמה גדולים דהחזו״א לא התיר אלא בזבוב אחד שצף על המשקה, דאז מותר להסירו עם קצת משקה כיון דאין הזבוב מעורב עם כל המשקה שבכוס, אבל אם נפלו הרבה זבובים באופן שעוכרים את המשקה, אסור להוציאם בכל אופן משום דחשובים תערובות (וע׳ בזה בחדושים וביאורים סי׳ י״ד סק״ז, ובאז נדברו ח״א סי׳ כ״ב).

אבל במ״ב מבואר שלמד דברי הט״ז כפשטן, דלעולם מותר לברור פסולת מתוך אוכל אם נוטל קצת אוכל עמו, דבאופן זה לא חשוב בורר כלל דאין זה צורת המלאכה. דהנה בסי׳ שי״ט ס״ק ס״א העתיק המ״ב דברי הט״ז כפשוטן ומשמע דבשאר אוכלין נמי שייך היתר זה, וכן מבואר שם בבה״ל ס״ד ד״ה הבורר דהיתר זה נאמר בכל תערובות, ובסי׳ תק״ד ס״ק כ׳ הביא היתר זה לענין מצה מעהל וז״ל נכון ליזהר שלא יברור פירורי מצות שלא נכתשו עדיין היטב מתוך הקמח, אף ביד, דהוי כמו פסולת מתוך אוכל דאסור וכו׳ ואם ירצה ליקחם יקחם עם מעט קמח דליכא חששא דברירה כמו שנתבאר בהל׳ שבת סי׳ שי״ט עכ״ל, ומבואר להדיא דס״ל דאפילו בדבר המעורב ממש, כמו פירורי מצה בקמח, שייכא סברת הט״ז דמותר לברור הפסולת כשנוטל עמו קצת אוכל.

וע׳ באגלי טל סוף ס״ק ו׳ שכתב דהיתר זה שייך דוקא כשרוצה לשתות המשקה

For example, one may remove watermelon pits by taking some melon along with each pit. Similarly, fish bones may

---

לאלתר, דאז ליכא איסור בברירת הזבוב, אבל בלא לאלתר אסור אף בכה״ג ע״ש, ולכאורה דבריו תמוהים, דהא לכל הפירושים הוי כונת הט״ז דמעשה זה איננו בכלל בורר, ולא חשוב מלאכה כלל, ולמה צריכין דוקא לשתותו לאלתר, וע׳ בשער הציון סי׳ שי״ט ס״ק נ״ט שכתב בציור דומה לזה [לענין הסרת שומן מע״ג חלב, דמותר אם מניח קצת שומן או נוטל קצת מן החלב] דלא בעינן לאלתר כיון שאין שם בורר עליו.

והנה בפמ״ג כתב דמדברי הט״ז משמע דכל שאין בורר לגמרי אוכל מפסולת, אלא מניח קצת אוכל עם הפסולת וכן יניח קצת פסולת עם האוכל, יכול לברור כל היום כולו בענין זה, דאין איסור בורר אלא כשהפריד הפסולת מן האוכל לגמרי, ונראה שהבין בדעת הט״ז דהא דמותר ליטול הזבוב עם מעט יין היינו משום דבאופן זה שאינו מפריד לגמרי הפסולת מהאוכל לאו שם בורר עלה, וה״ה אם נוטל לכתחלה מקצת אוכל או מקצת פסולת. ולפ״ז כתב הפמ״ג דהמג״א חולק על דין זה של הט״ז. דהנה בשו״ע סי׳ שי״ט סי״ד כתב מותר לערות בנחת מכלי לחבירו, ובלבד שיזהר שכשיפסוק הקילוח ומתחילים לירד ניצוצות קטנות הנשופות באחרונה מתוך הפסולת, יפסיק ויניחם עם השמרים, שאם לא יעשה כן הני ניצוצות מוכחי שהוא בורר עכ״ל, וכתב ע״ז במג״א ס״ק ט״ו, דהא דתחילת השפיכה מותר היינו משום שאז אין הפסולת ניכר ולאו בורר הוא, ולפ״ז אסור לערות שומן מהמאכל משום דעי״ז בורר פסולת [השומן] מאוכל, עכת״ד, ופי׳ הפמ״ג דהכא תחילת השפיכה מותר רק משום שאז אין הפסולת ניכר, אבל אם הפסולת ניכר אפילו תחילת השפיכה אסור, ואע״פ שמשיר שם הרבה רוטב, ולכן אסור לערות שומן מהמאכל, דכיון דהפסולת והאוכל ניכרין הו״ל ברירה, ואפילו לשפוך מקצת השומן אסור. ולפ״ז מבואר דהמג״א חולק על הך היתר של הט״ז ליקח הפסולת עם מקצת מהאוכל, דכמו שאסור לקחת מקצת פסולת כמו״כ אסור לקחת הפסולת עם מקצת אוכל, דברירה מבקצת נמי אסור עכת״ד הפמ״ג.

אבל במ״ב ס״ק נ״ה העתיק דברי המג״א שאסור לשפוך השומן מן הרוטב משום דשומן מיקרי פסולת לגבי הרוטב, ומסיים המ״ב, ואם שפך ביחד עם השומן גם מקצת מן הרוטב שרי עכ״ל, ומבואר מדבריו דס״ל דלא פליגי המג״א והט״ז, ואע״ג דאסור לשפוך מקצת שומן מהרוטב מ״מ מותר לשפוך השומן עם מקצת מהרוטב, ובטעם הדבר נראה דאה״נ ברירה במקצת הוי ברירה ואסור להפריד מקצת הפסולת מהאוכל, אבל כ״ז הוא כשנוטל פסולת בלבד. דזהו מעשה ברירה שמפריד מקצת הפסולת, אבל אם נוטל פסולת עם אוכל יחד לא הוי מעשה ברירה כלל, שלא הפריד פסולת מאוכל אלא נטל שניהם כאחד, ולכן מותר בכה״ג, ואע״ג דיתר האוכל נשאר נקי מפסולת, מ״מ הוא לא עשה מעשה בורר כלל. והעולה מזה לדעת המ״ב, דאסור להפריד מקצת פסולת מתערובת, וכן אסור להפריד מקצת אוכל אם אינו צריך לה לאלתר דהפרדת מקצת התערובות הוי בורר, אבל מותר ליקח הפסולת עם מעט אוכל יחד, דזה לא חשוב מעשה ברירה כלל.

וכל זה דתערובות גמורה, אבל יש אופנים שמותר להפריד מקצת פסולת או מקצת אוכל, וזה יתבאר בסמוך בהערה 53.

be removed by taking a bit of fish with each bone.

If a particle of dirt (or an insect) falls into a drink, one may not remove the particle by itself, but may scoop it out in a spoonful of the liquid.

This procedure is not an act of *borer* at all and is therefore permitted even for later use. However, the food and waste must be removed as a unit. Separating only waste at first and following up by taking some food afterward is a clear violation of *borer*.[51]

E. Cases of Necessity

Some *Poskim* permit removing waste *by hand* a moment before the food is placed in one's mouth. Other *Poskim* dispute this ruling; however, in cases of necessity (e.g. feeding small children) one may rely upon the lenient view.[52]

---

51. פשוט הוא.

52. בביאור הלכה סי׳ שי״ט ס״ד ד״ה הבורר כתב, יש להסתפק אם שם בורר מונח דוקא כשבורר מקודם ומכין לאכול לאלתר, אבל אם בעת האכילה גופא שאוחז בידו ורוצה לאכול מוציא הפסולת ומשליכו, לא שייך בורר אף שעושה דבר זה קודם האכילה דזהו דרך מאכל, או דלמא לא שנא אלא צריך להשליכו אחר שיאכל דוקא או שישליך מן האוכל עמו וכו׳, ומסיק הבה״ל דמחלוקת הראשונים הוא, דהרמב״ן בשבת דף 38. נקט למלתא דפשיטא שאם בשעת אכילתו מצא פסולת בחתיכה שהוא אוכל ומפרישו, אין דרך ברירה בכך, אבל מדברי הרא״ש בתשובה משמע דאף בכה״ג שייך איסור בורר. ובבה״ל שם בד״ה מתוך, כתב אפשר דאין למחות ביד המקילין בזה דיש להם על מי לסמוך.

ועוד כ׳ שם בד״ה מתוך, טעם אחר להתיר ליטול עצמות מן הבשר סמוך לסעודה דכיון דהעצמות מחוברין בבשר קרויין מין אחד לענין בורר ואם נוטלם כדי לאכול לאלתר לאו שם פסולת עלייהו, וזה דומה למ״ש היש״ש לענין לוזים ובטנים שנשתברו ועדיין הם בקליפתן דמין אחד הם לענין בורר, וכשבורר לאלתר מותר ליטול הפסולת מן האוכל [והבאנו דבריו בזה לעיל הערה 33] ובסוף מסיק הבה״ל ע״פ הנך ב׳ טעמים, דהמיקל וקולף עצמות מן הבשר בשעת אכילה גופא בודאי לא נוכל למחות בידו, ולכן כתבנו דהיכא דאי אפשר בענין אחר, ולצורך תינוק, יש לסמוך על המקילין. וכן הכריע מרן זצ״ל באג״מ או״ח ח״ד ס׳ ע״ד דיני בורר ס״ק ז.

וע׳ בחזו״א סי׳ נ״ד שחולק על הבה״ל בכל זה, ראשית לענין מה שכתב בבה״ל דלדעת הרמב״ן מותר לברור פסולת מתוך האוכל בשעת אכילה גופא, כתב החזו״א דאין זה כונת הרמב״ן, דלא מצינו חילוק בין לאלתר של רגע לאלתר של שעה, אלא כונת הרמב״ן דלאחר שהכניס האוכל לתוך פיו מותר להוציא ממנו הפסולת [מיהו יעויין בחי׳

F. Special Leniency for 'Attached Mixtures'

When food and waste are not actually mixed, but merely attached (e.g. fat attached to meat), one further leniency applies. We have learned that this type of combination is considered 'mixed' only at the point where the components touch. Accordingly, one may remove part of the fat, if he leaves intact a sliver of fat touching the meat, because this way one avoids separating the 'mixture' altogether.[53] [In the case of random mixtures, however, it is forbidden to remove even a portion of the waste.]

G. Special Leniency for 'Piled Mixtures'

For mixtures in which large items have been piled together (e.g. a pile of different plates), a further leniency applies. In this case one may remove unwanted items from the top of the pile in

---

הריטב״א דף עד. שכתב וז״ל לאו בורר מיקרי שאינו אלא כאוכל ונמצא פסולת בתוך החתיכה שמפריש הפסולת מתוך האוכל ואוכל שהוא מותר עכ״ל, ומשמע להדיא שקודם שמכניס האוכל לפיו מותר להוציא ממנו הפסולת, וכמ״ש הבה״ל, ובאמת שהחזו״א עצמו הביא דברי הריטב״א הללו ופירש גם כונת הריטב״א דלאחר שהכניסו לפיו מפריש ממנו הפסולת וצ״ע] ואף במ״ש הבה״ל דיש טעם להתיר להוציא עצמות מהבשר סמוך לסעודה דדומה למ״ש ביש״ש לענין לוזים ובטנים בקליפתן, חולק ע״ז בחזו״א וכתב דלא דמי, ומסיק דאין בזה היתר אלא ליקח את האוכל ולהניח את הפסולת, ומיהו בעצמות הקטנות שאי אפשר להפרידן אלא בשתי ידיו, דהיינו שצריך להחזיק בידו אחת בבשר ובידו השני בעצם כדי להפרידן, בזה אין קפידה אם מחזיק את האוכל ומושך את הפסולת או איפכא, דבכל אופן מיקרי דרך אכילה כיון דס״ס מחזיק האוכל בידו, עכת״ד. וע״ע בספר הקובץ על הרמב״ם פ״ח מהל׳ שבת הי״ב, ובשביתת השבת ס״ק כ׳.

53. מ״ב ס׳ שי״ט ס״ק ס״ב, ערוך השלחן ס׳ שי״ט ס׳ ל״ו. ולכאורה קשה על הני האחרונים מהירושלמי [הביאו הבה״ל לקמן בס׳ ש״מ ד״ה ומלקט, ובערוך השלחן סי׳ שי״ט ס״ד] פרק כלל גדול הלכה ב וז״ל יש שהוא בורר צרורות כל היום ואינו מתחיב וכו׳ [ר״ל שעדיין צרורות בכרי ולא הועיל כלום בבירתו], עכ״פ מבואר מהירושלמי דיש איסור דרבנן אפילו כשאינו בורר כל הפסולת, ובהני אחרונים מבואר דמותר לכתחילה לברר מקצת פסולת. וע״כ צריכין לומר דזה שכתב המ״ב דמותר ליקח מקצת פסולת הוא דווקא בכה״ג שאין הפסולת ובאוכל מעורבין ממש בכל חלקיהם אלא רק במקום מגעם וע״ז נאמר הדין דמותר ליקח מקצת פסולת. משא״כ הירושלמי מיירי בתערובת גמור ושם יש איסור מדרבנן ליקח מקצת פסולת ואכמ״ל בזה.

order to reach a desired item that is on bottom.[54] This ruling does not apply to other types of mixtures.

Summary

One is permitted to remove waste from food:

A. When it is impossible to separate them otherwise (e.g. peeling fruit).
B. When the 'waste' itself will be used later in the same meal.
C. From inside the mouth.
D. When taking a bit of food together with the waste.
E. In cases of necessity (e.g. feeding small children), a moment before eating.
F. With 'attached mixtures,' by leaving the sliver of waste which actually touches the food.
G. With 'piled mixtures,' in order to reach a desired item which is underneath.

V. Activities Not Considered Acts of Borer at All

The following activities are not considered acts of sorting, and can sometimes be helpful in separating mixtures while avoiding any transgression of *borer*.

A. Rearranging a Mixture

We have seen that if an item from the bottom of a mixture is desired, it is forbidden (except with piled mixtures) to remove unwanted items that are on top in order to reach it. However, one is permitted to turn over the entire mixture and bring items

---

54. מ״ב ס״ק ט״ו וז״ל ואפשר דאם תלוים כמה בגדים על הכותל ומחפש אחר בגדו שרוצה עכשיו ללובשו ועי״ז מוכרח לסלק מתחלה כל שאר הבגדים לא הוי בכלל בורר וכן אם מונחים בקערה כמה מינים יחד זה על זה והמין שרוצה לאכול מונח למטה ומסלק אלו שמניחין למעלה כדי שיוכל להגיע להמין שלמטה וליטלו לא הוי בכלל בורר עכ״ל. ובבאור הלכה ד״ה לאכול מיד האריך בטעם דבר. והנה בשכה״כ פ״ג ה״ד כתב דכ״ז במפריד שני מיני אוכלים או בגדים וכדומה אבל באוכל פסולת ממש לא נאמר דין זה, אבל בספר איל משולש דף מג כתב דגם באוכל ופסולת נאמר קולא זו. וכן שמעתי מהגאון ר׳ ח.פ. שיינבערג שליט״א.

from the bottom to the top, thus enabling him to take the 'food' from 'waste.'[55]

To illustrate: Tomatoes are at the bottom of a salad bowl, completely covered by other vegetables. One who wants only the tomatoes may not remove the other ingredients, but may toss the entire salad so that the tomatoes end up on top. It will then be possible to take the tomatoes ('food') from the salad ('waste').

Similarly, a bowl of *cholent* may be stirred to enable one to locate meat or potatoes that are covered by other ingredients.

B. Scattering a Mixture

It is permissible to scatter a mixture over a large area in order to separate the individual items.[56]

For example: Cutlery washed after the evening meal has been mixed together. To set the table for the morning meal, one may not sort the cutlery until immediately before the meal. However, one may throw the entire mixture on a table so that it scatters and each article stands separately. Thus, the cutlery which is no longer mixed together may be used to set the table well in advance of the meal.

C. Dividing a Mixture by Sizes

A mixture consisting of differently sized pieces of the same food may be sorted according to size because, as we learned above (p. 90), varying sizes of one item are not 'different' enough to constitute a 'mixture.' Moreover, even in a true mixture of different foods, it is permissible to divide the entire mixture according to size, so long as individual species are not separated from the others.[57]

For example, a platter of mixed meats may be divided into

---

55. שבה״ש ס״ק ל״ד.

56. שו״ת אג״מ או״ח ח״ד סי׳ ע״ד דיני בורר ס״ק י״א. ועי׳ בספר איל משולש דף קמ שהביא חולקים ע״ז.

57. רמ״א סי׳ שי״ט ס״ג.

large slices and small slices, so long as the individual types of meat are not sorted.

D. Filtering Liquids to Remove Minor Impurities

We have seen that filtering liquids to remove impurities is a form of *borer*. However, this is true only if the impurities reduce the drinkability of the liquid. A liquid that is fully drinkable in spite of its impurities may be filtered in order to obtain an even more purified state, for since the impurities do not reduce the liquid's drinkability, they are considered to be part of the liquid itself and not a separate species. Therefore, their removal does not constitute an act of *borer*.[58]

For this reason, the use of a specialized filter on the kitchen sink is permitted, unless the water is actually impure.

However, a finicky individual, who is disturbed by even minor impurities, may not filter out these impurities on Shabbos, because to such an individual this constitutes a constructive act of *borer*. Another person is equally forbidden from filtering liquids on behalf of the finicky individual.[59]

Summary

The following are not acts of *borer* at all:

   A. Turning over a mixture to rearrange its contents.
   B. Scattering a mixture over a large area.
   C. Dividing a mixture of foods according to sizes.
   D. Filtering liquids which have minor impurities.

VI. Practical Applications

A. Specialized Sorting Instruments

The following is a partial list of specialized sorting instruments, which may never be used on Shabbos for sorting, even

---

58. שו"ע סי' שי"ט ס"י. וע"ע בזה בספר איל משולש דף קפא. וע' בקובץ אור השבת חלק
ו' שהאריך בזה הגאון ר' ח.פ. שיינבערג שליט"א.

59. באור הלכה שם ד"ה הואיל.

as a convenience:

1. sieve[60]
2. strainer[61]
3. colander[62]
4. perforated spoon[63]
5. apple corer[64]
6. vegetable peeler[65]
7. When squeezing lemon onto food [see p. 123] one may not wrap the lemon in a cloth to prevent the pits from being squeezed out, because the cloth serves as an instrument which helps separate the juice from the pits. [Even use of a non-specialized cloth for this purpose is forbidden.]
8. One may not use a salt shaker that contains rice (to absorb moisture), because the cap on the shaker prevents rice from escaping, thus sorting salt from rice.[66]
9. One may not extract essence from a tea bag by allowing it to drip from the bag, because the bag is an instrument that holds the tea leaves while allowing the liquid to drip out.[67]

B. Food and Waste

The following are some examples of food/waste mixtures:

---

60. שו״ע סי׳ שי״ט ס״א.

61. הנ״ל.

62. ספר הלכות שבת דף 195.

63. איל משולש דף ק.

64. איל משולש דף קד.

65. שו״ת מחזה אליהו ס׳ נ״א.

66. מרן הגר״מ פיינשטיין זצ״ל הובא בספר הלכות שבת דף 196 הערה קג, ושש״כ פ״ג הלכה ס׳ בשם הגרש״ז אויערבאך שליט״א. וע׳ בספר אז נדברו ח״ב סי׳ י״ד וח״ד ס׳ כ״ג שסובר שאין זה כלי ברירה וע״ע בזה בספר שלמי יהודה פ״ו הערה ח.

67. איל משולש דף צד ס״ק רע״ה בשם הגרי״ש אלישיב שליט״א. וע״ע בזה בשו״ת מנחת יצחק ח״ד סי׳ צ״ט, שו״ת ציץ אליעזר חי״ד סי׳ מ״ו.

1. Dirt particle or insect in a drink: The particle may be poured out with some liquid or removed in a spoonful of liquid.
2. Spoiled grapes on a cluster: One must select only the fresh grapes and for immediate use.
3. Fat attached to meat: One may cut away part of the fat, leaving a thin layer attached to the meat. Alternatively, one may remove all the fat by cutting away some of the meat along with the fat.
4. Fat in soup: The fat may be poured or spooned off, provided that it is removed together with some soup.
5. Dirt on foods: A fruit or vegetable that has fallen in dirt may be rinsed off for immediate use only. [However, it may not be placed in a bowl of water so that the dirt rises to the top or falls to the bottom.][68]
6. Excess water in *cholent*: The excess water that is above the level of the food is not considered 'mixed' and may be poured off. The water that is actually mixed with the *cholent* may not be poured off by itself, but only along with a little bit of the food.[69]
7. Oil in tuna: Oil may be squeezed from tuna for immediate use only (see p. 122).
8. Pits in fruit: One may not remove a pit but must eat the fruit and discard the pit afterward. Thus, when eating

---

68. מקור לדין זה הוא בשו״ע סי׳ שי״ט ס״ח אין שורין את הכרשינין דהיינו שמציץ מים עליהם בכלי כדי להסיר הפסולת וכו׳, וע׳ במ״ב בס״ק כ״ט וז״ל וה״ה תפוחי אדמה וכל כה״ג לא יתן עליהם מים כדי להסיר האבק והעפר מעליהם עכ״ל, וא״כ לכאורה בציור שלנו צריך להיות אסור. אבל ע׳ בשו״ת אג״מ או״ח ח״א סי׳ קכ״ה [ובקצות השלחן סי׳ קכ״ה ס״ק ט״ז, ובשו״ת ציץ אליעזר ח״ו סי׳ ל״ז] שכתבו שהאיסור המבואר בהמ״ב הוא רק ע״י שריית הפרי במים כדי שהפסולת תרד למטה, אבל לשטוף פירות תחת לזרם מים אין בזה משום בורר עי״ש. וע׳ בשו״ת שבט הלוי ח״א ס׳ נ״ב, ובשו״ת מנחת יצחק ח״ה ס׳ ל״ט ובשו״ת באר משה ח״א סי׳ ל״ח, שהחמירו בזה עי״ש וע״ע בזה באז נדברו ח״א סי׳ ט״ו וח״ח סי׳ ו׳.

69. שו״ת אג״מ או״ח ח״ד סי׳ ע״ד דיני בורר ס״ק א׳.

watermelon, it is best to take bites of the fruit and spit out the pits.[70] One is also permitted to remove a pit along with a particle of fruit. [For feeding children, see paragraph E.]

9. Seeds in melon: The cluster of seeds at the center of a cantaloupe or honeydew may be removed for immediate use of the melon.[71]

10. Peeling fruits,[72] vegetables, eggs: All foods may be peeled only for immediate use. Specialized peelers may *not* be used, but the use of a knife is permitted.

11. Shelling nuts: Nuts may be shelled only for immediate use; a nutcracker may be utilized. After shelling, one may not sort the shells from the nuts, but must select the nuts themselves.

C. Meat and Chicken

One may not pick out the bones from meat, but must eat by taking pieces of meat from the bone. This may be done with the hand, with a knife and fork, or with the mouth. However, one is permitted to remove a bone if some meat remains attached and is removed along with the bone.

Bones that contain edible marrow can also be considered 'food' if one wishes to eat the marrow. Similarly, a bone coated with gravy is considered 'food' if one wants the gravy. It is therefore permissible to remove these bones from the meat if one plans on immediately eating the marrow or sucking the gravy.[73]

If the bones themselves are edible (e.g. soft chicken bones) they are not considered 'waste,' but rather, part of the food itself.

---

70. שו״ת אג״מ או״ח ח״ד ס׳ ע״ד דיני בורר ס״ק ז׳.

71. ע׳ ציון 70 וכאן הדרך הוא להוציא הגרעינים קודם האכילה דאי אפשר בענין אחר. והסכים לי בזה כמה פוסקי זמנינו שליט״א.

72. ע׳ ציון 44.

73. ביאור הלכה סי׳ שי״ט ס״ג ד״ה מתוך וע׳ בספר איל משולש דף קעג וז״ל דהרי היא כב׳ מינים עם הבשר לכן מותר דוקא כשאוכל המוח. ובענין שיאכל המוח מיד כמו בברירת כל ב׳ מינים.

It is therefore permissible to separate these bones from the meat, even if one does not intend to eat them.[74] However, for a person who has an aversion to eating bones, they are considered 'waste' and may not be removed.[75]

Skin

Chicken skin is generally not considered 'waste,' but part of the food itself, and may therefore be separated from the rest of the chicken. However, if a person dislikes the skin or does not eat it for reasons of health, it is considered 'waste' for him.[75]

D. Fish

Fish bones which are inedible and are not coated with any edible residue may not be removed from the fish.

One should therefore attempt to pull the flesh away from the bones or to remove the bones along with bits of fish. Since this is often difficult, it is advisable to take a bite of fish and pull the bones out of the mouth. One who is afraid of swallowing the bones may take a forkful of fish in his hand and pick out the bones a moment before putting the fish in his mouth.[76]

If the bones have some flavor or are coated with some sauce, one may remove them, provided that he plans to immediately suck or chew each bone.

E. Feeding Children

When giving food to a child who cannot be trusted to avoid eating bones or pits, and where none of the options mentioned above is feasible (i.e. taking food from waste, removing waste along with some food, removing and sucking on waste), one

---

74. ביאור הלכה הנ״ל. וע׳ באיל משולש דף קעב ונראה שהטעם משום דהעצם הוי מין אחד אם בשר אמנם צ״ב מאי שנא מעצם שיש בו מוח. וי״ל דעצם רכה נאכלת עם הבשר, ומחשיבים אותה כחלק מן הבשר, משא״כ המוח שאינו נאכל עם הבשר אלא בפ״ע.

75. ביאור הלכה ס״י ד״ה הואיל. וע״ע בשו״ת אג״מ או״ח ח״ד סי׳ ע״ד דיני בורר ס״ק ח׳.

76. ע׳ לעיל ציון 52.

may remove the waste product from the food a moment before feeding the child.[77] [Note: This is not permitted in the period 'immediately prior' to a meal, but only a moment before actually placing the food in the mouth.]

F. Combinations that Are Not Considered Mixtures

The following combinations are not considered 'mixtures' of 'different' items and are therefore not subject to *borer*.

1. Ice cubes in a drink: The ice cubes, though solid, are considered part of the drink.[78] It is therefore permissible to pour from a narrow-spouted pitcher even though the spout prevents ice cubes from escaping.
2. Large objects in a liquid:[79] Large, solid objects (e.g. slices of lemon) in liquids are not considered 'mixed' at all since they remain absolutely and clearly defined. It is therefore permissible to pour a drink from a pitcher that contains slices of lemon even if the spout prevents the fruit from escaping.
3. Whole and broken *matzos*: Though invalid for *lechem mishneh* (i.e. whole loaves, with which the Shabbos meal must commence), a number of *Poskim* maintain that broken *matzos* cannot be considered 'waste' in relation to whole *matzos*. They therefore permit sorting broken *matzos* from whole ones to preserve the whole *matzos* for a later meal.[80]
4. Pulp in orange juice: Orange pulp is considered a natural

---

77. ע׳ לעיל ציון 52.

78. ספר שבתותי תשמורו דף עא הלכה ד.

79. קצוה״ש סע׳ קכ״ה ס״ק י״ד, שו״ת אז נדברו ח״ד סי׳ כ״א.

80. איל משולש דף כו בשם הגריי״ש אלישיב שליט״א ובהערה יד כתב הטעם ע״ז וז״ל דמה שאין השבורות ראויות ללחם משנה אין זה מחשיבים כב׳ מינים. ואע״פ שבמין אחד שחלק ממנו אסור יש משום בורר, התם אינו ראוי כלל, משא״כ בזה ששניהם ראויים ואין כאן אלא מעלה בעלמא עכ״ל. ביאור דבריו במאי שכתב ואין כאן אלא מעלה בעלמא, דבאמת יוצאין ידי לחם משנה גם במצה פרוסה כדאיתא בערוך השלחן סי׳ רע״ד ס״ה.

part of the juice and not a separate entity.[81] Accordingly, it is permissible to skim pulp from juice, though the use of a strainer, or similar implement, is prohibited. Nevertheless, to a finicky individual who drinks only clear juice, the pulp is considered 'waste,' which may not be removed.[82]

5. Regarding use of a water filter on the sink — see above, p. 110.

G. Setting the Table

Cutlery that was mixed together after the evening meal may not be sorted to set the table for the morning meal until the period 'immediately prior' to the meal. It is even forbidden to take individual pieces at random and set them in their proper places. However, one may eliminate the 'mixture' by scattering the cutlery over a large area so that each piece stands separately and *borer* no longer applies.

To avoid this situation, it is advisable that after being washed, the cutlery should be dried one or two pieces at a time, and each pieced stored immediately in its proper place. This is permitted because at the time the one or two pieces are removed from the assortment of cutlery, they are being removed for the purpose of drying.[83] Once they are already separate, one is not prohibited from putting them in their proper places.

H. Clearing the Table

Several situations subject to *borer* commonly arise when cleaning up after a meal.

1. Sorting leftover food: It is forbidden to sort a platter of meat in order to store each variety by itself. Similarly, a bowl of fruit or nuts may not be sorted for storage. Taking items from a mixture at random and storing them separately is also a form of *borer* and is prohibited.

---

81. שו״ת אג״מ ח״ד ס׳ ע״ד דיני בורר ס״ק ד.

82. באור הלכה סי׳ שי״ט ס״י ד״ה הואיל.

83. איל משולש פי״א הלכה ד־ו.

2. Sorting cutlery: One may not sort clean, unused cutlery from soiled cutlery. Different forms of cutlery (e.g. forks, spoons) may not be sorted and placed in separate compartments in a drawer or dishwasher. As above, even randomly taking items from the mixture for separate storage is prohibited.

3. Sorting dishes: If dishes of different sizes have been stacked together, it is forbidden to sort them and place them in their proper positions in the dishwasher.

8 / סְחִיטָה – Extracting Liquids

One of the thirty-nine *Avos Melachos* is דָּשׁ: *threshing*, a process by which wheat kernels are extracted from their surrounding chaff.[1] A *toladah* (corollary) of this *melachah* is סְחִיטָה (*sechitah*): *extracting liquid* from an item in which it is absorbed.[2] *Sechitah* applies to wringing liquid from a fabric as well as to extracting liquid from foods. However, this chapter deals specifically with extracting liquid from foods. Due to the diverse application of its *halachos*, wringing fabric is discussed separately in Chapter 18: *Wringing and Laundering*.

I. The Prohibition Of Sechitah

Under the *melachah* of *sechitah* it is forbidden to press fruits or vegetables in order to extract their juices. It is also prohibited

---

1. משנה שבת דף עג. וע״ש בפי׳ רבינו חננאל דף עד. שהסביר ההבדל בין דש לבורר וז״ל הדש הוא המפרק הפסולת המחוברת באוכל ומכינתן לברירה וכו׳ והבורר וכו׳ מעביר פסולת המעורבת באוכל ואינה מחוברת וכו׳ עכ״ל. וע״ע בזה באגרות משה או״ח חלק א׳ סי׳ קכ״ה, ובשו״ת שבט הלוי ח״א סי׳ ע״ט.

2. רמב״ם פ״ח מהל׳ שבת ה״י וז״ל הסוחט את הפירות להוציא מימיהן חייב משום מפרק עכ״ל ולעיל שם בהל׳ ז׳ כתב והמפרק הוי היא תולדת הדש. וע׳ רש״י שבת דף עג: ד״ה מפרק שכתב גם כן שמפרק תולדה דדש.

וע״ש בדף עג: בתוס׳ ד״ה מפרק שהקשו על זה מדאמרינן החולב חייב משום מפרק ואי הוה תולדה דדש הא קיימא לן אין דישה אלא בגידולי קרקע, ובספר שביתת השבת דף ד הביא מתשובות רבינו אברהם בן הרמב״ם (סי׳ י״ח) לתרץ דאע״ג דאין דישה אלא בגידולי קרקע מ״מ מפרק שהוא תולדה דדש חייב בין בגידולי קרקע בין שלא בגידולי קרקע עכ״ד. ובהסבר הדבר י״ל דהא דאין דישה אלא בגידולי קרקע אין הטעם משום מיעוטא דקרא אלא משום שאין דרך דישה אלא בגידולי קרקע ולכן במפרק שדרכו בכל דבר שפיר אפשר לחייבו אפילו שלא בגידולי קרקע.

to squeeze out a liquid that has been absorbed in any food item (e.g. wine absorbed in *challah*).

A. Squeezing Fruits and Vegetables

There are three categories of fruits and vegetables with regard to *sechitah*:

1. Olives and grapes
2. Other foods commonly juiced
3. Foods that are not usually juiced

1. Olives and Grapes

The Torah Prohibition of *sechitah* (with regard to foods) applies only to olives and grapes. These two fruits are distinguished by the fact that their ultimate use is in their liquid form. The optimum use of olives and grapes is in the production of oil and wine.[3]

---

3. שבת דף קמה. דבר תורה אינו חייב אלא על דריסת זיתים וענבים בלבד ע״כ, וכן פסק בשו״ע סי׳ ש״כ סעיף א׳. ובטעם החילוק בין זיתים וענבים לשאר פירות פירש״י שם דשאר פירות לאו אורחייהו בהכי ואין בסחיטתן מלאכה, מבואר מדבריו דזיתים וענבים שהדרך לסוחטן חייב עליהן מן התורה ושאר פירות שאין דרך לסוחטן אין איסורן אלא מדרבנן, ולפי דבריו יש מקום לומר דבזמנינו שהדרך לסחוט אף שאר פירות (כגון תפו״זים) יהיה חייב מדאורייתא אף על סחיטת שאר פירות כשדרכן בכך.

אבל הר״ן פי׳ שם דהא דאינו חייב אלא על סחיטת זיתים וענבים בלבד הוא דשאר פירות היוצא מהן לא חשיב משקה להתחייב עליו, ולא הוי אלא זיעה בעלמא עי״ש ולפי דבריו כתב בפמ״ג סי׳ ש״כ בא״א סק״א דבכל ז׳ משקין שנתרבו מן התורה בהכשר זרעים לטומאה שייך סחיטה מן התורה, דכל אלו יש עליהן שם משקה וכ״כ במשכנות יעקב סי׳ קי״ב, ולפי דבריהם נראה דאף בזמנינו שהדרך לסחוט שאר מי פירות אין חיוב מן התורה בסחיטתן דרק ז׳ משקין יש עליהן שם משקה וכל שאר מי פירות זיעה בעלמא הן. אולם באגלי טל מלאכת דש ס״ק ט״ז כתב דרש״י והר״ן לדבר אחד נתכוונו, ומה שכתב הר״ן דשאר מי פירות לא חשובין משקה היינו משום שאין דרך לסוחטן, וכ״כ בצמח צדק בפי׳ המשניות פרק כ״ב משנה א׳, ולדבריהם אפשר דיש איסור דאורייתא בסחיטת שאר פירות שדרכן בכך בזמנינו אף לשיטת הר״ן.

והנה לענין ברכת הנהנין מצינו גם כן חילוק בין פירות שהדרך לסוחטן לפירות שאין דרכן בכך. דשיטת הרשב״א (ברכות דף לח) דכל מי פירות שנסחטו מברכין עליהן שהכל נהיה בדברו משום שאין דרך לסוחטן ולפיכך חשוב משקה שלהן כזיעה בעלמא (ורק זיתים וענבים עומדים לסחיטה). ובחזו״א או״ח סי׳ ל״ג אות ה׳ כתב וז״ל ויש לעיין לדעת הרשב״א אם זהו דין מוכרע שאין כל הפירות עומדין לסחיטה ואף אם ישתנה

2. Other Foods Commonly Juiced

There are other fruits and vegetables whose juices are not their ultimate form, yet they are nevertheless commonly squeezed to produce juices. Examples of such foods are oranges, apples, grapefruits, pineapples, tomatoes, among others. These foods are subject to the prohibition of *sechitah* by Rabbinic Decree.[4]

Since these foods are subject to *sechitah* only *mi'de-'rabbanan*, the Sages allowed for certain exceptions to their Decree. The conditions under which these foods may be squeezed will be presented later (Section II).

3. Foods That Are Not Usually Juiced

Fruits and vegetables that are not normally used for producing juice are exempt from the prohibition of *sechitah;* these may be pressed on Shabbos, even with the specific intent of extracting their juices.[5] This category includes melons and similar foods whose juices are not commonly used.*

---

*Note: Whether or not a particular fruit or vegetable is commonly juiced depends on contemporary practice. Any fruit or vegetable, that it becomes the vogue to juice, falls under the restrictions of *sechitah*.

הדבר בדור מן הדורות בטלה דעתם, או דיינינן הדבר בכל דור, ומהא דפריך וכו' משמע דאין מתחשבין בדורות עברו ואם כן אם נשתנה הדבר נשתנה הדין, ולפ״ז י״ל לדעת הרשב״א דמיץ של תפו״ז הוי בכלל עומד לסחיטה בזמנינו עכ״ל וצ״ע ואכמ״ל.

4. בשו״ע סי׳ ש״כ ס״א כתב ותותים ורמונים אסור לסוחטן, והוסיף הרמ״א ובמקום שנהגו לסחוט איזה פירות לשתות מימיו מחמת צמא או תענוג דינו כתותים ורמונים עכ״ל. וכתב במ״ב סק״ח וז״ל משמע דבאותו מקום אסור ובשאר מקומות שרי, אך אם דרך להוליך המשקה של הפירות ממקום למקום אסור בכל העולם, וכל זה לדעת הרמ״א, אבל המג״א האריך בענין זה ומסקנתו שאם נודע לנו שבאיזה מקום נהגו לסוחטו למשקה, ואפילו הנוהגים בזה הוא רק מקצת בני אדם מחמת שיש להן פירות הרבה ולא עיר שלמה, אסור מחמת זה לסחוט בכל מקום, וכן כתבו כמה אחרונים עכ״ל, ועפ״ז סתמנו בפנים לאסור בכל אלו המשקין, דאפילו לדעת הרמ״א המקיל במקום שלא נהגו לסחוט מכל מקום אסור בזמנינו בכל מקום מפני שהדרך להוליך המשקין לכל המקומות.

5. שו״ע שם, ומ״ב שם סק״ז, וביאור הלכה שם ד״ה מותר.

B. Extracting Liquids Absorbed in Foods

Foods that have absorbed foreign liquid (e.g. *challah* dipped in wine) are also subject to *sechitah*.[6] However, this is also a Rabbinic Decree and the Sages allowed for certain exceptions, as detailed below (Section II).

Summary

Olives and grapes are subject to *sechitah* by Torah Prohibition; there are no exceptions to this prohibition. Other foods commonly juiced (e.g. oranges) are subject to *sechitah* by Rabbinic Decree; in some instances, to be detailed later, squeezing them is permitted. The same rule applies to foods which have absorbed liquids (e.g. *challah* dipped in wine). Foods which are not usually juiced (e.g. melons) are exempt from *sechitah*.

II. Conditions Under Which Sechitah Is Permitted

We have seen that two groups of foods are subject to *sechitah* by Rabbinic Decree: fruits and vegetables that are commonly juiced (other than olives and grapes), and foods that have absorbed liquids. The Sages did not prohibit squeezing these foods in all cases; there are several conditions under which one is permitted to extract their liquids:

A. To enhance the food
B. Squeezing liquids onto solid foods
C. Sucking
(None of these is permitted with olives or grapes).

A. To Enhance the Food

The Rabbinic Prohibition against squeezing liquids from a food applies only when one's intention is to procure the liquid. It is permissible to squeeze out a food in order to enhance its flavor.[7]

---

6. שו״ע סי׳ ש״ב ס״ז.

7. שו״ע סי׳ ש״ב ס״ז, וז״ל לסחוט כבשים ושלקות (פי׳ כבשים הן פירות ומיני ירקות

For example, one is permitted to squeeze the excess oil out of a can of tuna.

[However, due to the prohibition of *borer*, this is permitted only immediately prior to eating.[8] (See p. 100 for clarification of 'immediately prior.')]

B. Squeezing Liquids onto Solid Foods

There are circumstances in which one is permitted to squeeze out liquid from a food, even if one's intention is to procure the liquid. In a case of *sechitah de'rabbanan* (Rabbinically forbidden *sechitah*), liquid may be squeezed directly onto a solid food, provided that *either*:

המונחים בחומץ ומלח כדי שלא ירקבו, ושלקות היינו ירק וכיוצא ששלקן קודם השבת ונשארו מימיהן בהן), אם לגופם, שאין צריך למים ואינו סוחטן אלא לתקנם לאכילה, אפילו סוחט לתוך קערה שאין בה אוכל מותר וכו׳ עכ״ל. וע״ש במ״ב ס״ק כ״ד שפירש דר״ל שסוחטן ממשקה הצף עליהם והנבלע בהם כדי לתקן גופם לאכילה לבד, וא״צ למימיהן, כמו שדרך לסחוט הירק שקורין שאלאטי״ן לאחר ששרו אותן במים וכו׳, ומסיק שם במ״ב דכל זה מותר רק בשאר פירות וירקות אבל בזיתים וענבים אסור לסוחטן אפילו לתקנם לאכילה.

וטעם הדבר דמותר לסחוט כבשים ושלקות לגופם, כתבו התוס׳ בשבת דף עג: ד״ה וצריך, דסוחט ואינו צריך למשקה אין דרך דישה בכך והוי כמו קורע שלא על מנת לתפור וכמוחק שלא ע״מ לכתוב, ביאור דבריהם דעיקר צורת המלאכה של דישה הוא דוקא כשסוחט לצורך המשקה הנסחט, אבל אם איננו צריך למשקה וכל כונתו הוא לתיקון האוכל לא מיקרי סחיטתו דישה כלל, שבמעשה זה איננו מפרק ונוטל משקה מהפרי אלא מסלק המשקה שבתוך הפרי ואין זה בכלל מלאכת דישה, וכמו שלא חייבה התורה קורע אלא כשהוא ע״מ לתפור ומוחק אלא כשהוא ע״מ לכתוב, דזהו תנאי בעיקר צורת המלאכה של קורע ומוחק, ה״נ לא מיקרי דישה כלל אלא כשסוחט לצורך המשקה. [אך עדיין צ״ב לדעת התוס׳ אמאי סחיטה לצורך גופן מותר לכתחלה ואילו קורע שלא ע״מ לתפור ומוחק שלא ע״מ לכתוב אסור מדרבנן.]

והתוס׳ בכתובות דף ו. ד״ה האי כתבו טעם אחר דמותר לסחוט כבשים ושלקות לגופן, משום דהוי הנסחט מהם כמו אוכלא דאפרת ואין שם משקה עליו וכו׳, ביאור דבריהם דאיסור סחיטה הוא דוקא כשמפריד משקה מאוכל [וכן איסור מפרק הוא דוקא כשמפריד אוכל מפסולת או אוכל ממשקה] אבל המפריד אוכל מאוכל אין זה מפרק או סוחט, אלא אוכלא דאפרת, והיינו כאילו מחתך אוכל לשנים. וחידשו התוס׳ דבכבשים ושלקות כיון שלא בא המשקה אלא לצורך הכבישה, בטל המשקה להפרי וחשוב כפרי גופא, ולכן כשסוחטן לצורך גופן אינו אלא כמחתך אוכל לשנים ומותר.

8. קצות השלחן סי׳ צ״ו בבדי השלחן ס״ק י״ט. ושמירת שבת כהלכה פ״ה ה״ח. אבל

1) the liquid is being used to flavor the food,[9] or
2) most of the liquid is absorbed by the food.[10]

It is forbidden, however, to squeeze a liquid into another liquid, even for flavoring.[11]

To illustrate:

1) One may squeeze lemon juice directly onto fish, as flavoring.
2) One may not squeeze lemon juice into tea; however, one may squeeze the juice onto a spoonful of sugar, provided that most of the juice is absorbed by the sugar.[12]

שו״ת ציץ אליעזר ח״ז סי׳ י״א מתיר לסוחטן לגופן אפילו אינו אוכלן לאלתר.

9. מ״ב סי׳ תק״ה ס״ק ה.

10. שלחן ערוך הרב שם ס״ב.

11. ביאור הלכה סי׳ ש״כ ס״ד הבא לאכול.

12. מ״ב סי׳ ש״כ ס״ק כב. אבל החזו״א סי׳ נ״ו ס״ק ל׳ כתב דאסור לסחוט לימון על סוכר כשדעתו ליתנו אח״כ למים דכיון שדעתו למשקה חשיב סוחט למשקה ואסור. ורק כשדעתו לאכול הסוכר מותר לסחוט עליו לימון עי״ש, וכן העיר הצמח צדק בפי׳ המשניות פכ״ב. וע׳ בספר לוית חן דף פ. שהאריך בזה.

וראתי בתשובה כתב יד ממרן זצ״ל משנת תשמ״ג וז״ל מה שהקשה כת״ר בהא שכתבתי באג״מ או״ח ח״ד סוף סימן ט״ז באשכולית שקורין גרייפרוכט שאסור לסוחטה בשבת על מקום שיש שם צוקער אף לאכול תיכף משום דלא בכל מלאכות איכא חלוק בין לאכול מיד ובין לאכול אחר איזו שעות, מהא דאיתא במ״ב ס״ק כ״ב דרשאין לסחוט לימוניש שהוא ציטרין על צוקער אפילו כשכוונתו ליתן הצוקער שנסחט לתוכו לכוס חמין ששותה, ומציין בשער הציון לח״א והוא מתשובת הרדב״ז, שלכאורה באשכולית (גרייפרוכט) הוא כ״ש מהתם דהא שם משמע דרשאין אף כשהכוונה הוא לשומו אחר שיקלוט הצוקער, למים החמין שרוצה לשתות דהא אין רגילין אינשי לאכול ציטרין אפילו כשיש עליו צוקער מפני חריפותו אלא שנותנין אותו במים חמין ששותין מ״מ מותר כיון שעכ״פ עתה בשעת נתינתו הצוקער הוא אוכל כ״ש שמותר באשכולית (גרייפרוכט) דאוכלין אותו בעצמו בלא מים ושום משקה.

אבל איזה דמיון הוא לימוניש לאשכולית שהוא גרייפרוכט, דלימוניש הוא רק תבלין ואין הדרך לשתות אותן למשקה אלא שסוחט מעט כדי ליתן טעם בכוס של חמין שהוא מעט מזעיר שכשהוא נסחט לצוקער נבטל לחשיבות אוכל שאיכא על צוקער ושייך שיאכלו חתיכת צוקער זה בעצמו למי שרוצה באכילת צוקער שיהא מוטעם לא רק במה שהוא מתוק כתינוקות שהרבה אינשי מהגדולים לא ניחא להו לכן הוא בשם אוכל שהרי המשקה נסחט להצוקער שהוא אוכל דלכן אין לאסור זה בשבת דהא אוכלא דאיפרת הוא, אבל כשסוחט האשכולית שהוא גרייפרוכט שכל הסחיטה הוא משום שרוצה

C. Sucking

Sucking juice from fruit is not considered a form of *sechitah*. Therefore, one may hold a wedge of orange or lemon and suck out its juice. It is also permissible to dip *challah* in wine and suck it.[13] However, when doing so, one should be careful to avoid squeezing out any liquid with one's hand.

Sucking Olives and Grapes

One should refrain from sucking olives or grapes while holding them.[14] Nevertheless, it is permissible to insert an olive or a grape into one's mouth and suck out the juice while the fruit is inside the mouth.[15]

Summary

With foods subject to *sechitah mi'de'rabbanan*, there are three exceptions to the prohibition.

A) A food may be squeezed out to enhance its flavor.

B) A liquid may be squeezed onto a solid food either

      1) to flavor that food, or

      2) if the liquid is mostly absorbed by the food.

C) One is permitted to suck juice from a food, but should avoid squeezing out the juice with one's hand.

None of these leniencies apply to olives or grapes. Nevertheless, one may suck their juices while the fruit is inside one's mouth.

לשתות דאין במשקה הנסחט מגרייפרוכט שייכות לתבל בו דבר אחר אלא ששותין אותו לשתיה בעלמא כרוב שתיית מי פירות לא שייך שיתחשבו אוכל כשסחטו על צוקער אף לחתיכת צוקער וכ״ש כשסחטו לעפרורית דצוקער מאחר דסוחטו לכוונת שתיית סחיטת מי הגרייפרוכט, ולכן דינו כסחיטת כל פירות העומדין לסוחטן למשקה ואסור בשבת כדין פירות העומדין לסחיטה ואין הסחיטה שעושה ע״ג צוקער משנה את מעשיו ואת כוונתו שהוא סוחט לחשיבות משקה ול״ק כלום והוא ברור ופשוט לע״ד עכ״ל.

13. רמ״א סי׳ ש״כ ס״א ומ״ב שם.

14. שם.

15. מ״ב ס״ק י״ב.

III. מַשְׁקִין שֶׁזָּבוּ – Juices That Oozed Out

There is another prohibition related to the principle of sechitah. To safeguard the prohibition of sechitah, the Sages forbade the consumption of juices that seeped from foods on Shabbos.

However, not all fruits and vegetables were included in this prohibition. As with sechitah, they are divided into three categories.

A. Olives and Grapes

Oil that seeped from olives and juice that oozed from grapes on Shabbos may not be consumed until after Shabbos.[16]

B. Other Foods Commonly Juiced

With other foods that are commonly juiced, the prohibition of consuming juices that oozed out applies only to those fruits and vegetables that were originally intended for juicing. A fruit which was purchased for eating is not subject to this prohibition and juice which seeps from it on Shabbos may be consumed.[17]*

To illustrate: An orange purchased for juicing is subject to this prohibition. If one decides to eat the orange and cuts it open on Shabbos, he is prohibited from drinking any juice which trickles onto the plate.

On the other hand, if the orange was purchased for eating, juice which trickles onto the plate may be consumed.

C. Foods Which Are Not Usually Juiced

Foods which are not usually used for juicing are exempt from this prohibition, just as they are exempt from sechitah. Any juice which oozes from these foods on Shabbos may be consumed.[18]

---

*Note: This stands in contrast to the prohibition of sechitah, which applies to all fruits in this group, regardless of why they were purchased.

---

16. שו״ע סי׳ ש״כ ס״א

17. שם.

Accordingly, one is permitted to consume juice that seeps out of a melon while eating.

Summary

Juices that seep from fruits or vegetables on Shabbos may not be consumed until after Shabbos. This prohibition applies to all olives and grapes. Other fruits commonly juiced are subject to this prohibition only if they were originally intended for juicing. Fruits which are not usually juiced are exempt from this prohibition.

IV. Practical Applications

A. Adding Lemon to Tea

It is forbidden to squeeze lemon directly into tea.[19] Nevertheless, there are two practical solutions. Firstly, one may cut a slice

---

18. שם.

19. בשו״ע סי׳ ש״כ סעיף ו׳ כתב מותר לסחוט לימוני״ש בשבת. והנה בבית יוסף נתן שני טעמים לדין זה, ראשית שאין איסור סחיטה נוהג אלא בפירות שהדרך לשתות מימיהן בפני עצמן בלי תערובות משקה אחר, אבל לימוני״ש שאין הדרך לשתות מימיהן בפני עצמן אין בהם איסור סחיטה [שאין מימיהן נחשבין ״משקה״]; טעם שני, דאפילו את״ל דדברים שאינן ראויין לשתיה בפני עצמן נחשבין כמשקה, מ״מ היינו דוקא כשהדרך לסחוט מימיהם לבדן ואח״כ מערבין אותן [דעכ״פ יש עליהם מתחלה שם ״משקה״ בפני עצמן], אבל בלימוני״ש שהדרך לסוחטן רק לתוך משקה אחר ליתן בו טעם, אין בהם איסור סחיטה.

והנה ידוע שבזמנינו הדרך בהרבה מקומות לסחוט מי לימון בפני עצמו ומוכרין אותו, ולכן לפי הטעם השני של הב״י אסור לסחוט לימון בזמנינו, שכיון שהדרך לסוחטן בפני עצמן הרי הן חשובין כמשקה, וממילא אסור לסוחטן אפילו לתוך משקה אחר, אבל לפי הטעם הראשון של הב״י שכל שאין דרך לשתותו בפני עצמו לא חשוב משקה, מותר לסחוט לימון אף בזמנינו, ומלשון המחבר הנ״ל שכתב בסתמא מותר לסחוט לימוני״ש בשבת, משמע שסמך על הטעם הראשון דלעולם מותר לסוחטן, וכן משמע מהמג״א סק״ח, ושו״ע הרב ס״י שהעתיקו רק הטעם הראשון, אבל במ״ב ס״ק כ״ב כתב בשם החיי אדם דבזמנינו צריך להחמיר שלא לסחוט לימוני״ש כלל [אלא לתוך אוכל], וכן פסקו בקיצור שלחן ערוך סי׳ פ׳ סי״ב, גם באגלי טל מלאכת דש סק״ל הכריע דהעיקר כסברא השניה ואין להקל בזה, ועפ״ז כתבנו בפנים להחמיר, כדעת המ״ב ושאר פוסקים אחרונים.

(ועיין בפי׳ הצמח צדק למשניות פכ״ב דשבת, מה שהקשה שם על טעם הראשון של הב״י, ובשו״ת הר צבי בטללי שדה דף רנ״ד.)

of lemon and place it in the tea. However, when doing so, it is forbidden to press the lemon against the side of the cup even while it is fully immersed in the tea.

Secondly, one may squeeze the lemon onto a spoonful of sugar, provided that most of the juice is absorbed by the sugar. The mixture may then be stirred into the tea.*

B. Making Lemonade

As above, it is forbidden to squeeze lemons directly into water. However, one may squeeze the lemon juice onto sugar in which it will be mostly absorbed and then stir the mixture into water.

C. Squeezing Lemon onto Fish

One is permitted to squeeze lemon directly onto fish or other foods to flavor them.

D. Cutting Lemons

It is permissible to cut lemons on Shabbos despite the fact that some juice oozes out.[20] However, if the lemon was purchased for juicing, the juice which oozes out may not be used until after Shabbos.

---

*Note: When squeezing fruits, one may not place a wrapper around the fruit to retain the pits. This is forbidden due to *borer*. (See page 111.)

---

20. בספר ברית עולם דיני סחיטה ס״ק י״א כתב כיון דבחתיכת לימו״ן מוכרח שיסחוט ממנו קצת משקה, אין לחותכם אלא באופן שהמשקה הולך לאיבוד, דאז הוי סחיטתן פסיק רישיה דלא ניחא ליה, ואע״ג דבעלמא מחמירין בפסיק רישיה דלא ניחא ליה אף באיסור דרבנן, מ״מ יש להקל כאן, כיון דיש מהראשונים דס״ל דכשהולך המשקה לאיבוד לאו שם מלאכת דש עליה כלל, יש לצרף סברותם להקל בפס״ר דלא ניחא ליה.

ולכאורה צ״ע בדבריו דהא במ״ב סי׳ ש״כ ס״ק כ״ד כתב לענין כבשים ושלקות שמותר לסוחטן לגופו, דאע״ג שסוחט לתוך הקערה ואין המשקה הולך לאיבוד מותר, מכיון שאינו מכוין בשביל המשקה איננו בכלל מלאכה עכ״ד, ולפי דבריו נראה דאף בנידון דידן מותר לחתוך הלימו״ן לתוך הקערה, ואע״פ שאין המשקה הולך לאיבוד, דכיון שאינו מכוין בשביל המשקה איננו בכלל מלאכה.

E. Eating a Grapefruit

When eating a grapefruit, one must refrain from deliberately squeezing the grapefruit with a spoon to draw out its juice. However, any juice which oozes out while eating may be consumed (unless the grapefruit was originally purchased for juicing).[21]

F. Removing Excess Oil or Sauce From Food

It is permissible to wring out excess oil or sauce from a food (e.g. tuna or *kugel)* to improve its flavor. However, due to *borer*, this is only permitted immediately prior to eating.

---

21. הנה כשאוכלים אשכוליות (grapefruit) ע״י כף, תמיד נסחט ממנו קצת מיץ בדרך אכילתו, ולכן צריך לברר אם יש בזה חשש סחיטה, וגם אם המשקה הנסחט מותר בשתיה או דלמא אסור משום משקין שזבו. ולענין חשש סחיטה ראיתי בספר שמירת שבת כהלכתה פ״ה הערה מ״ב שנתן טעם להתיר, וז״ל משום דאפילו לסוחטן בידים אינו אלא איסור דרבנן, והכא שהפרי נסחט קצת בשעת אכילה הוי סחיטה כלאחר יד והוי תרי דרבנן, והואיל ואינו מתכוין לסחוט שרי דבכה״ג שרי בתרי דרבנן בפסיק רישיה כמבואר במ״ב וכו׳ עכ״ל. מיהו בחזו״א סי׳ ס״א סק״א כתב דההיתר של תרי דרבנן אינו מוכרע ואין לו מקור בגמרא, לכן נראה להוסיף עוד טעם להתיר, דכיון שאינו מכיון אלא לאכול הפרי ולא לסחוט מימיו אין זה מלאכה כלל, ודומה לכבשים ושלקות שמותר לסוחטן לגופן, דכתב המ״ב [הובאו דבריו לעיל הערה 20] דכיון שאינו מכוין בשביל המשקה איננו בכלל מלאכה. וע׳ ששכה״כ שכתב שם עוד טעם להתיר בשם הגאון ר׳ שלמה זלמן אויערבך שליט״א, וע״ע בחוברת אור השבת חלק ו׳ מ״ש בזה הגאון ר׳ אלי׳ פישער שליט״א.

ולענין שתיית המיץ אחר שנסחט, אין כאן איסור משקין שזבו אם קנה את האשכוליות לצורך אכילה כמבואר לעיל אבל אם קנה האשכוליות לצורך סחיטה אז נוהג בהן איסור משקין שזבו ואסור לשתות המיץ הנסחט מהם בדרך אכילתו.

9 / טוֹחֵן – Grinding

One of the thirty-nine *Avos Melachos* forbidden on Shabbos is טוֹחֵן: *grinding*: i.e. breaking down a substance into small particles.[1] The *melachah* applies to non-foods as well as to foods; however, our discussion here will focus only on *grinding* as it relates to foods.

I. The Melachah of Grinding

Although the term טוֹחֵן is literally defined as *grinding*, the *melachah* is not limited to grinding food into a powder, but includes any activity that reduces a large item into very small pieces. Thus, shredding, grating and chopping are all forbidden under the *melachah* of *grinding*.[2] Furthermore, even dicing or otherwise cutting a food item into very small pieces is prohibited under this *melachah*.[3]

---

1. משנה שבת דף עג.

2. רמב״ם פ״ז מהל׳ שבת ה״ה וז״ל התולדה היא המלאכה הדומה לאב מאלו האבות כיצד המחתך את הירק מעט מעט לבשלו הרי זה חייב שזו המלאכה תולדת טחינה שהטוחן לוקח גוף אחת ומחלקו לגופים הרבה וכל העושה דבר הדומה לזה הרי זה תולדת טוחן עכ״ל.

ועי׳ בשלחן ערוך הרב סי׳ ש״א ס״א וז״ל הטוחן הוא אב מלאכה שהיתה במשכן בשחיקת סממני הצבע והמחתך הירק דק דק הוא תולדת הטוחן שהטוחן לוקח גוף אחד ומחלקו לגופים דקים הרבה וכל העושה דבר הדומה לזה היא תולדת הטוחן אע״פ שאינה דומה לו לגמרי שהטוחן משנה את גוף הראשון לגמרי מה שאין כן המחתך אעפ״כ הואיל ודומה לו בעשותה גופים רבים מגוף אחד הרי זה תולדתו עכ״ל.

3. לא הבאתי בפנים החידוש של הצמח צדק הובא בספר קצות השלחן סי׳ קכ״ט בבדי השלחן ס״ק ב׳ שאם חתך דדק דק באורך הירק לבד אע״פ שברוחב נשאר כמו שהיה הרי זה בכלל טוחן, משום דמרן זצ״ל באגרות משה (או״ח ח״ד סי׳ ע״ד בדיני טוחן אות ג׳) חולק ע״ז וסובר דאין זה בכלל טוחן באוכלין עד שיחתוך דק דק באורך וברוחב. וכן

The precise definition of what constitutes 'very small pieces' is unclear.[4] Accordingly, one must refrain from cutting any food matter into pieces generally considered by people to be 'very small', even though these pieces could, in turn, be cut into yet smaller pieces.

For instance, when cutting onions or other vegetables for a salad, one may not slice the vegetables into what people would call 'very small pieces.'

Mashing

Mashing is also considered a form of *grinding*. When the mashing results in a large piece being reduced to small, separate pieces (e.g. a mashed potato), it is definitely forbidden.[5] Even where the mashing leaves a single, soft mass (e.g. a mashed banana), some *Poskim* rule that it falls under the prohibition of *grinding*.[6] It is therefore proper not to mash even bananas, except in the manner to be outlined below (Section III).

Utensils Which May Not Be Used

Under the prohibition of *grinding*, it is forbidden to use any sort of utensil to reduce an item to small pieces. This includes not only tools designed specifically for grinding, such as a grinder,

---

פסק הגאון ר׳ ש״ז אויערבאך שליט״א בספרו מנחת שלמה סי׳ צ״א אות י״ג.

4. בביאור הלכה סי׳ שכ״א סי״ב ד״ה המחתך הביא בשם ספר יראים דשיעור דקותן לא נודע לנו וכתב דלפיכך צריך ליזהר בזה מאד לעשות חתיכות גדולות במקצת עיי״ש. וע׳ בספר שביתת שבת בפתיחה למלאכת טוחן ס״ק א׳ ובשו״ת פאת שדך סי׳ ל״ח ובספר אז נדברו חלק י״ב סי׳ כ״ב.

5. אגרות משה או״ח ח״ד סי׳ ע״ד דיני טוחן אות ה׳. אמנם ע׳ בתהלה לדוד בהשמטות לסי׳ רנ״ב דמשמע שם שמתיר אף בזה וז״ל במרסק תפוח צלי או קארטאפל״ע [תפוח אדמה] מבושלין אין בזה לכאורה לא טוחן ולא לש שהיה גוף אחד ונשארו גוף אחד עכ״ל.

6. חזו״א או״ח סי׳ נ״ז, ובאגרות משה (הנ״ל) חולק עליו ומתיר וז״ל דענין טחינה הוא כשנעשו פירורין ורסיסין דקין כטחינה קמח וכדומה וכו׳ וכן מסתבר בפשיטות שלכן לא שייך טחינה כלל בריסוק בנניות עכ״ל.

masher or grater, but even utensils commonly used in ordinary food preparation, such as a knife or fork.[7]

There is a difference, however, between the two types of utensils. Specialized grinding implements may not be used under any circumstances to cut up any sort of food item. With ordinary cutting utensils, certain exceptions apply; these will be outlined in the following sections of this chapter.

Summary

Under the prohibition of *grinding*, any activity which reduces a food item to 'very small' pieces is forbidden. This includes grinding, chopping, grating, shredding, dicing, mashing and even cutting very small pieces. One must adopt a strict attitude with regard to the definition of 'very small' pieces.

Grinding is forbidden with ordinary kitchen utensils, as well as with specialized implements; however, with ordinary utensils some exceptions apply, as we will soon see.

II. Types of Food Subject to this Prohibition

The prohibition against grinding foods applies only to foods that are produce of the earth, such as fruits and vegetables. Meat, poultry, fish, eggs, cheese and all other foods that are not produce of the earth are not subject to the prohibition of *grinding*, and may be chopped into very small bits.[8]

---

7. שביתת השבת כללי טוחן אות ו׳ ושם ס״ק מ׳.

8. שלחן ערוך סי׳ שכ״א ס״ט ובמ״ב שם ס״ק ל״א.

וכתב הרמ״א סי׳ שכ״א ס״ט אסור לחתוך דק דק בשר חי לפני העופות דהואיל ואין יכולין לאכלו בלא חיתוך קמשוי ליה אוכל עכ״ל. ומקורו מתרומת הדשן הובא בב״י שם. ובמ״ב ס״ק ל״ג כתב בטעם הדבר, דאע״ג דבשר לא הוי גידולי קרקע החמיר התרומת הדשן בזה, משום דאיכא למימר דטעם הפוסקים דס״ל דאין טחינה באוכלים, היינו משום דאין צריך טחינה, דאי בעי אכיל ליה כמות שהוא שלם, משא״כ בזה דאין יכולין לאכלו כלל בלי חיתוך, החיתוך משוי ליה אוכל ושייך בו טחינה עכ״ל. ולפי זה צריכים להחמיר אף בדבר דלא הוי גידולי קרקע אלא אם כן ראוי לאכול כמו שהוא שלם.

ועי׳ בתשו׳ רעק״א סי׳ כ׳ שנקט ג״כ בדעת התה״ד דאין להתיר טחינה בדבר שאינו

Nevertheless, even these foods may be cut only with ordinary utensils, such as a knife or fork. The use of specialized grinding implements is forbidden with all foods.[9]

טוֹחֵן אַחַר טוֹחֵן – Previously Ground Foods

If a food was once ground finely, and was then reconstituted into a solid, one is permitted to grind it up again. This rule is known as אֵין טוֹחֵן אַחַר טוֹחֵן, *there is no [prohibition against] regrinding something that was [previously] ground.*[10] However, regrinding is only permitted with ordinary utensils; specialized grinding tools may not be used.

גידולי קרקע, אלא בצירוף הטעם דראוי לאכול כמו שהוא שלם. וכתב ליישב בזה הא דקיי״ל בסי׳ שכ״א ס״ח דאסור לטחון מלח אלא על ידי שינוי, דלכאורה קשה דמלח לא הוי גידולי קרקע, ועכצ״ל דכיון דאינו ראוי לאכול כמו שהוא שלם יש בו איסור טחינה אע״ג דלא הוי גידולי קרקע.

אכן הט״ז והגר״א הובאו במ״ב שם ס״ק ל״ד חולקין על הרמ״א וסוברים דכל שאינו גידולי קרקע אין בו איסור טחינה כלל ואע״ג שאינו ראוי לאכול כמו שהוא שלם, ופירשו בדברי התה״ד דהא דאסור לחתוך בשר חי לפני העופות הוא משום איסור שוויה אוכל לבהמה, ומשום מיטרח באוכלין לבהמה, וגם בזה נחלקו עליו והתירו משום דקיי״ל בסי׳ שכ״ד ס״ז דליכא איסור שוויה אוכל לבהמה. ולפי דבריהם צ״ע למה אסור לטחון מלח בלי שינוי הא לא הוי גידולי קרקע.

9. ש״ע סי׳ שכ״א ומ״ב ס״ק ל״ו ובטעם האיסור כתב המ״ב הוא משום עובדא דחול. וכיון דענין של עובדא דחול אינו מבואר כ״כ בהפוסקים כדאוי להעתיק כאן מה שכתב התפארת ישראל בהקדמתו למסכת שבת, וז״ל אמנם עובדן דחול יש בו ג׳ אופנים, דהיינו אם שאסרו חכמים הדבר משום דדומה לאחד מהל״ט מלאכות או משום שמא ע״י כך יבא לעשות מלאכה, או משום טירחא יתירתא. וכולן נכללין בשם שבות. וע״ע בזה בשו״ת אג״מ או״ח ח״ד דיני טוחן ס״ק ד, ובשו״ת מחזה אליהו סי׳ ס״ג, וע״ב.

10. רמ״א סי׳ שכ״א סי״ב וז״ל מותר לפרר לחם לפני התרנגולים דהואיל וכבר נטחן אין לחוש דאין טוחן אחר טוחן עכ״ל. וע׳ חזו״א סי׳ נ״ז ד״ה ענין שהסביר היתר זה וז״ל ענין אין טחינה אחר טחינה שהזכירו פוסקים אינו ענין לאין בישול אחר בישול שנחלקו הפוסקים וכו׳ אבל הא דאין טחינה בפת הינו שאין טוחן אלא בהפרדה של חיבור טבעי, אבל הפרדה של חיבור בני אדם אינו בכלל טוחן, אפילו בחיבור דבר שלא נטחן מעולם אלא בא לעולם מפורד עכ״ל וכן משמע בפמ״ג במשב״ז שם סק״י.

אולם ע׳ בביאור הגר״א שם שכתב מקור הדין וז״ל תוספתא שם [סוף פרק טו] מוללין את המלול כו׳ וה״ה לכל מלאכה כמ״ש שם עכ״ל.

ובספר שביתת השבת כללי מלאכת טוחן סק״ז ביאר כוונת הגר״א שלא כדברי החזו״א וז״ל דכמו לענין בישול אחר בישול דקי״ל אין בישול אחר בישול, אך בבטלה

For example, one may crumble a cookie since it is made of flour, which had already been in a powdered form. However, one may not use a grater to reduce it to crumbs.*

Summary

The *melachah* of *grinding* applies only to foods that are produce of the earth. Foods that do not come from the earth are exempt from the prohibition.

Finely ground foods that were reconstituted may be ground once again. However, ground foods may not be reduced to smaller pieces.

In all cases, the use of specialized grinding implements is forbidden.

III. Circumstances in Which Grinding Is Permitted

There are instances in which one is permitted to chop a fruit or vegetable into very small pieces.

---

*Note: The rule of אֵין טוֹחֵן אַחַר טוֹחֵן applies only to food that was very finely ground and then reconstituted. It is forbidden to cut very small pieces of vegetable into yet smaller pieces, since it is not clear at what point the very small pieces become classified as 'ground.' Thus, it is possible that the initial small pieces were not considered 'ground,' but the smaller pieces made by the second grinding are indeed in the category of 'ground.'

פעולה ראשונה יש בישול אחר בישול וכו׳ כן לענין טחינה, כי הטוחן חיטים טחינה זאת היא המכשרת לאכילה, וטחינת הלחם לאו מידי עביד דקימחא טחינא טחן [פי׳ שלא נתבטלה מעולם טחינה הראשונה], מה שאין כן החרס שנתקשה [פי׳ אם טחן רגבי אדמה וחזר והדביקן ועשה מהן חרס] בטלה טחינה ראשונה ויש בה משום טוחן עכ״ל.

ולפ״ז נחלקו הגר״א והחזו״א בגדר הדין דאין טוחן אחר טוחן, דלדעת הגר״א נאמר דין זה רק בדבר שנטחן פעם אחת וחזר ונדבק באופן שלא בטלה טחינה ראשונה אבל אם חזר למצבו הראשון, באופן שבטלה טחינה ראשונה [כגון חרס וכנ״ל] יש טוחן אחר טוחן, אבל לדעת החזו״א לא איכפת לן אם הדבר נטחן פעם אחד או לא, אלא שדבר שמחובר מצד טבעו יש בו איסור טוחן, אבל דבר שנתחבר ע״י בני אדם [כגון פת] אין בו איסור טוחן, ואף בחרס שנטחן ואח״כ נדבק וחזר למצבו הראשון, אין בו איסור טוחן, הואיל וחיבור זה נעשה ע״י בני אדם.

11. שו״ע סי׳ שכ״א ס״ז.

A. Grinding in a Highly Irregular Manner

One may chop fruits and vegetables into tiny pieces by using the *handle* of a knife or fork.[11]This is permitted because cutting with a handle is a highly irregular manner of grinding.*

B. Grinding for Immediate Use

Many *Poskim* rule that the prohibition against grinding does not apply if the food is being prepared for immediate consumption. According to this view, one may cut a fruit or vegetable into very small pieces (using an ordinary utensil) immediately before the meal.[12] [For the definition of 'immediately before the meal,' see p. 100]

Other *Poskim* disagree and forbid cutting food into very small pieces even immediately before the meal.[13] It is proper to abide by this stricter opinion;[14] however, in cases of necessity the

---

*Note: This stands in contrast to the general rule that *melachos* are prohibited *mi'de'rabbanan* even when performed in an irregular manner. The Sages made an exception in the case of grinding with the handle of a utensil since they viewed this as a highly irregular manner of doing the act. (See p. 147.)

---

12. בשו"ת הרשב"א ח"ד סי' ע"ה (הובא בב"י סי' שכ"א) כתב דהא דחתיכת הירק דק דק אסור היינו דוקא במחתך כדי לאכלו למחר או אף בו ביום ולאחר שעה וכו' הא לאוכלו מיד שרי שלא אסרו על האדם לאכול מאכלו חתיכות גדולות או קטנות וכדאמרינן (שבת ע"ד) לענין בורר היו לפניו שני מינים בורר ואוכל לאלתר וכו' אע"פ שיש באותו צד בעצמו חיוב חטאת כשמניח לאחר זמן וכו' עכ"ל, וכ"כ הר"ן בפרק כלל גדול, והמאירי שבת קיד: וכן פסק הרמ"א סי' שכ"א סי"ב, ובחיי אדם כלל י"ז הלכה ב'. ובביאור דברי הרשב"א ע' שו"ת רב פעלים ח"א או"ח סי' י"ט, ובאגלי טל מלאכת טוחן, ובברכת שבת דף רלז.

13. במ"ב סקמ"ה כתב שהשלטי גבורים פקפק על דברי הרשב"א, ומטעם זה כתבו כמה אחרונים דנכון להתנהג כמו שכתב הב"י.
גם בחזו"א סי' נ"ז הוכיח שהרבה ראשונים חולקים על הרשב"א ולא רצה לסמוך על שיטת הרשב"א להלכה. וע"ע בשו"ת משכנות יעקב סי' קי"ד ובשו"ת תורת רפאל סי' ל"א.

14. בב"י סי' שכ"א הביא דברי הרשב"א הנ"ל וכתב על זה נמצינו למדין דמותר לחתוך בשבת קיבוץ ירקות שקורין אינשאלד"ה והוא שיאכל לאלתר לדברי הרשב"א וכו'

lenient view may be followed.[15]

For example, it is permissible to cut a vegetable into very small pieces for the immediate use of a baby, if other foods are not available. (However, one may not use a specialized grinding utensil, even in this case.)

Mashing

There is a view that the exemption of grinding for immediate use does not extend to mashing, even in a case of necessity.[16]

ומשמע דליכא מאן דפליג עליה דהרשב״א בהא דהא שפיר מייתי ראיה מההיא דבורר, ובלאו הכי לדברי התוס׳ פשיטא דכל שאר ירקי בר מסילקא שרי, ולפר״ח והרא״ש אפילו סילקא נמי שרי, ולדברי הרמב״ם כל היכא שאינו מחתך כדי לבשל פטור ואפשר דמישרא נמי שרי לכתחלה וכו׳ ועוד דפרים סילקא משמע שמחתכו לחתיכות דקות ביותר, וכדדייק לישנא דרש״י ולישנא דהרמב״ם ומפורש בדברי התוס׳, ואנשאלד״ה אין דרך לחתכה לחתיכות כ״כ דקות, הלכך נראה דלכ״ע שרי, ומ״מ נכון הדבר להזהיר שיחתכום לחתיכות גדולות קצת ושיאכלו לאלתר, וכל כה״ג נראה דלית בי׳ בית מיחוש לדברי הכל עכ״ל הב״י מבואר שלא רצה לסמוך על דברי הרשב״א אלא החמיר ג״כ שיזהרו לחתכם לחתיכות גדולות קצת.

ויש לעיין בדברי הב״י דמאחר שכתב להזהיר שיחתכום לחתיכות גדולות קצת א״כ אין זה בכלל טוחן ואמאי הצריך שיאכלו לאלתר, וכבר עמד בזה בביאור הלכה סי׳ שכ״א סי״ב ד״ה המחתך, וכתב דהא דמבואר בראשונים דאין איסור טוחן אלא במחתך דק דק הוא רק לענין חיוב חטאת, אבל לענין איסור יש ליזהר מאד בזה, דכבר כתב בספר יראים דשיעור דקותן לא נודע לנו, וכן משמע בב״י דהצריך לענין היתר אישלאנד״א שיעשה חתיכות גדולות במקצת וגם יהי׳ סמוך לסעודה עכ״ל הביאור הלכה. מבואר בדבריו דאף בחתיכות גדולות במקצת אסור משום שאין אנו בקיאים בשיעור דק דק ולכן לא התיר הב״י אלא סמוך לאכילה, ומיהו במחתך דק דק דודאי טוחן גמור הוא לא סמך הב״י על דברי הרשב״א ואסר אפילו סמוך לאכילה, ודווקא בחתיכות גדולות במקצת דאסור מצד החומרא סמך על דברי הרשב״א והתיר סמוך לאכילה.

15. עי׳ במ״ב הנ״ל שכתב דנכון להחמיר כדעת הב״י ומ״מ הנוהגין לחתוך הבצלים והצנון דק דק [סמוך לסעודה] אין למחות בידם דיש להם על מי שיסמוכו וכו׳ עכ״ל, וכ״כ בשו״ע הרב סי׳ שכ״א ס״י. וע׳ באגרות משה או״ח ח״ד סי׳ ע״ד בדיני טוחן אות ב׳ שהאריך בדין זה והעלה דמעיקר הדין אין לאסור סמוך לסעודה, אלא שאולי לבעל נפש ראוי להחמיר שלא לעשות דק דק וכו׳ אבל לצורך גדול אין להחמיר אפילו לבעל נפש עכ״ד.

ובפנים כתבנו דבמקום צרוך מותר, אפילו בלא צורך גדול, עפ״ד המ״ב וש״ע הרב הנ״ל שכתבו דהנוהגין להקל יש להם על מי שיסמוכו, ופשוט לפ״ז דבמקום צורך יש לסמוך על דעת המקילין.

16. וז״ל החזון איש סי׳ נ״ז בד״ה ואמנם ולכן נראה דלא התיר הרשב״א [סמוך לסעודה]

Therefore, if food must be mashed for a baby, it is preferable that one do so only with the handle of a utensil.[17]

רק חיתוך דק דק, כיון דעיקר החיתוך הוא דרך אכילה אין חילוק בין חתיכות קטנות וגדולות, והכל מיקרי דדרך אכילה, אבל ריסוק היינו כתישה כמעשה הטחינה ממש, ואין זו דרך אכילה אלא תיקון המאכל על צורה אחרת.ובסוף מסיק החזו״א נמצינו למידין דשחיקת בננות לפי התינוקות בשבת שאינם יכולים ללעוס, אפילו להאכילם לאלתר אין כאן היתר של הרשב״א וכו׳ ואין לנו להתיר רק ע״י שינוי בקתא דסכינא או קתא דכף ומזלג עכ״ל.ולכאורה י״ל בביאור דברי החזו״א דס״ל דהא דהתיר הרשב״א טוחן כדי לאכול לאלתר, היינו משום דדרך אכילה הוא לחתוך חתיכה גדולה לחתיכות קטנות ולכן מותר סמוך לאכילה, וא״כ י״ל דלא שייך היתר זה אלא במחתך, דכשעושה סמוך לסעודה מיקרי דרך אכילה, [ולא נאסר אלא כשמחתך להניח לאחר זמן, דאז לא מיקרי דרך אכילה והוי תולדה דטחינה] אבל בטחינה ממש כטחינת חיטים לעשותן קמח, שאין אדם עושה כן בתוך סעודתו, אי אפשר כלל לקרותו דרך אכילה ואסור אפי׳ לאכול לאלתר, ולכן ס״ל לחזו״א דריסוק בננות, שהוא טוחן ממש, לא הותר כלל אפילו לאכול לאלתר, ואין בו דרך היתר אלא ע״י שינוי.

ועי׳ אגרות משה או״ח ח״ד סי׳ ע״ד דיני טוחן אות ב׳, שחולק על החזו״א מכמה טעמים, וכתב דדעת כל הפוסקים וגם מנהג העולם הוא דלא כהחזו״א, ולבסוף מסיק וז״ל ולכן למעשה אם אפשר לשחוק שיהיה טוב להתינוקות גם בקתא, טוב לעשות כן לצאת גם שיטת החזו״א, אבל אם הוא דבר קשה לפניה מותרת לשחוק גם במזלג עכ״ל.והנה לכאורה צ״ע בדעת החזו״א, דבדברי הרשב״א עצמו בתשובה ח״ד סי׳ ע״ה משמע להדיא דפאילו לענין כתישה התיר כדי לאכול לאלתר, שהרי הרשב״א הביא שם דברי הירושלמי דבשחיקת השום במדוכה יש בו משום טוחן, וכתב להוכיח מן הירושלמי כשיטתו שיש חילוק בין עושה ואוכל לאלתר לבין עושה ומניח, מבואר להדיא בדבריו דאף בשחיקת השום איכא ההיתר של לאכול לאלתר. והבית יוסף סי׳ שכ״א שהעתיק דברי הרשב״א קיצר בו ולא הביא כל התשובה, אבל המעיין בפנים יראה כמ״ש וצע״ג.

17. חזו״א הנ״ל. והנה באגרות משה הנ״ל הק׳ על זה וז״ל וק״ק להחזו״א דמשמע דאיכא איסור דאורייתא לשחוק בננות כדרך הנשים בחול, איך מתיר בשינוי, הא מדרבנן אסרו כל מלאכה בשינוי וצע״ק עכ״ל. וראיתי בחוברת אור השבת ח״ה דף צ״ח תירוץ לקושיית האג״מ, על פי דברי האגור [הובאו דבריו בב״י סי׳ שכ״א] שהקשה איך מותר לדוך פלפלין בקתא דסכינא, הלא אסור מדרבנן לעשות מלאכה ע״י שינוי, ותירץ האגור דהיכא דאיכא שינוי גמור אפילו איסור דרבנן ליכא, ועפ״ז כתב בחוברת הנ״ל ליישב דעת החזו״א וז״ל ולדברי האגור דטחינה בקתא דמזלג או בקתא דסכינא מיקרי שינוי גמור אתי שפיר, דשינוי גמור מותר לגמרי דלא הוי צורת המלאכה עכ״ל.

אמנם נראה דקושיית האגרות משה במקומה עומדת, דכוונת מרן זצ״ל היה להקשות אף לפי שיטת האגור, משום דעד כאן לא אמר האגור דקתא דסכינא חשוב שינוי גמור אלא בדיכת פלפלין, שהדרך לכותשן במכתשת ובמדוך של אבן, ולכן כשעושה כן

Summary

It is permissible to chop fruits or vegetables with the handle of a utensil. In a case of necessity (e.g. for a baby), one may even cut them into very small pieces with an ordinary utensil, for immediate use. Mashing, however, should only be done with the handle of a utensil.

IV. Practical Applications

A. Specialized Grinding Implements

The following is a partial list of specialized grinding implements, which may never be used on Shabbos.

1. Grinder (nut grinder or spice grinder)
2. Garlic press
3. Grater
4. Potato masher
5. Mortar and pestle

Egg slicers and cheese slicers are not considered grinding implements.[18]

B. Meat, Poultry, Cheese, Eggs, etc.

All foods that do not grow from the earth are exempt from the prohibition of *grinding* and may be chopped or mashed into tiny pieces. Nevertheless, specialized grinding implements may not be used.

C. Baked Products

Bread, *challah*, cake, cookies and all similar products that are

---

בקתא דסכינא הוי שינוי גמור באופן עשיית המלאכה, אבל בריסוק בננות שהדרך לרסקן בחול בשיני המזלג, נראה דלא חשוב שינוי גמור כשמהפך המזלג ומרסק בקתא דמזלג. דאין זה שינוי גמור באופן עשיית המלאכה, ולא מספיק שינוי כזה להתיר איסור דאורייתא, כן נלע״ד בכונת מרן זצ״ל.

18. אגרות משה או״ח ח״ד סי׳ ע״ד דיני טוחן אות ד. ולענין ״האק מעסער״ נסתפק בביאור הלכה סי׳ שכ״א סי״ב ד״ה מידי, ובערוך השלחן סי׳ שכ״א ס״ט התיר, וע׳ באגרות משה שם אות ד שכתב דמן הראוי להחמיר בלא צורך גדול.

made from flour may be crumbled into tiny pieces. However, one may not use a specialized implement.

D. Fruits and Vegetables

Foods that grow from the earth may not be chopped, mashed, grated or otherwise cut into very small pieces. Even if already chopped, they may not be reduced to yet smaller pieces. However, one may cut, chop or mash them with the handle of a utensil. Thus, one may mash bananas or potatoes using the handle of a utensil.

In a case of necessity (i.e. for a baby), one may cut or chop (but not mash) them with an ordinary utensil, for immediate use.

When cutting onions or other vegetables into small pieces for a salad, one should do so immediately prior to the meal in which they will be eaten and cut the vegetables into larger pieces than usual.[19]

E. Cereals

Cereals (e.g. cornflakes) should not be crushed into small pieces unless it is known that the ingredients had initially been reduced to powdered form.

---

19. ע' בספר אז נדברו חי"א ס"ח שחידש דשיעור של דק דק אינו שוה בכל המאכלים, אלא בכל מאכל ומאכל השיעור של דק דק משתנה כפי מה שריגילין לחתכו בחול, ובירקות שרגילין לחותכו לחתיכות דקות מאד, זהו שיעור דק דק שלהן, ואותן ירקות שרגילין לחותכן לחתיכות גדולות קצת, מיקרי שיעור זה דק דק אצלן, ולפי דבריו העלה שם דאע"ג דלא נתבאר בפוסקים השיעור של דק דק, מ"מ יש להקל לחתוך כל מאכל לחתיכות גדולות קצת ממה שרגילים לחתכו בחול, דאז אין החתיכות חשובות דק דק אצל אותו אוכל, ומיהו אף בזה לא התיר אלא סמוך לסעודה עי"ש. וע' בספר ישיב משה דף מד מאי שהביא בשם הגאון ר' יוסף שלום אלישיב בזה.

10 / Cutting Food

Chapter 9 was devoted to the *melachah* of *tochen (grinding)*, under which it is prohibited to cut food into very small pieces. This chapter deals with other restrictions which apply to cutting food.

I. Shaping Foods

It is permissible to cut food into a specific shape or form.[1] For example, a watermelon may be cut into squares, triangles or balls. To this end, one may use a scooper[2] or similar utensil which creates a particular shape.

However, this rule applies only to simple shapes and forms. Cutting food into a meaningful shape, such as a letter or number, is forbidden because it falls into the category of כּוֹתֵב: *writing*, which is one of the *Avos Melachos*. Similarly, shaping food into any distinct figure, such as a person, animal, plant or flower, is considered a form of *writing* and is prohibited.[3]

II. Breaking Apart Shapes or Words

Cutting apart lettering or destroying a picture is forbidden under the *melachah* of מוֹחֵק: *erasing*. Thus, if a cake is decorated with frosting in the form of words, letters or any distinct object, it is forbidden to cut the cake in a way which deforms the letters or ruins the picture.[4] However, one may cut between

---

1. כן מוכח מהמ״ב ס׳ ת״ק ס״ק י״ז.

2. שו״ת באר משה ח״ו סי׳ מ״ג.

3. מ״ב ס׳ ת״ק ס״ק י״ז

4. רמ״א סי׳ ש״מ ס״ג ומ״ב ס״ק ט״ו וט״ז. וע׳ בדגול מרבבה שהקיל בדין זה וכתב דלא מיבעי לשיטת התרומות הדשן שהביא המג״א סי׳ שי״ד סק״ה דבחד איסור דרבנן מותר בפסיק רישא דלא איכפת לי׳, וא״כ מוחק זה דלאו על מנת לכתוב הוא רק איסור דרבנן,

the words, and even between the letters, of the frosting.[5]

Once the cake is cut, one is permitted to bite into it even though this destroys the remaining letters. Similarly, one is permitted to bite into a biscuit which is decorated with a figure even though the figure will break apart.[6]

Nowadays this *halachah* is also relevant with fruits. When cutting fruit which has a word stamped on it (e.g. an orange) or a sticker attached (e.g. a banana), one must avoid cutting through any letters or figures.

Exclusion

The restriction against cutting apart figures applies only if the figures are made of frosting or another substance which is added to the cake. Figures which are baked into the fiber of the cake itself may be cut or broken apart, even before eating the cake. The same holds true for an entire cake or biscuit that is baked in the shape of a letter or figure.[7]

וכיון שאינו מתכוין מותר אלא אפי׳ לפי המג״א דבחד דרבנן עם פסיק רישא אסור מ״מ כאן הוי פס״ר בכמה דרבנן א) מקלקל ב) כלאחר יד ג) ושאינו על מנת לכתוב ע״ש. וע״ע בזה בחזו״א או״ח ס׳ ס״א, שו״ת הר צבי או״ח ח״א ס׳ רי״ד, ובשו״ת יביע אומר ח״ד ס׳ ל״ח אות יב.

5. ששכה״כ, פרק ט׳ הערה מח.

6. מ״ב ס׳ ש״מ ס״ק י״ז וז״ל ועיין בספר דגול מרבבה שמצדד להקל [שהבאנו לעיל בציון4] בעיקר הדין הזה וכו׳ ויש לסמוך עליו כשאינו שובר במקום האותיות בידו רק בפיו דבר אכילה עכ״ל, והחזו״א בסי׳ ס״א למד פשט בהמ״ב, דהטעם שהוא מתיר כשהוא אוכל משום דודאי איכא תרי דרבנן, שלא ע״מ לכתוב וכלאחר יד, ולפיכך כתב החזו״א דאין לסמוך ע״ז משום דעיקר ההיתר דתרי דרבנן אינו מוכרע עכ״ל עי״ש. אבל עיין בספר לוית חן ס׳ ש״מ סימן קי״ט שהביא הרבה פוסקים שסוברים שתי דרבנן מותר בפסיק רישא דלא ניחה ליה עי״ש. וראיתי בספר אורח ישראל סי׳ ל״ד [מהגאון ר׳ ישראל גרוסמן שליט״א] וז״ל ולענ״ד אין הטעם של המ״ב משום דהוי מוחק כלאחר יד, אלא משום דאם אוכל העוגה אין כאן מציאות מוחק, יש כאן אוכל ולא מוחק, כמו שאם ישרוף הנייר שעליו כותב אותיות, היעלה על הדעת שיתחייב משום מוחק, יש כאן שורף, ואין כאן מוחק. עי״ש.

7. מ״ב סי׳ ש״מ ס״ק ט״ו, וז״ל אבל כשהכתיבה היא מהעוגה עצמה בדפוס או בידים שרי דאין שם כתיבה עליה וממילא לא שייך מחיקה בזה עכ״ל. ובשעה״צ ס״ק כ׳ כתב שכן הוא הסכמת האחרונים וע״ע בזה בשכה״כ פרק יא הלכה ח. [וע׳ חזו״א סי׳ ס״א

Summary

Food may be cut into large pieces of precise size and shape, using either a knife or a specialized utensil. However, it is forbidden to cut food into meaningful shapes (e.g. letters, numbers, distinct figures).

It is forbidden to cut apart words or figures formed by the frosting of a cake, or words stamped onto a fruit; however, one may cut between the letters. It is permissible to bite into letters or figures. Figures baked in the fiber of a cake may be cut apart even before eating.

שמפקפק בזה.] והנה לכאורה יש סתירה בדין זה בדברי המ״ב, דבסי׳ תע״ה ס״ק מ״ז כתב וז״ל ואין לעשות אותיות [על המצה] להיכירא שכששוברין אותה הוי מוחק ביו״ט עכ״ל, ופשיטא דאיירי באותיות שהם מגוף המצה עצמה, ומבואר שיש בזה איסור מוחק וצ״ע, וכבר עמד בזה בשמירת שבת כהלכתה פי״א הערה לא.

ולכאורה מצאנו עוד סתירה בדברי המ״ב בזה, דבסי׳ ת״ק ס״ק י״ז כתב וז״ל אבל אותיות וציורים אסור לעשותן בבשר דרך סימן ביו״ט עכ״ל ופשוט דטעם האיסור הוא משום כותב, וא״כ כמו שבחקיקת האות במאכל יש איסור כותב ה״נ בשבירתו לכאורה יש איסור מוחק, ואיך כתב כאן המ״ב דכתיבה שהיא מהעוגה עצמה אין שם כתיבה עלה ולא שייך בו מחיקה, וצ״ע.

[וע׳ בששכ״ה פי״א הערה לא שהביא מהגאון ר׳ ש״ז אויערבאך שליט״א ביאור דין הנ״ל. וז״ל דבאמת היה נראה, דכמו ששובר אדם חבית וקורע עור שע״ג החבית, כדי להוציא האוכלין, ה״נ שרי לפתוח חבית אע״פ שמוחק האותיות. ושוב ראיתי במהר״ש הלוי שהוא מתיר מטעם זה בכל גוונא. אך מכיון שמצינו, שגדולי האחרונים החמירו לענין מחיקה, נראה דס״ל דלא התירו אלא כעין המבואר בס׳ שי״ד ס״ח, דהוה כמו ששובר אגוזים כדי ליטול האוכל שבהם, וכ״ה בחזו״א ס׳ נא ס״ק יג, ושבירת החבית וקריעת העור הן כעין שבירת אגוזים, אבל ענין מחיקה, שאינה שייכת בשבירת אגוזים, לא התירו. ומעתה י״ל, דכל זה דוקא באותיות שעל החבית או ע״ג העוגה, אבל אותיות שהן ממש מהעוגה עצמה, והוה דומה לאגוז עצמו, בזה אין איסור מלאכה של מחיקה עכ״ל. ולפ״ז שפיר מיושב הסתירה מס׳ ת״ק ואכמ״ל בזה.]

11 / לִישָׁה – Kneading

One *Av Melachah* with many unexpected applications in the kitchen is לִישָׁה: *kneading*.[1] *Kneading* is defined as binding together small particles (e.g. flour), by means of a bonding agent (e.g. water), to form one mass.[2]

The *melachah* of *kneading* also applies to kneading non-food items, such as clay; however, as always, our discussion will center on foods.

I. The Melachah of Kneading

A. The Scope of the Prohibition

The primary example of the *melachah* is kneading flour with water to form a dough. Other applications of this prohibition are mixing baby cereal with milk to form a gruel, and mixing eggs or tuna with oil to form egg salad or tuna salad.[3]

The prohibition is not limited to kneading, but also forbids any similar activity which unites small particles into a body. Thus, stirring or beating food particles into one body (with an added liquid) is also forbidden.

Even if the final product will not have as thick a consistency as dough but will be slightly more fluid (like a thick batter), creating the mixture is subject to the prohibition of *kneading*.[4]

---

1. משנה שבת דף עג.

2. ע' תהלה לדוד בהשמטות לסי' רנ"ב, וז"ל דלש וטוחן הוה שני הפכים, דלש עושה מגופים נפרדים גוף אחד, וטוחן עושה מגוף אחד גופים נפרדים עכ"ל.

3. אגרות משה ח"ד סי' ע"ד דיני לש אות ח'.

4. שו"ע סי' שכ"א ס' י"ד.

B. The Components of a Kneaded Mixture

There are two components to a kneaded mixture — the solid food particles and the liquid used to bind them together. We will now define the halachic parameters of each.

Definition of a Liquid in Regard to Kneading

It is forbidden to use any type of liquid to bind particles together. Thus, one may not knead a substance with water, milk, juice, baby formula or oil.[5]

Moreover, the prohibition is not limited to the use of what is commonly termed a liquid. The use of a thick, coagulated substance, such as mayonnaise, as a binder is also prohibited if it serves to bind together the solid particles of the mixture.[6]

Foods Subject to the Prohibition of Kneading

Any food particles which, when mixed with a liquid, will unite into one mass are subject to this prohibition. This includes, for example, flour, bread crumbs, farina, cereals which form a gruel when mixed with milk, chopped eggs or tuna (which merge to form a salad when mixed with oil or mayonnaise) and chopped liver. Whole foods which are small enough to be bound into a mass (e.g. barley) are also subject to the prohibition of *kneading*. [See later for permitted ways of kneading.]

However, the prohibition of *kneading* applies only to small bits of food which, once combined, will not be recognized individually, but will be seen as one mass. Large chunks of food, which will remain clearly distinct even when stuck together, are not subject to this prohibition.[7]

For example, one is permitted to mix banana slices with sour cream or chunks of potato with mayonnaise (to make potato

---

5. שלחן ערוך הרב סי' שכ"א סט"ז, וע' בשו"ת האלף לך שלמה ס' קל"ט שכתב דלא שייך לישה אלא באחד משבעה משקין (יין, דבש, שמן, חלב, טל, דם, מים) ע"ש.

6. פרי מגדים סי' שכ"א במשב"ז ס"ק י"א, וע' אגרות משה ח"ד סי' ע"ד בדיני לישה אות ח'.

7. מ"ב סי' שכ"א ס"ק ס"ח.

salad) so long as the pieces are sizable enough to remain clearly defined within the mixture.[8]

Summary

Any method of binding together small food particles is prohibited. This is forbidden whether the mixture is firm (like dough) or slightly fluid (like thick batter), and whether one uses a liquid (e.g. water) or a thick, coagulated substance (e.g. mayonnaise) to bind the particles.

The *melachah* applies only with small particles, which will be perceived as one large mass after being mixed. Sizable chunks of food, which remain clearly distinct even when stuck together, are not subject to the *melachah* of *kneading*.

II. The Kneading Process

A. The Two Steps of the Kneading Process

When food particles are combined with liquid, some of the particles will often bond immediately, even before the ingredients are manually kneaded; this bonding is the first step in the kneading process. The second step is the actual kneading (mixing or stirring), which fully blends together the ingredients.

Each step in the process is, by itself, a forbidden act. Therefore, one is forbidden even to pour a liquid into food particles or to add food particles to a liquid, for doing so will cause the particles to start bonding. Additionally, even after the ingredients have been added together, it is forbidden to stir the mixture because this further blends the ingredients.[9]

---

8. בספר קיצור הלכות שבת סוף הלכות לש כתב לענין סלט תפוחי אדמה [potato salad] וכדומה, דטוב להחמיר לכתחלה לעשותן ע"י שינוי, דאע"ג דבחתיכות גדולות קצת אין בו משום לישה, מ"מ קשה להבחין ולידע מה נקרא חתיכות גדולות, וגם לפעמים מעורב בהם גם חתיכות קטנות ובהם שייך לישה עכ"ד. מיהו כבר כתבנו בפנים דהגדר בזה הוא דאם הכל נראה כגוף אחד חשוב לישה, ואם החתיכות גדולות עד שניכרות בפני עצמן לא הוי לישה.

9. בגמרא שבת דף קנה: נחלקו רבי ור' יוסי בר יהודה בגדר מלאכת לישה, דרבי ס"ל שאם נתן קמח לכלי ושפך לתוכו מים חייב משום לישה ואע"פ שלא עירב יחד, ור' יוסי

For example, when baby cereal is prepared, the cereal begins to bond as soon as milk is added; nevertheless, the cereal still needs to be stirred. Thus, pouring the milk into the cereal and stirring the cereal are each considered acts of *kneading*.

However, this holds true only if a liquid is used to bind the particles. With a coagulated substance (e.g. mayonnaise), the particles do not bond at all until stirred. Therefore, when such a substance is used as a binder, only the actual stirring falls under the prohibition of *kneading*.[10]

בר״י אומר אינו חייב עד שיגבל [פי׳ עד שיערב הקמח עם המים היטב], ובביאור הפלוגתא כתב באגלי טל סק״ט דשני דברים יש בלישה, האחד שמרכיב שני דברים זרים היינו המים והקמח, והשני שמדבק דברים שהיו נפרדים עד שנעשו לגוף אחד. ובזה הוא דפליגי דרבי ס״ל דגדר מלאכת לישה הוא הרכבת המים והקמח וזה נעשה בנתינת המים לבד, וריב״י ס״ל דמלאכת לישה היא דוקא עשיית גוף אחד וזה לא נעשה אלא ע״י גיבול עיי״ש.

וע׳ בביאור הלכה סי׳ שכ״א סי״ד בד״ה אין מגבילין שכתב דנ״ל ברור דאפילו לרבי דמחייב על נתינת המים לקמח לבד, מ״מ חייב אף על הגיבול לבד, ואם נתן מים לקמח בערב שבת וגבל בשבת חייב חטאת, וע״ש שהביא ראיה לזה מהירושלמי דמבואר שם דאפילו בדבר שכבר נילוש חייב חטאת אם מְיַפֶּה הלישה יותר. [מיהו בחזו״א סי׳ נ״ח סק״ה דחה הראיה ע״ש].

ובביאור הלכה סי׳ שכ״ד ס״א ד״ה אין גובלין כתב עוד דאפילו לר׳ יוסי בר״י דס״ל אינו חייב עד שיגבל, וליכא איסור דאורייתא בנתינת מים לקמח לבד, מ״מ מודה הוא שיש בזה איסור דרבנן שמא יבא לגבל. [וכ״כ התוספת שבת סי׳ שכ״א ס״ק ל.] ונמצא לפ״ז דבין לרבי ובין לריב״י יש איסור בין בנתינת מים לקמח ובין בגיבול, ולא נחלקו אלא לענין חיוב חטאת, דלרבי חייב חטאת בין על נתינת מים לקמח ובין על הגיבול דשניהם אסורין מן התורה. ולריב״י נתינת מים לקמח אסור מדרבנן וגיבול אסור מן התורה, והנ״מ בין אלו שני השיטות יתבאר לפנינו בס״ד.

10. מקור הדין הוא בפרי מגדים סי׳ שכ״א במשב״ז ס״ק י״ב וז״ל ומיהו לרבי דנתינת מים הוי כלישה יש לומר בנותן שומן אווז (״שמאלץ״) ודבש קרוש אף לרבי אין חיוב חטאת, דלש כגרוגרת בעינן ובמים נכנס בהקמח משא״כ בדבש קרוש ושומן עכ״ל. ומבואר מדבריו דהא דמחייב רבי על נתינת המים לקמח היינו משום שהמים נכנס לתוך הקמח ומתערב בו וכיון שנכנס בו כשיעור גרוגרת מחויב חטאת משא״כ בדבש ושומן דאינו נכנס לתוך הקמח כ״כ, אפילו אם מתערב קצת אין בו שיעור גרוגרת לחייב חטאת. ולפ״ז לענין מיונייז [mayonnaise] וכדומה שאינו מתערב עם האוכל כלל בלי גיבול ואין כאן אפילו חצי שיעור, מותר ליתנן ע״ג אוכל לכתחילה אפילו לרבי, והסכימו לי בזה הגאון רח״פ שיינברג שליט״א והג״ר יחזקאל ראטה שליט״א.

Summary

Pouring a liquid onto food particles (or vice versa) is considered an act of *kneading* because some bonding occurs immediately. Mixing the ingredients afterwards is considered a separate act of *kneading*. However, when a coagulated substance is used as the binding agent, only the actual mixing can be considered *kneading*.

B. The Two Categories of Mixtures

As stated above, *kneading* is forbidden whether the final mixture is thick, like dough, or slightly less thick, like batter. However, only thick mixtures fall under the *melachah de'oraysa*[11] (the Torah Prohibition) of *kneading*; loose mixtures are prohibited *mi'de'rabanan* (by Rabbinic Decree).[12] There are many halachic differences between these two categories of mixtures; we will therefore define each category.

בְּלִילָה עָבָה – A Thick Mixture

A mixture is considered 'thick' when it forms a mass that does not flow, or flows very slowly, when poured.[13] Examples of this are dough, egg or tuna salad, chopped liver, *charoses*, baby cereal (when made of a thick consistency) and mixtures of similar density.

The Torah Prohibition of *kneading* applies to all such mixtures.

בְּלִילָה רַכָּה – A Loose Mixture

A 'loose' mixture is any batter or puree which has enough

---

11. תרומת הדשן סי' נ"ג, שו"ע הרב סי' שכ"א סט"ז, וכן מבואר במ"ב סי' שכ"א ס"ק ס"ו.

12. ע' ציון 11.

13. זה נלמד מדברי החזו"א סי' נ"ח ס"ק ט, וז"ל נראה דרכה היינו דנשפך ונרוק אבל אכתי הן גוש ולא נוזל, אבל אם המים מרובים והם רק כמים עכורין אינו כלל בשם לש עכ"ל, ומדכתב דבלילה רכה היינו גוש שנשפך ונרוק כשמריקין הכלי מבואר דבלילה עבה היינו כל שאינו נשפך ונרוק. וע"ע בזה בספר שביתת השבת מלאכת לש בבאר רחובות ס"ק ל"ו, ובקצות השלחן סי' ק"ל בבדי השלחן סק"ג.

body to be perceived as one mass, yet will flow when poured from one bowl to another.[14] This includes, for example, applesauce, ketchup, or baby cereal made into a loose batter.

Preparing a loose mixture is forbidden only by Rabbinic Decree. Therefore, various leniencies apply with these loose mixtures that do not apply to thick mixtures, as we will see in the following section.

Watery Mixtures

Mixing solid particles with so much liquid that it results in a watery mixture, which has no body at all, is not considered *kneading* and is permitted.[15] Thus, preparing chocolate milk or baby formula does not fall under this prohibition.

Nevertheless, one must be careful to mix the powder with a lot of liquid at once. Mixing it gradually with small amounts of liquid will initially result in the formation of a paste, which is prohibited.[16]

Summary

Preparing thick, non-flowing mixtures (e.g. egg salad) falls under the Torah Prohibition of kneading. Looser, flowing mixtures are prohibited by Rabbinic Decree. Watery mixtures are not subject to the prohibition of *kneading* at all. However, the mixture must be made watery from the first moment.

III. Permitted Methods of Kneading

In general, *melachah* is forbidden whether performed in a normal manner or in an unorthodox fashion.* *Kneading* is an

*Note: There is a difference, though: When done in the normal manner, *melachos* are forbidden *mi'de'oraysa*; when performed in an unusual manner, they are only prohibited *mi'de'rabbanan*.

14. חזו״א הנ״ל.

15. חזו״א הנ״ל, וכן מבואר במ״ב סי׳ שכ״ג ס״ק ל״ח.

16. חזו״א סי׳ נ״ח ס״ק ח.

exception to this rule: It is permitted when done in an unorthodox fashion; that is, when performed with a *shinui* (an unusual *modification* of the kneading process).[17]

It is important to note, however, that one's personal concept of *shinui* may not necessarily be valid. The acceptable forms of *shinui* are defined by the *halachah*.

Moreover, certain *shinuim* (*modifications*) which are valid for loose mixtures are not sufficient to permit the preparation of thick mixtures. This is because the preparation of thick mixtures involves a *melachah de'oraysa*, and cannot be permitted unless a 'complete' (i.e. drastic) *shinui* is employed. We will begin with a general description of the proper *shinui* for each stage of the

---

17. הקדמה קצרה לענין שינוי: בכמה מלאכות התירו חז״ל לעשות ע״י שינוי, ובדרך כלל לא התירו בדרך זה אלא איסור דרבנן, אבל באיסור דאורייתא הוי הדין דהעושה כלאחר יד פטור אבל אסור, ומ״מ מצינו באיזה מקומות דאפילו איסור דאורייתא מותר לעשותו ע״י שינוי גמור. [וכמובן דאין היתר זה אמור אלא במקום שקבעו חז״ל ובאופן שקבעו חז״ל]

והנה שינוי גמור יכול להיות בשני אופנים א) שינוי גמור באופן עשיית המלאכה. ב) שינוי בתוצאת המלאכה, ר״ל שעושה המלאכה באופן שאין התוצאה יוצא בשלימות. ועתה נביא מקורות לשני האופנים.

א) בגמ׳ שבת דף קמא. אמר ר׳ יהודה הני פלפלי מידק חדא חדא בקתא דסכינא שרי תרתי אסור רבא אמר כיון דמשני אפילו טובא נמי ע״כ, ובב״י סי׳ שכ״א כתב וז״ל וכתב בשבלי הלקט בשם הר״ר יאשי׳ אי איכא דקשיא לי׳ כיון דכדרכו חייב משום טוחן, ע״י שינוי ליהוי פטור אבל אסור, תשובה קתא דסכינא שינוי גמור הוא וכו׳ הלכך מותר לכתחלה כדאמרינן גבי בורר כנפה וכברה חייב, בקנון ובתמחוי דהוי שינוי פטור אבל אסור, ביד דהוי שינוי גמור מותר לכתחלה עכ״ל, ומבואר מדבריו דאע״ג דתוצאת המלאכה שוה כשנעשה בקתא דסכינא כמו כשנעשה כדרכו במדוכה, מ״מ מותר משום דהוי שינוי גמור באופן עשיית המלאכה. וכ״כ החזו״א סי׳ נ״ז ד״ה נמצינו, וז״ל ואין לנו להתיר רק ע״י שינוי בקתא דסכינא או קתא דכף ומזלג, ולבריאות התינוק אין השינוי מזיק שאין כאן שינוי בתוצאות השחיקה, אלא שיש כאן שינוי בעבודתו של השוחק עכ״ל.

ב) בגמ׳ שבת דף לט. אמר רב נחמן בחמה דכ״ע לא פליגי דשרי, ר״ל דמותר לבשל בחמה בשבת, ופירש״י דאין דרך בישול בכך, וכן פסק בשו״ע סי׳ שיח ס״ג. ולכאורה צ״ע דאה״נ אין דרך בישול בחמה מ״מ מאי שנא מכל שאר מלאכות דאפילו כלאחר יד אסור, ותי׳ ע״ז באגלי טל (מלאכת אופה ס״ק מ״ד) וז״ל המבשל בחמה כיון שיש שינוי בנפעל מותר לכתחלה עכ״ל, וביאור דבריו דדבר שנתבשל בחמה יש לו טעם אחר מדבר שנתבשל ע״י אש, ובשינוי כזה שאין תוצאת המלאכה בשלימות מותר לכתחלה.

'kneading' process and then proceed to discuss how these apply to loose and thick mixtures.

The Shinuim for the Two Steps of the Kneading Process

We have seen that there are two stages to the *melachah* of *kneading*, each of which is separately prohibited. These are: (1) combining the ingredients; (2) stirring them together. The *shinui* necessary to permit the act is different for each of these procedures. There are therefore two types of *shinuim*:

1. שִׁינּוּי בְּסֵדֶר — A *shinui in the order [of combining the ingredients]*; this modification is appropriate to the problem of adding together the food particles and liquid.
2. שִׁינּוּי בְּלִישָׁה — A *shinui in the [method of] kneading [or stirring]*; this modification is appropriate to the problem of mixing the ingredients.

Modifying the order in which the ingredients are combined is considered a sufficient *shinui* only with respect to a loose mixture. Ingredients forming a thick mixture, however, may not be combined regardless of the order, except in certain extraordinary circumstances. In addition, certain modifications of the *method* of stirring or mixing are also effective only for loose mixtures, but not for thick ones. These exceptions will be explained below.

1. שִׁינּוּי בְּסֵדֶר – A Shinui in the Order of Combining Ingredients

When a liquid is used to bind food particles, bonding begins to occur as soon as the ingredients are poured together; the ingredients must therefore be poured into the bowl in an irregular manner.

The only acceptable *shinui* for pouring is to reverse the sequence in which the ingredients are commonly added to one another.[18]* For a mixture in which the common practice (i.e. the practice of most people) is to add the solid particles to the bowl first (e.g. baby cereal) and then add the liquid (e.g. milk), one must do the opposite and add the liquid to the bowl first. With mixtures in which the liquid is commonly added first, the solids must be placed in the bowl before the liquid.[19] [One who is unsure of the common practice may reverse the instructions printed on the food package.][20]

If There Is No Common Practice

In a case where there is no clear-cut common practice, one should add the solids to the bowl first and then the liquid.[21] However, this is a leniency which may be relied upon only in cases of necessity.[22] (See p. 155 for clarification of 'necessity'.)

---

*Note: We will see later that even this *shinui* is usually not valid for thick mixtures.

---

18. שו״ע סי׳ שכ״א סי״ד.

19. בענין שינוי בסדר הנתינה היה אפשר להסתפק, האם מספיק במה שכל יחיד ישנה מן הסדר שהוא עושה בחול, וכל שמשנה מסדר הרגיל אצלו חשיב שינוי, או דלמא צריך דוקא לשנות מן הסדר שרגילין העולם לערב בו, ורק בכה״ג חשוב שינוי משום דניכר שהעירוב שונה מהסדר הרגיל אצל כל העולם בחול, ונפקא מינה היכא דליכא סדר ידוע אצל כל העולם האם חשיב שינוי במה שמשנה מן הסדר הרגיל אצלו.

ויש להביא ראיה דצריך לשנות ממנהג העולם דוקא, ממ״ש הט״ז סי׳ שכ״א ס״ק י״א דאסור בשבת לערב מצה מעהל עם יין או מי דבש, ואע״ג דבעלמא מותר לעשות בלילה רכה ע״י שינוי בסדר, היינו דוקא היכא דהשינוי גלוי לכל, אבל הכא לענין מצה מעהל אין דרך ידוע מה נותן תחלה בחול כדי לידע מהו השינוי, לכן אסור בכל גווני, עכ״ד.

ולכאורה קשה דהא הרבה בני אדם יש להם דרך ידוע שעושים כן בחול וא״כ ה״ל להתיר לאותן בני אדם לעשותו ע״י שינוי בסדר, שישנו מהסדר שרגילין בו בחול, ועל כרחך צ״ל דאין השינוי תלוי בכל יחיד לעצמו אלא צריך דוקא לשנות מדרך העולם, ולהכי בדבר שאין בו דרך ידוע לכל העולם לא שייך בו שינוי. וכ״כ בחיי אדם כלל י״ט ה״ג, ובחזו״א סי׳ נ״ח ס״ק ו׳ ד״ה ואם עושין.

20. כן נראה פשוט, והסכים לי בזה הגאון ר׳ ח.פ. שיינבערג שליט״א.

21. מ״ב סי׳ שכ״א ס״ק נ״ז.

22. אגרות משה ח״ד סי׳ ע״ד בדיני לש ס״ק ג, וע׳ בחזו״א סי׳ נ״ח ס״ק ה׳ בד״ה ולדעת שכתב דמסתבר דלא שייך שינוי בדבר שאין בו מנהג ידוע, וכדעת הט״ז הנ״ל בהערה 19.

Kneading with a Coagulated Substance

When a coagulated substance (e.g. mayonnaise) is used to bind the food particles, it is not necessary to employ a *shinui* in pouring the ingredients because no bonding occurs until the mixture is stirred. Thus, the ingredients may be combined in the usual order.[23]

2. שִׁינּוּי בַּלִּישָׁה – A Shinui in the Method of Kneading

After the ingredients have been combined, mixing or stirring them is itself an act of *kneading*. To stir the ingredients, therefore, one must mix them in an irregular manner.[24] There are a number of permitted methods approved by the *Poskim*. We will dwell only on those which are practical; others are described in the footnotes.[25]

---

23. ע׳ לעיל הערה 10.

24. שו״ע סי׳ שכ״א סעיף י״ד, ט״ו, ט״ז, וסי׳ שכ״ד ס״ג.

25. בפוסקים הוזכרו עוד כמה אופני שינוי בלישה, ולא כתבנום בפנים מפני שאינם נוגעים כל כך למעשה, ואלו הם:

א) בשו״ע סי׳ שכ״א סי״ד כתב אין מגבלין קמח קלי הרבה וכו׳ ומותר לגבל את הקלי מעט מעט עכ״ל, ובפרי מגדים (במשב״ז ס״ק י״ב) מבואר דאפילו בדבר שיש בו לישה מן התורה מותר ללוש מעט מעט. ובנשמת אדם השיג עליו דאיך נוכל להתיר איסור דאורייתא ע״י שעושה מעט מעט והלא גם חצי שיעור אסור מן התורה, וע׳ בביאור הלכה (שם ד״ה שמא) שכתב דבאמת הדין עם הנשמת אדם, ובקמח דעלמא אסור לגבל מעט מעט, ולא התיר המחבר אלא לגבל קמח קלי מעט מעט מפני שהוא ראוי לאכילה אפילו בלי גיבול, ולכן אע״פ שמגבלין אותו אין זה מלאכת לישה מדאורייתא אלא כמו תיקון אוכל בעלמא, ולהכי מותר לעשותו מעט מעט משום דזהו שינוי קצת, ודי בזה להתיר איסור דרבנן [ומותר ללוש אפילו יותר משיעור גרוגרת בבת אחת, דכיון שעושה פחות ממה שרגיל בו חשוב שינוי]. והוסיף הביאור הלכה דאפשר דכל זה מותר דוקא בעת אכילה ומשום דדרך אכילה בכך. ולפי דברי הבה״ל יוצא למעשה דדבר הראוי לאכילה בלי לישה מותר לעשותו מעט מעט סמוך לאכילה אבל בדבר שאינו ראוי לאכילה בלי לישה אין בו היתר זה כלל. וע׳ בתהלה לדוד סי׳ שכ״א שכתב דמותר לערב ביצים ובצלים עם שמן בשבת סמוך לסעודה משום דכל שעושה לאותה סעודה נקרא מעט מעט.

אבל בחזו״א (סי׳ נ״ח סוף סק״א וסק״ז) חולק על כל זה וכתב לפרש דההיתר של מעט מעט לא נאמר אלא בדבר שהדרך לעשותו רק בכמות מרובה, ולכן אם עושהו מעט מעט חשוב שינוי גמור משום דטירחא גדולה היא לעשותו מעט מעט, אבל בשאר

a) שְׁתִי וָעֵרֶב - Mixing with Crisscross Strokes

One acceptable method is to move [the fork or spoon] through the mixture in a crisscross fashion, changing direction with each stroke, rather than in the continuous circular motion commonly used.[26] When mixing in this manner, it is preferable that the fork or spoon be lifted out of the mixture with each change of direction.[27]

b) Mixing with the Bare Hand

It is permissible to stir a mixture with one's bare hand or

דברים לא נאמר היתר זה, וכעין זה כתב בשביתת השבת (מלאכת לש ס״ק ל״ה), ולפי דבריהם אין היתר זה נוגע ברוב המאכלים.

ב) בשו״ע סי׳ שכ״א סט״ו כתב חרדל שלשו מערב שבת למחר יכול לערבו בין ביד בין בכלי וכו׳ ולא יטרוף לערבו בכח אלא מערבו מעט מעט עכ״ל. וכתב ע״ז במ״ב ס״ק נ״ח דטעם ההיתר הוא משום דדרך הגיבול בחרדל הוא ע״י טריפה דהיינו שמערב בכח וכאן הוא מערב בנחת עכ״ד, ולפ״ז כמעט שאין היתר זה נוגע כלל דהא לא שכיחי דברים שהדרך לערבן רק בנחת. וע״ש בביאור הלכה (ד״ה יכול) שדעתו נוטה להחמיר עוד בזה ולפי דבריו אין היתר זה נוגע אצלינו כלל עיי״ש.

ג) בשו״ע סי׳ שכ״ד ס״ג כתב דמותר לנער מכלי אל כלי כדי שיתערב, מיהו באגרות משה (ח״ד סי׳ ע״ד בדיני לש אות ד׳) כתב דלא הותר לעשות כן אלא פעם אחת, דהיינו להריק מכלי אחד לכלי שני, ולא יותר, ולכן לא כתבנו היתר זה בפנים.

ד) במשנה ברורה סי׳ שכ״א ס״ק ס״ג וס״ח כתב דמותר לנענע הכלי עצמו כדי שיתערב.

26. שו״ע סי׳ שכ״ד ס״ג, וע״ש בביאור הלכה ד״ה ומעביר שהביא דברי הב״י והב״ח שמצדדים לומר דאפילו מעביר כמה פעמים שתי וערב שפיר דמי, וכ״כ בשו״ע הרב ס״ב, ובחזו״א סי׳ נ״ח סק״ו, ובאגרות משה ח״ד סי׳ ע״ד בדיני לש ס״ק ה. והנה בטעם ההיתר הזה דשתי וערב, כתב הרמב״ן בשבת דף קנו: שהוא משום דבדרך זה אין האוכל מתערב כל צרכו [ומשמע בדבריו דצריך לכוין שלא יערב כל צרכו] ולכן לא חשיב לישה גמורה. אבל בש״ע הרב סי׳ שכ״ד ס״ב כתב וז״ל מעביר בו תרווד או מקל שתי וערב אפילו כמה פעמים עד שיתערב יפה, שכיון שאינו ממרס בידו ולא יסבב התרווד או המקל בסביב כדרכו בחול אלא מעביר שתי וערב הרי זה שינוי גמור עכ״ל ומבואר מדבריו דאע״פ שהאוכל מתערב כל צרכו מותר, משום דעירוב דרך שתי וערב הוי שינוי גמור, ולהכי חשוב שינוי אפילו במקום חשש איסור דאורייתא וע״ע בזה בציון 17. [ובאמת צ״ע בדברי ש״ע הרב דהא בגמרא דף קנו. מפורש דע״י שתי וערב לא מתערב יפה.]

27. חזו״א סי׳ נ״ח ס״ק ו׳ ד״ה שתי, אגרות משה ח״ד סי׳ ע״ד דיני לש ס״ק ה׳.

finger.[28] However, one may not wear a glove while doing so.[29]

c) Mixing with the Handle of a Spoon

It is permissible to stir a loose mixture with the *handle* of a spoon or fork, or with a knife (handle or blade).[30] This modification, however, is not valid for thick mixtures.

Summary

Kneading is permitted when done through a *shinui*, i.e. in an unorthodox fashion.

One must employ a *shinui* for each step of the kneading process:

1. When adding a liquid to the solids, one must reverse the common order of combining the ingredients. This is valid only for loose mixtures, not thick ones. However, when a coagulated substance (e.g. mayonnaise) is used in place of the liquid, this *shinui* is not required.
2. To mix the ingredients, one may use criss-cross strokes to mix with a fork or spoon, or mix normally with one's bare hand. It is also permitted (for loose mixtures only) to stir with the handle of a spoon or fork, or with a knife.

---

28. רמ״א סי׳ שכ״א סט״ז. ומ״ב שם ס״ק ס״ח. וע׳ בספר ברית עולם קיצור דיני לש שכתב דעיסה וכיוצב״ז שהדרך גם בימות החול לערבבה ביד לא הוי שינוי.

29. חזו״א סי׳ נ״ח סוף ס״ק ח׳ וז״ל הא דמותר ביד היינו כסברת שמואל דמאכל חמורים הוא, אבל הגיבול הוא יפה ביד, ונראה לפ״ז שאם לובש גמי או שפופרת של מתכות על אצבעו אסור כדין טורף בכלי עי״ש.

30. אגרות משה ח״ד סי׳ ע״ד דיני לש ס״ק ו׳, ושו״ת מנחת יחיאל הובא בשו״ת ציץ אליעזר חי״א סי׳ ל״ו. ונראה דאין שינוי זה מספיק אלא בבלילה רכה שהוא איסור דרבנן אבל לא חשוב שינוי גמור להתיר בלילה עבה שהוא איסור דאורריתא. וראיה לדבר דהא לענין טוחן מפורש בגמרא שבת דף קמא. דקתא דסכינא חשוב שינוי גמור להתיר איסור דאורייתא, ונפסק כן בשו״ע סי׳ שכ״א ס״ז, ואילו לענין לישה הקשה הגמרא (דף קנו) היכי משני והביאו כמה אופנים של שינוי ולא הוזכר שם שינוי זה של קתא דסכינא, וכן לא הוזכר בראשונים ובשו״ע, ומוכרח מזה דלענין לישה לא חשוב קתא דסכינא שינוי גמור להתיר איסור דאורייתא, ומה שכתבו באגרות משה ומנחת יחיאל דהוי שינוי היינו רק לענין איסור דרבנן. והסכימו לי בזה הג״ר ח״פ שיינברג שליט״א והג״ר יחזקאל ראטה שליט״א.

IV. Applying the Shinuim to Loose and Thick Mixtures

A. Loose Mixtures

The *shinui* procedures described above are all effective for loose mixtures: The ingredients may be added together in the reverse order and the mixture may be stirred in an irregular manner (criss-cross, bare handed or with the handle of a utensil) to complete the mixing.

However, when combining the ingredients for a loose mixture, one should be sure to pour all the liquid in at once. Mixing the food with liquid gradually will initially result in the formation of a thick mixture which, as we shall now see, is usually not permitted.[31]

B. Thick Mixtures

The rules for preparing thick mixtures are more stringent than those for loose mixtures. This is because preparing a thick mixture involves a *melachah de'oraysa* (Torah Prohibition), in contrast to loose mixtures, which are forbidden only *mi'de'rabbanan* (by Rabbinic Decree). Accordingly, the requirements for *shinui* are more stringent for thick mixtures. Specifically, many *Poskim* rule that the *shinui in the order [of combining the ingredients]* is not valid for thick mixtures. Therefore, where a liquid binder is used, there is *no permissible way* to add together the ingredients. Any recipe which calls for a liquid to bind particles may only be made as a loose mixture.[32]

A thick mixture may be prepared on Shabbos by using a coagulated substance (e.g. mayonnaise) as the binder, because in such a case no *shinui* is required to add together the ingredients, since no binding takes place before the mixture is stirred, as explained above.[33] Even in the case of a liquid, if the ingredients

---

31. חזו״א סי׳ נ״ח ס״ק ח׳ ד״ה הא.

32. רמ״א סי׳ שכ״א סט״ז, לפי מה שפירשו האחרונים דבריו, וע״ש במ״ב ס״ק ס״ו.

33. ע׳ לעיל הערה 10.

were added together before Shabbos, one is permitted to stir them (with a valid *shinui*) on Shabbos.[34]

In the second stage of the kneading process — the mixing stage — not all *shinuim* are valid for thick mixtures. Thick mixtures may be stirred only be means of crisscross strokes or the bare hand. Stirring (in the ordinary manner) with a knife or with the handle of a utensil is not permitted, because this *shinui* is not considered a significant enough modification for a thick mixture.[35]

Cases of Necessity

In a case of necessity, one may rely upon the *shinui in the order [of combining the ingredients]* to prepare a thick mixture with a liquid binder.[36]

Cases of necessity include:

1) Foods which may spoil if prepared before Shabbos.[37]

---

34. כן מבואר בסי׳ שכ״א סט״ז ובמ״ב שם ס״ק ס״ב.

35. ע׳ לעיל ציון 30.

36. לעיל בהערה 9 הבאנו מחלוקת רבי ור׳ יוסי בר יהודה בגדר מלאכת לישה, דלרבי חייב מדאורייתא על נתינת המשקה בלבד, ולר׳ יוסי בר״י אינו חייב אלא על הגיבול, אבל נתינת המשקה אינו אסור אלא מדרבנן ואפילו בבלילה עבה. והנה לדעת ר׳ יוסי בר״י מותר לתת המשקה ע״י שינוי בסדר, אפילו בבלילה עבה, כיון דאינו אסור אלא מדרבנן, ורק לשיטת רבי דנתינת המשקה אסור מדאורייתא א״א לסמוך על שינוי בסדר בבלילה עבה.

והנה להלכה נחלקו הפוסקים בזה, הרי״ף והרמב״ם והרא״ש ורוב הראשונים פסקו כר׳ יוסי בר״י דנתינת המשקה אינו אסור אלא מדרבנן, והמחבר בסי׳ שכ״א סט״ז הביא דעה זו בסתמא, ומבואר דכן דעתו להלכה [לפי כללי השו״ע], אבל בעל התרומות ועוד הרבה ראשונים פסקו דהלכה כרבי דנתינת המשקה אסור מדאורייתא, וכן נקט הרמ״א בסי׳ שכ״א סט״ז [לפי שפירש דבריו במג״א ס״ק כ״ד, ודלא כהט״ז ס״ק י״ב, ועי״ש במ״ב ס״ק ס״ו], ונמצא דלמעשה צריך להחמיר בזה כהכרעת הרמ״א, וכ״כ במ״ב סי׳ שכ״ד ס״ק י״א.

ומ״מ כתב הט״ז (סי׳ שכ״א ס״ק י״ב) דבדבר שאי אפשר לערב המשקה מערב שבת מפני שיתקלקל אין צריך להחמיר בזה, וסומכין על דעת רוב הראשונים דהלכה כר׳ יוסי בר״י, וכן נקט המ״ב שם ס״ק ס״ח ובשער הציון ס״ק פ״ד עיי״ש, ובחזו״א סי׳ נ״ח ס״ק ו׳ וסק״ח מבואר דהוא הדין בכל שעת הדחק. וע״ע בזה בשו״ת מנחת יצחק ח״ט סי׳ כ״ח.

37. ט״ז ושער הציון, הובא בהערה הקודמת.

2) Foods needed for a young child or an ill person which one forgot to add together before Shabbos.[38]

In these cases one should reverse the order of pouring and then stir in an irregular manner (crisscross or bare handed — but not with a knife or with the handle of a utensil).

It should be noted that even in a case of necessity, preparing a thick mixture is permitted only if a loose mixture will not suffice.

For example, one may prepare a thick cereal mixture for the benefit of an ill person. However, if the person will be sated with loosely mixed cereal, one is not permitted to make a thick mixture, but must prepare the cereal as a loose mixture.

Mixtures Forbidden even in Cases of Necessity

One type of thick mixture may never be prepared on Shabbos, even in cases of necessity: Some solids are so absorbent that when combined with liquid they merge into one body immediately and do not need to be stirred at all. All *Poskim* agree that such foods may never be made into a thick mixture on Shabbos; the *shinui in the order [of combining the ingredients]* is absolutely not valid with these foods.[39]

---

38. חזו״א הובא לעיל בהערה 36.

39. בשו״ע סי׳ ש״מ סי״ב כתב הנותן זרע פשתן או שומשמין וכיוצא בהם במים חייב משום לש מפני שמתערבים ונתלים זה בזה עכ״ל, ופי׳ דחייב על נתינתן למים בלבד ואע״פ שאינו מגבל, מפני שמתערבים ונדבקין ע״י נתינתן למים, ובפרי מגדים (סי׳ שכ״א במשב״ז סקי״ב) הק׳ בשם עולת שבת, דבסי׳ שכ״א סט״ז נקט המחבר להלכה כדעת ר׳ יוסי בר יהודה דבלישה אינו חייב על נתינת המים לבד אלא על הגיבול [ע׳ לעיל הערה 36], ותי׳ הפמ״ג דאפשר דזרע פשתן נעשה כל כך מדובק ע״י שרייתו במים עד שיכול ליקח בידיו ונעשה גוש אחד, ולהכי חייב על שרייתו בלבד, משא״כ בקמח ושאר דברים שאין הדיבוק עולה יפה עד שמגבל, ולהכי פטור על נתינת המים.

ומבואר מדבריו דבדבר המתדבק יפה ונעשה לגוש אחד בלי גיבול חייב על נתינת המים אפילו לר׳ יוסי בר״י (וכ״כ במאמר מרדכי ס״ק ט׳, ובאגלי טל מלאכת לש ס״ג, ובמנחת חינוך במוסך השבת) ולפ״ז אסור לערב מים עם דבר המתדבק יפה, ואפילו ע״י שינוי בסדר, דהא שינוי בסדר אינו מספיק היכא דנתינת המים אסור מן התורה, כמו שביארנו לעיל בהערה 36.

Falling into this category are some baby cereals, as well as some adult cereals (e.g. instant oatmeal), as well as instant potatoes. These bond together to form a mass as soon as they are combined with liquid. They may only be prepared as loose mixtures on Shabbos, by mixing them with a large amount of liquid at once. Even then, one must reverse the order in which they are added together, and employ a *shinui* in stirring the ingredients.

Summary

A loose mixture may be made on Shabbos so long as a *shinui* (modification) is employed for each step of the combinations.

For thick mixtures there is no valid *shinui* for the first step (adding together the ingredients); thick mixtures may be made only if the ingredients are combined before Shabbos or if a coagulated substance is used as the binder. The stirring must then be done in a criss-cross fashion or with the bare hand — but not with a knife or the handle of a utensil.

In cases of necessity one may rely on the *shinui in the order [of combining the ingredients]* to prepare a thick mixture with a liquid binder. However, thick mixtures which bond spontaneously without stirring may never be made, even in cases of necessity.

V. Improving upon an Existing Mixture

The *melachah* of *kneading* is not limited to making new mixtures, but also applies to improving upon existing mixtures, in the following manner:

ובשו״ת אג״מ (או״ח ח״ד סי׳ ע״ד דיני לש אות ז׳) כתב דאבק של תפוחי אדמה [instant potatoes] הוא כמו זרע פשתן ואסור לערבו במים בשבת. ובשמירת שבת כהלכתה (פ״ח סעיף כ״ה) הוסיף דה״ה אבקת פודינג [instant pudding] אורז מבושל, וכל שאר אבקה שנתהפך לתבשיל ראוי לאכילה ע״י הוספת משקין עליהן. ודנתי לפני הג״ר יחזקאל ראטה שליט״א, דאף כמה מיני סיריעל כגון instant oatmeal וכדומה הם בכלל דין זה מפני שמתדבקין היטב ע״י נתינת משקה לבד, והסכים לי בזה. ואח״כ מצאתי כדברנו בשו״ת שבט הלוי ח״ז ס׳ ק״ה עי״ש.

A. Adding Solids to a Mixture

Adding solids to an existing mixture is considered *kneading* since one works the added particles into the rest of the mixture. Thus, it is forbidden to add cereal grain to a previously mixed bowl of cereal, or to add mashed eggs or tuna to a prepared salad. This is permitted only by employing the same type of *shinui* employed to permit the original mixture. Thus, the form of *shinui* required depends on the type of mixture being improved.

Thickening a Loose Mixture

If the original mixture is of a loose consistency, one must *reverse the order* in which the ingredients are added together, and *change the manner* of stirring.

For example, to thicken the consistency of a bowl of loose baby cereal, one may not add cereal to the bowl as always, but must reverse the order by putting the dry cereal in a bowl and then pouring the original mixture onto it. The cereal must then be stirred with a valid *shinui*.

Realistically though, when a loose mixture is thickened it usually turns into a thick mixture, which may be prepared with a liquid binder only in cases of necessity. Therefore, one should thicken a loose mixture only in a case of necessity, as explained above. If the original mixture is so liquid that it will remain loose even after the solids are added, one is permitted to thicken the mixture (with the proper *shinuim*) in all circumstances.

Adding Solids to a Thick Mixture

When adding solids to a thick mixture, it is not necessary to reverse the order in which the ingredients are added to the bowl. The reason for this is that since the binding agent being used to blend the new particles is the original thick mixture (which is not liquid), the new solids added do not bond until the mixture is stirred. [This is the equivalent to using a coagulated substance, such as mayonnaise, as the bonding agent.] One must, however, employ one of the recommended *shinuim* when stirring in the new ingredients to the original mixture (i.e. stirring in a criss-cross manner or bare-handed).

To illustrate: Vegetable bits* may be added to a completed egg salad. However, they must be stirred into the salad with criss-cross strokes or with the bare hand (but not with the handle of a utensil).

B. Adding Liquid to a Mixture

The *melachah* of *kneading* has been defined as binding together loose particles to form one mass. Causing a completed mixture to become more loose and liquid is, then, the opposite of *kneading* and is permitted. Thus, one may add liquids to a mixture and stir in the normal manner.[40]

---

*Note: See Chapter 9 for the rules regarding the dicing of vegetables on Shabbos.

---

40. בחזו״א סי׳ נ״ח ס״ק ז׳ כתב דנתינת מים לקמח חשוב לישה דוקא מפני שהמים מקבץ פירורי הקמח ומדבקם יחד, וזה נקרא גיבול, אבל היכא שהמשקה גורם פירוד ולא דיבוק איננו בכלל לישה, ונראה דסברתו הוא כדעת התהלה לדוד שהבאנו לעיל בהערה 2, דמלאכת לישה הוא שעושה מגופים נפרדים גוף אחד, אבל אם מרכך ומפריד דבר שהיה דבוק אין זה בכלל לישה, וכן שמעתי מהג״ר ח״פ שיינברג שליט״א. [ואגב אורחא צ״ע בדברי החזו״א דשם בסוף ס״ק ט׳ כתב דפירי המתדבק ע״י ריסוקו, כמו בננות וכיו״ב, אסור ליתן לתוך המרוסק משקה, ואפילו רסקו מערב שבת, משום דריסוקו לא חשוב לישה, ועכשיו כשנותן מים הוי תחילת לישה עכ״ד, וזה צ״ע דהא לכאורה המשקה גורם פירוד ולא דיבוק, ואין זה בכלל לישה, וע׳ בספר אז נדברו ח״ט סי׳ י״א שעמד בזה.] וראיתי בסוף שו״ת הר צבי בקונטרס טל הרים (מלאכת לש אות א׳) שנסתפק בדין זה וז״ל נסתפקתי בעיסה עבה ורוצה לעשותה רכה ומוסיף מים אם זה נאסר מצד לישה, אך בזה י״ל דמ״מ מתקן הלישה ותוספת לישה הוא, ותוספת לישה כלישה עצמה דכך היא מלאכת לישה וצ״ע בזה עכ״ל, וסברתו הוא דאע״ג דעושה פעולת פירוד מ״מ חשוב לישה הואיל ומתיפה העיסה בכך, דיפוי לישה חשוב כלישה. ובטללי שדה שם העיר דסברא זו נמצא בביאור הלכה סי׳ שכ״א סי״ד ד״ה אין מגבלין [הובא לעיל הערה 9] שכתב דאפילו לרבי דנתינת מים לקמח לבדו חשוב לישה מ״מ חייב אף על הגיבול הואיל ומתיפה הלישה בכך, והביא ראיה מהירושלמי דאיתא שם דהלש והעורך והמקטף חייב משום לש, והנה מלאכת העריכה היא אחר הלישה אלמא דאף שכבר נילוש העיסה מ״מ יש בזה עוד לישה, והיינו משום דע״י העריכה מתיפה הלישה יותר עכ״ד, ולכאורה יש לדחות ראיתו דהביאור הלכה לא איירי היכא שגורם פירוד בהעיסה אלא היכא שמיפה הדיבוק של העיסה.

However, this holds true only if the original mixture had already been completely kneaded. If some of the particles had not been properly mixed, adding liquids will cause these particles to blend with the mixture. This would qualify as an act of *kneading*, which would be permitted only with the proper *shinuim* enumerated above.[41]

To illustrate: One may add milk to a bowl of thick cereal. However, if some dry cereal has not yet blended with the rest, one must employ a *shinui* in pouring and in stirring. If the cereal is a thick mixture, and will remain thick even with the added liquid, one may not mix in the loose particles except in case of necessity.

C. Combining Two Mixtures

It is permissible to combine and knead together two fully mixed substances of the same consistency (i.e. both thick or both loose). Since all the particles in each mixture have already been fully blended, combining the two mixtures is not an act of *kneading*.

וע״ע בבה״ל סי׳ שכ״א סט״ו בד״ה יכול, שדן שם במ״ש המחבר דחרדל שלשו מערב שבת למחר יכול לערבו ולהוסיף לתוכו משקה, וכתב בבה״ל ז״ל ולולא דמסתפינא ה״א כפשוטו דמיירי שהחרדל נילוש מבעוד יום, ומה שממחו עתה בשבת אין עושה מעשה לישה כלל דהא כבר נילוש, ואין מיפה בהמיחוי להלישה, אלא ע״י המיחוי שממחו להחרדל עושה את החרדל רכה מאד שיהא ראוי לשתיה, ואין דבר זה מיקרי לישה וכו׳, וכ״ז שכתבנו מוכח דזהו שיטת הרמב״ם, דז״ל בפ״ח הי״ד חרדל שלשו בערב שבת למחר ממחה ושותה וכו׳, ומשמע דכל עשייתו בשבת הוא רק לעשותו רכה שיהא ראוי לשתיה, ולכך אין בזה בכלל לישה כלל עכ״ל הבה״ל. ולכאורה יש לדקדק מדבריו דדוקא הכא שעושה החרדל רכה מאד עד שראוי לשתיה להכי לא הוי בכלל לישה, אבל אילו ממחה החרדל קצת ונשאר בו קצת דיבוק שפיר הוי בכלל לישה הואיל ומתיפה הלישה בכך, ואע״ג דבהוספת משקה גורם פירוד ולא דיבוק, וזהו דלא כסברת החזו״א הנ״ל. מיהו יש לדחות דלעולם מודה הבה״ל דכל שגורם פירוד לא הוי בכלל לישה, ומה שהזכיר בתוך דבריו דהכא עושה החרדל רכה מאד עד שראוי לשתיה, היינו רק משום שכן הדרך בחרדל, למחותו עד שראוי לשתיה, וכדמשמע מדברי הרמב״ם, אבל לעולם מותר להוסיף משקה ולהפריד החרדל אף אם איננו עושה אותו רכה מאד עד שראוי לשתיה, וכן משמע שם בדברי הבה״ל בסוף הדיבור, דכל שמפריד החלקים הנדבקים איננו בכלל לישה ע״ש. והסכים לי בזה הגאון ר׳ ח.פ. שיינבערג שליט״א.

41. פשוט.

For example, one may mix a completed egg salad with tuna salad or with chopped liver (both thick), or blend applesauce with another fruit puree (both loose), without any *shinui*.

However, if one mixture is thick and the other is loose, combining the two mixtures is considered an act of *kneading* because the particles of the loose mixture become more tightly bound. Therefore, it is not always permissible to combine the two: One is permitted to do so (with the proper *shinuim*) if the combination will result in a loose mixture. However, if the final product will be a thick mixture, one may combine them only in a case of necessity, and by employing a *shinui* for each step of the process.

Summary

Improving upon an existing mixture can also fall under the category of *kneading*. Adding solids to a completed mixture is considered *kneading*. A loose mixture may be thickened — only in case of necessity — by employing a *shinui* for each step of the process. If the mixture will remain loose even with the added solids, it may be thickened (with the proper *shinuim*) in all circumstances. Solids may always be added to a thick mixture, but it must be stirred with a *shinui*.

Liquids may be added to any mixture — without a *shinui* — but only if all its particles have already been fully blended. (If not, the proper *shinuim* must be used. If the final product will remain a thick mixture, this is permitted only in cases of necessity.)

Two loose mixtures or two thick mixtures may be combined without any *shinui*. Combining a loose mixture with a thick mixture requires a *shinui*. If the combination will be a thick mixture, it is permitted only in cases of necessity.

VI. Practical Applications

A. Egg or Tuna Salad (with Mayonnaise)

Chopped egg or tuna may be combined with mayonnaise in the usual order. However, it must be mixed with criss-cross strokes (or with the bare hand). Mixing with a knife or with the handle of a utensil is not permitted.

The same holds true when adding egg or tuna, or when mixing vegetable bits, into a completed salad. The new pieces may be mixed only in crisscross fashion (or with the bare hand).

B. Egg Salad (with Oil)

An egg salad in which oil is used as the binder should, preferably, be prepared before Shabbos. If this is not possible, or in a case of necessity, one may make it on Shabbos by adding together the ingredients in the reverse order, and mixing with crisscross strokes (or bare handed).

[Note: In some areas it is common for people to make egg salad on Shabbos without any *shinui*. Although some *Poskim* justify this practice, it is best to avoid doing so.][42]

C. Baby Cereal (Loose Mixture)

Baby cereal may be prepared with milk, formula, water or applesauce to form a loose mixture, so long as the proper *shinuim* are employed. The order of adding together the ingredients must be reversed (i.e. pour the milk first, then add the cereal), and the stirring must be done in an irregular manner (crisscross, bare handed or using a knife or handle of a utensil).

One should be sure to use a lot of liquid to avoid forming a thick mixture.

D. Baby Cereal (Thick Mixture)

Cereal may be prepared as a thick mixture only in case of necessity; e.g. for a baby who does not eat loosely mixed cereal.

When doing so, the order of adding the ingredients to the bowl must be reversed and the stirring must be done in a crisscross fashion or with the bare hand. Mixing with a knife or with the handle of a utensil is forbidden.

---

42. שו״ת האלף לך שלמה או״ח סי׳ קל״ט, שו״ת באר משה ח״ו סי׳ מ״ד, שו״ת ציץ
אליעזר חי״א סי׳ ל״ו.

E. Highly Absorbent Cereals

Cereals which are so absorbent that they merge into a mass without stirring may never be made into a thick mixture on Shabbos. This includes, for example, instant oatmeal, as well as many baby cereals.

Such cereals must be mixed with a lot of liquid (with the proper *shinuim*) to form a loose mixture.

F. Thickening or Loosening a Previously Mixed Cereal

See Section V, above.

G. Adult Cereals

The *melachah* of *kneading* does not apply to ordinary breakfast cereals (e.g. cornflakes, Rice Krispies, Cheerios) which do not bond when mixed with milk. (When crushed, however, these cereals do bond and are subject to the prohibition of *kneading*.)

Bran cereals, oatmeal, farina and similar cereals which bond together are subject to the *melachah* of *kneading*.

H. Baby Formula and Powdered Milk

Mixtures which are completely fluid are not subject to the *melachah* of *kneading*. However, some powders which do not dissolve freely are prepared in stages: A small quantity of water is first used to form a paste, then more water is added to liquefy the mixture. This paste may be prepared only in a case of necessity (e.g. for a baby, when none other is available), and with the proper *shinuim*.

I. Vegetable Salad

It is permissible to mix a vegetable salad using oil, vinegar or mayonnaise, so long as the pieces are large enough that they are recognized individually, and are not perceived as one body.

J. Mixing Horseradish or Ketchup with Mayonnaise

It is permissible to mix horseradish or ketchup with mayonnaise.

K. Cottage Cheese with Cream

It is permissible to blend cottage cheese with cream.[43]

L. Fruit with Cream

It is permissible to mix chunks of fruit with cream, so long as they remain clearly defined within the mixture.

M. Instant Potatoes

It is forbidden to mix instant potatoes on Shabbos, even by means of a *shinui*.[44]

N. Instant Pudding

Instant pudding may not be made into a thick mixture on Shabbos (except in a case of necessity, such as for a sick person). A loose mixture may be made, with the proper *shinuim*.[45]

Note: When preparing pudding with hot water, the laws of *bishul* (*cooking*) must be taken into account.

---

43. שו"ת אג"מ או"ח ח"ד סי' ע"ד דיני לישה ס"ק ח.

44. אג"מ שם ס"ק ז.

45. אג"מ הנ"ל.

12 / Marinating and Salting

It is forbidden to marinate any food item in a spicy liquid (e.g. vinegar, salt water, pickle brine) on Shabbos. This Rabbinic Prohibition was enacted because marinating (or pickling) alters the quality of the food, and is therefore comparable to *cooking*.[1]

The prohibition applies to all foods, including vegetables (e.g. pickling cucumbers, tomatoes or peppers), fish (e.g. pickling herring) and meat (e.g. corned beef). None may be marinated on Shabbos.

Salting

With most vegetables, *salting* is also included in the prohibition of *marinating*.*[2]

Therefore, it is forbidden to salt vegetables (other than those excluded below), except according to the following guidelines.[4]

---

*Note: There is another opinion that salting foods is prohibited because it is comparable to the *Av Melachah* מְעַבֵּד: *tanning hides*. Since salting can alter the quality and texture of a food, it is similar to the *melachah* of *tanning*, in which salt (or a similar chemical) is used to improve the texture of the hides.[3]

---

1. רמב״ם פכ״ב מהלכות שבת ה״ו.

2. ש״ע ס׳ שכ״א ס״ג. ומקור לדין זה הוא ברמב״ם פכ״ב מהלכות שבת וז״ל ומותר למלוח ביצה אבל צנון וכיוצא בו אסור מפני שנראה ככובש כבשים בשבת והכובש אסור מפני שהוא כמבשל עכ״ל. וע׳ בקצות השלחן ס׳ קכ״ח בבדי השלחן סק״ב שדן בנידון אם מותר לפזר צוקר על ירקות עי״ש.

3. מ״ב ס״ק טו בשם רש״י. ולהלכה אנו חוששין בין לטעמו של הרמב״ם ובין לטעמו של רש״י, ע׳ מג״א ס׳ שכ״א ס״ק ה׳ וס״ק ז ופמ״ג שם, ובשו״ת שבות יעקב ח״ב סי׳ י״ב.

4. וע׳ בשו״ת שבות יעקב ח״ב סי׳ י״ב [הובא במנחת שבת ס׳ פ ס״ק צ״ג] וזהו לשון השאלה על מה סומכין העולם שמולחין אוגרקס [cucumber] חיין בשבת דהוי לכאורה

1) It is permissible to salt one single piece of food at a time, if it will be eaten immediately. Food may also be dipped into salt, one piece at a time, immediately before eating.[5]

2) It is permissible to salt a large amount of food (i.e. more than one piece) only if oil, or some similar liquid, is poured on the food, so that the sharpness of the salt is weakened.[6] This liquid may be added either before the salting or immediately afterward, but preferably before.[7]

For example, when salting a vegetable salad, one should add a liquid (e.g. oil, salad dressing) to the salad, either after the salting or preferably beforehand.

כמעבד דאסור, ועי״ז השיב השבות יעקב וז״ל ולי נראה טעם מנהגן של ישראל היא, פשיטא לדעת הרמב״ם מפני שנראה ככובש כבשים וכו׳ מותר למלוח דברים שאין דרכן לכבוש, א״כ גם חתיכות אוגרקס קלופים אין דרכם לכבוש, רק כובשין אותם כשהם שלימין עם קליפתן וכו׳, ולדעת רש״י אליבא דחזקי׳ דהמלח לאו מקרי תקון שאסור בשבת אלא היכא שמשנה טעמא, כגון צנון שחורפא לא מעלי וע״י מלח נעשה מתוקן גמור ונשתנה חורפא, וכן כל דברים מרורי׳ שנעשים מתוקנים ע״י מלח, משא״כ ביצה שאין לו חורפא או מרירות רק שמולחין כמו שמולחין כל דברים שאוכלים עם מלח לא מקרי עבוד לכן הביצה מותר, א״כ ה״ה באוגרק״ס קלופים וכיוצא בזה וכו׳.

וע׳ בששכ״ה פי״א הערה ו׳ שכתב בשם הגרש״ז אויערבאך שליט״א שמותר למלוח עגביות חתוכות עי״ש.

וע׳ בקיצור הלכות שבת סי׳ לא ס״ב שכתב חידוש גדול בנוגע מליחת אוכלין וז״ל אוסרים רק מליחה שנעשית באופן שיכולים לומר שדומה לעיבוד וכו׳, אבל אין לאסור ליתן מלח באוכלים באופן שאינו דומה לעיבוד, והיינו מה שמתירים ליתן מעט מלח לכל דבר ליתן טעם עכ״ל. ובפנים לא הבאתי אלא מה שפסקו המ״ב ושאר אחרונים דאסור למלוח, ומשמע מסתימת דבריהם דבכל גווני אסור.

5. מ״ב סי׳ שכ״א ס״ק י״ד וכ׳. וע׳ בקצות השלחן (סי׳ קכ״ח בבדי השלחן ס״ק א׳) וז״ל אמנם יש להעיר שמה שסיים [בשלחן ערוך הרב] שאסור למלוח מהם יותר מחתיכה אחת, זה קאי על צנון ושום וכיוצא אבל בפולין ועדשים לא שייך זה, שהרי אינם נאכלים כל אחת בפני עצמה וכו׳ ונראה פשוט שמותר למלוח פולין ועדשים מלא הכף שאוכל בפעם אחת ולאכלה לאלתר וזה דומה לחתיכה של צונן, כיון שדרך אכילתן בכף ולא בחתיכות עכ״ל.

6. מ״ב ס״ק י״ד. וע׳ בספר קיצור הלכות שבת ס׳ ל״א ס״ג שכתב דגם מים מחליש כח המלח. וע׳ בקצות השלחן ס׳ קכח בבדי השלחן ס״ק ה׳ וז״ל ואם לא היה לו שמן הי׳ יכול לתת מים הרבה על הצנון עכ״ל. מבואר מדבריו דדוקא מים הרבה מחליש כח המלח.

7. קצות השלחן ס׳ קכ״ח ס״ג.

Foods Excluded from this Prohibition

The prohibition against *salting* does not apply to all foods, but only to those whose quality or texture can be altered by salting. This includes most vegetables, which tend to harden when salted, and beans, which soften when salted. Also included are bitter and pungent foods, whose quality can be improved by salting.[8]

On the other hand, foods in which salt does not effect a real change, but merely adds flavor, are exempt from this prohibition and may be salted in large quantities. This exemption applies to *cooked* meat, fish and eggs, and similar foods.[9]

However, even such foods should not be salted far in advance of eating.[10]

Practical Applications

When served a plate of vegetables, either by itself or as a sidedish (e.g. together with egg salad), the proper procedure is to salt only one piece at a time, and eat it immediately. Only if a liquid dressing is applied to the vegetables may they all be salted at once.

---

8. מ״ב ס״ק י״ג.

9. ש״ע סי׳ שכ״א ס״ה.

10. ש״ע הנ״ל והמ״ב בס״ק כ״א כתב וז״ל דהא דמתירין לעיל בביצה למלחה היינו לצורך אותה סעודה, אבל למלוח הבשר וביצה להניח לאחר זמן דמי לעיבוד וכבישה, והנה דעת המג״א וט״ז דאפי׳ דעתו לאכול ביומו אם הוא לצורך סעודה אחרת יש ליזהר בזה [והיינו בשהסעודה אחרת נמשך זמן רב אחר סעודה ראשונה] אבל הא״ר מצדד דאין לאסור רק אם בדעתו להניח לאחר שבת וכן משמע מביאור הגר״א, ובפרט אם העת חם והוא עושה כן כדי שלא יסריח בודאי יש להקל לצורך סעודה אחרת דגם הט״ז מתיר בזה עב״ל.

13 / מוֹלִיד – Creating a New Entity

One prohibition instituted by the Sages because it *resembles melachah* is *molid:*[1] *creating a new entity*. Under this prohibition, it is forbidden to transform an item from solid to liquid form, or vice versa, for by doing so one produces a new object. Freezing and defrosting liquids on Shabbos are subject to this prohibition.

I. The Prohibition

There is a difference between bringing about the new state of an object manually (directly by one's own hand), and doing so indirectly (by merely *causing* the change to come about without applying the energy for the transformation with one's own hand).

ו. שבת דף נא: אין מרסקין לא את השלג ולא את הברד בשביל שיזובו מימיו וכו׳ ובדברי הראשונים נאמרו שלשה פירושים בטעמו של איסור זה.

א) רש״י פירש דאסור משום דקא מוליד בשבת ודמי למלאכה שבורא המים הללו עכ״ל. ובשו״ת מהרי״ל דיסקין ס״ו תמה על דברי רש״י דלאיזה מלאכה מתיחס איסור זה, הלא אין זה דומה לשום אחת מל״ט אבות מלאכות. וע׳ בספר שלחן עצי שטים במלאכת דש, שכתב דאסור משום דדומה למכה בפטיש, שעל ידי ריסוק הברד גומר בריאת המים עיי״ש.

ב) הרמב״ם הביא הלכה זו בפכ״א מהל׳ שבת באמצע הלכות סחיטה, וכתב במגיד משנה דמשמע מזה דטעם האיסור הוא גזירה משום סחיטת פירות, דהואיל ושלג וברד למימיהן הם עומדים דומים לפירות העומדים למשקה, ולפיכך אסרו חכמים לרסקן כדי להוציא מימיהן, וסברא זו כתוב בחי׳ הרשב״א סוף פ׳ במה טומנין.

וכתבו הרשב״א והר״ן דבין אם טעם האיסור משום דדמי למלאכה, ובין אם הוא גזירה אטו סחיטת פירות אין האיסור אלא לרסק בידים, אבל מותר ליתן השלג והברד בחמה או אפילו כנגד המדורה אע״פ שנימוחין שם.

ג) שיטת בעל התרומות, הובא בראשונים סוף פ׳ במה טומנין, דאסור ליתן שלג וברד כנגד המדורה או בחמה מפני שנימוחין שם אע״פ שאינו מרסק בידים, ושיטה זו יתבאר בסמוך.

A. מוֹלִיד (Molid) – Creating a New Entity

It is forbidden to crush ice (or any frozen liquid) on Shabbos, because by doing so one creates a new entity: liquid.[2] This same prohibition applies to other methods of dissolving an item, such as pouring hot water over it,[3] shaking, rubbing or stirring.

It is similarly prohibited to pour hot water over congealed gravy, because by dissolving the gravy, one creates a new liquid entity.

By the same token, some *Poskim* prohibit discharging whipped cream from a pressurized can, since that is tantamount to manually transforming the liquid cream into a solid whip.[4]

If this prohibition is violated it is further prohibited to derive any benefit from the newly created entity until after Shabbos.[5]*

B. נוֹלָד (Nolad) – Causing the Creation of a New Entity

According to some *Poskim*, it is also forbidden to *cause* the creation of a new entity. Thus, one may not place frozen liquids near a flame (or other hot area), because this directly causes them to melt and results in the creation of a new entity.[6]

---

*Note: With other Shabbos Prohibitions, complex rules apply in case of a violation, and a competent Halachic Authority must be asked whether the derivation of benefit is permitted. In case of a violation of *molid*, however, use of the newly created entity is always forbidden.

---

2. שו״ע סי׳ ש״כ ס״ט.

3. מ״ב סי׳ רנ״ג ס״ק ק, וע׳ ס׳ ש״כ ומ״ב ס״ק ל״ד וצע״ק.

4. כן שמעתי מידידי הגר״ש פעלדער שליט״א והסכים לו בזה הגאון ר׳ משה שטערן שליט״א, והגאון ר׳ מנשה קליין שליט״א, והגאון ר׳ יחזקאל ראטה שליט״א.

5. ע׳ ציון 6.

6. שיטת בעל התרומות, הובא בר״ן סוף פ׳ במה טומנין וז״ל אבל בספר התרומה כתוב דאסורין [מים שיצאו משלג וברד] משום נולד ומוקצה, ואסור ליתן קדרה שקרש שמנוניתה כנגד המדורה משום דמעיקרא עב וקפוי ועכשיו נמחה ונעשה צלול, ולפי טעמו אף בחמה אסור השומן דנולד הוא עכ״ל. והנה סברא זו דהמשקה היוצא חשוב נולד ומוקצה, מועיל רק לאסור שתיית המשקה בשבת, אבל אין זה טעם לאסור עצם ריסוק השלג והברד, ואולם מלשון הגמרא ״אין מרסקין לא את השלג ולא את הברד״

However, even according to this opinion, one is permitted to remove frozen liquids from the freezer and allow them to defrost at room temperature. Only directly causing them to melt, by placing them in a particularly hot area, is forbidden.[7]

משמע דעצם מעשה הריסוק אסור, וכן ממה שכתב הר״ן דלבעל התרומות ״אסור ליתן קדרה שקרש שמנוניתה כנגד המדורה״ מבואר דעצם סמיכת הקדירה לאש אסור, וצריך טעם לזה.

והנה הרא״ש הביא בשם ספר התרומה, אסור להחם פשטיד״א [תבשיל פת ממולא בחתיכות שומן] בשבת אצל המדורה משום דשומן הנקרש נימוח והו״ל מוליד, ודמי להך דאין מרסקין לא את השלג ולא את הברד עכ״ל. מבואר מדבריו דיסוד שיטת בעל התרומות הוא כעין שיטת רש״י דטעם איסור ריסוק הוא משום שמוליד המים, אלא שבעל התרומות הוסיף דאף כשאינו מרסק בידים אלא סומך התבשיל למדורה ג״כ אסור משום מוליד. ובספר ברכת השבת דף רי״ט הסביר הדבר, דכל מקום שהיוצא מיקרי נולד יש איסור מוליד, דאסור להביא למצב שיהיה על הזב דין נולד ואע״פ שאינו עושה מעשה בידים אסור להביא נולד לעולם.

ומצאנו חידוש בביאור הגר״א סי׳ שי״ח סט״ז, דהנה הרמ״א כתב שם דיש להחמיר שלא ליתן תבשיל אינפאנדא כנגד האש מפני שהשומן שבה שנקרש חוזר ונימוח, והיינו כשיטת בעל התרומות. אבל בביאור הגר״א כתב דמקור הרמ״א הוא מדברי רש״י שפי׳ דטעם דאין מרסקין הוא משום מוליד, ומבואר דס״ל להגר״א דשיטת רש״י הוא שיטת בעל התרומות דכל היכא שיש על היוצא דין נולד יש בו איסור מוליד ואע״פ שאינו מוציא המשקה בידים [ובאמת שכן כתב בשלטי גבורים ס״פ במה טומנין ואולם כבר הבאנו דבר הרשב״א שחולק ע״ז וכתב דלדעת רש״י רק ריסוק בידים אסור]. ובביאור שיטת בעה״ת ע״ע בשו״ת שבט הלוי ח״ג סי׳ נ״ה, שו״ת ציץ אליעזר ח״ו סי׳ ל״ג, שו״ת משנה הלכות ח״ד סי׳ מ״ח, שו״ת להורות נתן ח״א ס״כ.

הר״ן סוף פרק במה טומנין כתב דלשיטת בעה״ת אסור המשקה היוצא משום נולד ומוקצה וכ״כ במג״א סי׳ שי״ח ס״ק מ״ב והוסיף עוד טעם דאסור משום משקין שזבו (כן ביאר דבריו בפמ״ג). וע׳ אגלי טל מלאכת דש סי׳ ל״ו אות כ״ה שהקשה דרק ביו״ט יש איסור נולד אבל בשבת קיי״ל בסי׳ ש״ח ס״ו דנולד שרי.

7. הבאנו לעיל דברי הר״ן שכתב דלדעת בעל התרומות אפילו אם הניח התבשיל בחמה ונפשר מאליו אסור השומן משום נולד ומוקצה, אבל בשו״ת פנים מאירות ח״א סי׳ פ״ד חולק ע״ז ומחדש דבאמת בעה״ת סובר לגמרי כפרש״י דהא דאין מרסקין שלג וברד משום סרך מלאכה שמוליד ובורא המים הללו שלא היו כאן לפנים, וכן השומן של הפשטיד״א נמי דומה לבורא כשנימוח, והא דאסור ליתן הפשטיד״א סמוך לאש אע״ג דאינו מרסק בידים, הוא משום דהוי כגרמי וכעושה מלאכה בידים שמוליד בשבת, אבל ברחוק מן האש או בנימוח מאליו לא עלה על דעת בעה״ת לאסור משום נולד ומוקצה עכ״ל ועיין שם שכתב שכן מבואר מדברי הרא״ש שכתב דטעמו של בעל התרומות הוא משום מוליד (כפרש״י) ולא הזכיר איסור נולד ומוקצה כלל.

According to this view, it is also prohibited to place liquids in a freezer, as this directly causes them to freeze and to assume a new, solid form.[8]

Other *Poskim* disagree with this opinion, and rule that only manually creating a new entity is prohibited. Merely *causing* the creation of a new entity is permitted.[9]

The Accepted Ruling

Le'chatchilah (before the fact), we abide by the stringent view. Therefore, one should not defrost liquids in a particularly hot area (e.g. near a stove or radiator) or freeze liquids on Shabbos. However, *be'di'eved* (ex post facto), if an object was caused to liquefy or freeze,[10] and it cannot be replaced by a similar item, one may rely on the lenient view and use that item on Shabbos.[11]

For example, one should not defrost frozen concentrate near an oven. However, if this was done and no other juice is available, the melted concentrate may be used.

ולענין הוצאת קרח מהמקרר י״ל דאפילו לדעת הר״ן בשיטת בעל התרומות אין האיסור אלא כשמניח בחמה דעכ״פ עשה פעולה לגרום הפשרת השומן וניכרת מחשבתו להוליד השומן, אבל כשמניח הקרח על השלחן וכדומה לא עשה שום פעולה להפשיר הקרח י״ל דמותר. והסכים לי בזה הגאון ר׳ ח.פ. שיינבערג שליט״א, והגאון ר׳ יחזקאל ראטה שליט״א. וכ״ה להיתרא בשו״ת אז נדברו ח״י ס״י ובשו״ת ציץ אליעזר ח״ו ס׳ ל״ד אות ל ובשו״ת שבט הלוי ח״ז סי׳ מ.

ובספר ברכת השבת דף רכ״ז כתב ג״כ דמותר, והביא ראיה לזה ממ״ש במג״א סי׳ שי״ח ס״ק מ״ב דמותר ליתן הפשטיד״א סמוך לתנור קודם שהוסק התנור ואע״פ שאח״כ הוסק התנור ע״י נכרי מותר כיון דבשעה שהניח שם הפשטיד״א לא עשה בזה פעולה הגורמת הפשרת השומן. וע״ע בשו״ת ציץ אליעזר ח״ו סי׳ ל״ג אות י״ג שהאריך בזה.

8. שו״ת חלקת יעקב ח״ב סי׳ צ״ח, שו״ת שבט הלוי ח״ג סי׳ נ״ה, וע״ע בהערה 22.

9. ע׳ ציון 1.

10. רמ״א סי׳ שי״ח סט״ז דנהגו להחמיר כשיטת בעל התרומות מיהו במקום צורך יש להקל, ובמ״ב ס״ק ק״ז כתב דהא דנהגו להחמיר היינו לכתחלה, אבל בדיעבד אם נימוח ונולדו משקין בשבת בכל גווני אין לאסור המשקין עכ״ד.

11. שמירת שבת כהלכתה פרק י׳ הערה י׳ בשם הגאון רש״ז אויערבך שליט״א, דמה שכתב במ״ב דבדיעבד מותרין משקין שנולדו היינו דוקא כגון פשטיד״א דאיירי בה

Similarly, one should not make frozen ices on Shabbos. If it was done, however, and no other is available, those ices may be used.

C. Freezing and Defrosting Dry Foods

Dry food items are not subject to this prohibition, since they retain their solid form whether frozen or thawed.[12] However, foods that contain gravy are subject to *molid* and should neither be frozen nor defrosted in a hot area on Shabbos.

For example, *challah*, chicken and *kugel* may be frozen, or defrosted near an oven (where there is no question of *cooking* — see Chapters 1,3), but a soupy *cholent* may not. [If a frozen item is covered with some ice, it is proper to shake off the ice before placing it near a source of heat for defrosting.][13]

Occasionally, a fully defrosted food has some congealed gravy on it. Such a food may not be placed near an oven to dissolve its gravy.

Summary

It is forbidden to dissolve a frozen item (or congealed gravy)

המ״ב, שאם נאסור אותו אין לו פשטיד״א אחרת, ולכן הוי בדיעבד כמו במקום צורך דיש להקל, אבל בקרח שנפשר י״ל דכל שיש לו מים אחרים אין לשתות אלו המים לכתחלה, דכיון דאין לו צורך מיוחד לאלו המים שנפשרו אין להקל בהם לשתותן.

12. שו״ת מנחת יצחק ח״ח סי׳ כ״ד, ולא נתן טעם לדבריו, אבל בשו״ת בצל החכמה ח״ב סי׳ כ״ו כתב דאף לספר התרומות לא חשיב נולד אלא כשנשתנה מקרוש לצלול דנשתנה דינו לענין טומאה וכו׳ אבל היכא דלא נשתנה דינו לענין טומאה אע״ג דנשתנה צורתו לא חשיבא נולד וכו׳ וכתב שם שכן איתא בשו״ת מהר״י אסאד או״ח סי׳ ע״ח, וסברא זו הובא ג״כ בשמירת שבת כהלכתה פרק י׳ הערה ט״ו בשם הגאון רש״ז אויערבך שליט״א. וע״ע בזה בשו״ת מחזה אליהו סי׳ ס״א.

ובששכ״ה פ״א סעיף ל״ז כתב עוד בשם הגרש״ז שליט״א דרוטב שרגילין לאוכלו גם כשהוא קרוש כגון ציר דגים מותר להפשירו, אבל בספר ברכת השבת דף ר״כ פקפק בזה.

וע״ע בששכה״כ פ״י הערה ט״ו בשם הגאון רש״ז אויערבך שליט״א דאין איסור נולד בחלב, וטעמו משום דס״ל דחלב נקרא משקה לענין טומאה בין כשהוא קפוא ובין כשהוא נמוס משא״כ במים, אבל בשו״ת בצל החכמה ח״ב סי׳ כ״ו סק״א כתב דאף בחלב יש איסור נולד, וע׳ בספר אז נדברו ח״י סי׳ ו׳.

13. שו״ת מנחת יצחק ח״ט סי׳ לא.

manually (e.g. by crushing). If this prohibition was violated, use of the newly dissolved liquid is forbidden until after Shabbos.

One should not cause an item to dissolve by placing it near an oven, or cause an item to freeze by inserting it in a freezer. However, if one did cause *nolad*, the item may be used (unless another is available).

Solid foods that contain gravy should not be caused to freeze or caused to defrost near an oven. Those that have no gravy are exempt from this prohibition.*

II. Circumstances in Which Causing the Creation of a New Entity Is Permitted

There are some circumstances in which one is permitted to *cause* the creation of a new entity (*nolad*).

A. Dissolving Ice in a Liquid

It is permissible to cause ice to dissolve by immersing it in liquid, because it will dissolve into the existing liquid and will not be recognized as a new entity.[14] This is permitted even if the

---

*Note: Freezing and defrosting in preparation for a post-Shabbos meal is forbidden under the law of *hachanah* (see Chapter 17).

---

14. גמרא שבת דף נא. והובא בשו״ע סי׳ ש״כ ס״ט וז״ל השלג והברד אין מרסקין אותן וכו׳ אבל נותן הוא לתוך כוס של יין או מים והוא נימוח מאליו ואינו חושש עכ״ל. ובמ״ב ס״ק ל״ד כתב הטעם וז״ל דכיון דלא עביד מעשה בידים לא גזרו ביה, ויש מתירין אפילו לרסק בידים לתוך הכוס, והטעם דכיון שנתערב במה שבתוך הכוס ואינו בעין לא גזרו ביה כלל עכ״ל. ולכאורה היה נראה דשני הסברות שהביא המ״ב תלויין במחלוקת הראשונים שהבאנו בתחלת הפרק ביסוד הטעם דאיסור מוליד, דלשיטת רש״י שהוא משום דדמי למלאכה ולשיטת הרמב״ם שהוא גזירה אטו סחיטת פירות, אין עיקר האיסור שייך אלא כשמרסק בידים, ולכן פשוט דכשאמרה הגמרא דמותר ליתן לתוך הכוס, טעם ההיתר הוא מפני שנימוח מאליו. אבל לשיטת ספר התרומה דטעם האיסור הוא משום נולד אין חילוק בין מרסק בידים לנימוח מאליו, דבכל אופן שייך איסור נולד, ועל כרחך כשהגמרא מתרת ליתן לתוך הכוס יש כאן סברא חדשה, והיינו מפני שאינו בעין ואינו ניכר, ולפי טעם זה מותר אפילו לרסק בידים לתוך הכוס כיון שאינו ניכר, כן היה נראה לכאורה. [ובחדושים המיוחסים להר״ן סוף במה טומנין כתב דלשיטת רש״י

ice is not completely submerged.[15] However, it is preferable to avoid *manually* dissolving ice (i.e. crushing) even while submerged in a liquid.[16]

While a frozen item is immersed in liquid, it is also permissible to place it in a hot area so that it will dissolve quickly.

To illustrate: Frozen concentrate may be immersed in water and placed near an oven (where there is no question of *cooking*, see Chapters 1,3), to dissolve. Furthermore, concentrate that began to dissolve at room temperature may be placed near an oven, because the remaining ice will dissolve into the already-melted fluid. However, one should not crush the concentrate or stir the mixture until it is fully dissolved.

B. Cases of Necessity

In a case of necessity, one may rely upon the lenient opinion

---

הא דשרי ליתן לתוך הכוס היינו משום שאינו ניכר, ומשמע מזה שמפרש דדעת רש״י הוא כשיטת בעל התרומות וכמ״ש בביאור הגר״א, הובא לעיל הערה 6].

אבל הרשב״א והר״ן ס״פ במה טומנין נקטו שתי הסברות להקל, וכתבו דלרש״י והרמב״ם מותר כשנימוח מאליו ואפילו הוא בעין [כגון להניח בחמה], ומותר לתוך הכוס אפילו לרסק בידים.

ובשו״ת מהר״ח אור זרוע סי׳ פ״ג כתב דרך חדשה בזה דטעם ההיתר הוא משום דהוי דבר שאין מתכוין, דכיון שאינו מכוין להפשיר את השלג והברד אלא לצנן את המים שבכוס מותר, ואע״ג דפסיק רישיה הוא שהברד נימוח, מ״מ הוי פס״ר דלא ניחא ליה ובמקום מצות עונג שבת התירו. וע׳ באגלי טל מלאכת דש ס״ק ל״ו שפירש כן בדברי רש״י סוף במה טומנין, וכ״כ בספר מנורה הטהורה סי׳ שי״ח בקני המנורה אות מ׳.

15. שו״ת בצל החכמה ח״ב סי׳ כ״ו.

16. ע׳ הערה הקודמת שהבאנו שתי דעות בזה, ובשער הציון סי׳ שי״ח ס״ק קמ״ו כתב דטוב להחמיר לכתחלה.

וראיתי בחוברת אור השבת ח״ג דף פ אריכות דברים בנידון אם מותר לערב צוקער בידים בתוך הכוס בשבת, דלפ״מ שכתב בשעה״צ להחמיר בריסוק בידים בתוך הכוס ה״ל לאסור אף הצוקער [ובספר אמרי יושר בהנהגות החזו״א חשש להחמיר בזה] ועיי״ש שהאריך למצא היתר ובסוף מסיק דצ״ע במה שנהגו העולם להקל בזה. אמנם באגרות משה או״ח ח״ד סי׳ ע״ד בדיני לישה אות א׳ כתב דמותר לערב צוקער בכוס אבל לא כתב שום טעם בזה, וע״ע בזה בס׳ קצות השלחן סוף סי׳ קכ״ז, ובס׳ ברכת השבת דף ריח.

that permits *causing* liquids to freeze and *causing* solids to dissolve.[17]

With regard to *nolad*, the term 'cases of necessity' includes preparing for guests[18] or to enhance the enjoyment of Shabbos (*Oneg Shabbos*).[19]

It is also permissible to freeze liquids on Shabbos to prevent their spoilage.[20]

C. Dissolving Ice Manually

Crushing ice or otherwise dissolving it manually is forbidden even in cases of necessity. However, in such a case, one may crush the ice (or stir it) while it is immersed in a liquid.[21]

Summary

One may dissolve ice near an oven (but not crush or stir it) while it is immersed in a liquid. In a case of necessity, one is permitted to freeze liquids or to dissolve frozen items in a hot area. Freezing is also permitted to avoid spoilage.

In a case of necessity, one may crush ice (or stir it) while it is immersed in a liquid.

III. Practical Applications

A. Dissolving Frozen Liquids

Liquids may be defrosted at room temperature, but should not be placed in a hot area (e.g. near an oven) to dissolve. However, once partially melted, they may be moved to a hot area to dissolve completely.

---

17. רמ״א סי׳ שי״ח סט״ז וז״ל מיהו במקום צורך יש לסמוך אסברא ראשונה [דמותר להניח קדירה שיש בו שומן כנגד המדורה] עכ״ל. וע׳ בלבוש שכתב דלצורך אורחים יש להקל דזה מיקרי ״צורך״, ומבואר מדבריו דלא בכל אופן שאדם צריך לכך יש להקל, אלא במקום צורך מיוחד כמו אורחים.

18. ע׳ ציון 17.

19. מהר״ח אור זרוע סי׳ פ״ג שכתב להתענג בשבת הוי במקום מצוה. שו״ת ציץ אליעזר ח״ו סי׳ ל״ג.

20. שו״ת מנחת יצחק ח״ט סי׳ ל״א.

21. כן נראה פשוט והסכים לי בזה הגאון ר׳ ח.פ. שיינבערג שליט״א.

In cases of necessity (e.g. if needed immediately for guests), liquids may be initially dissolved in a hot area. Crushing or shaking them, however, is forbidden even in cases of necessity, unless immersed in liquid.

B. Making Juice from Concentrate

To dissolve frozen concentrate, one should follow the procedure mentioned above. In addition, one may immerse the concentrate in water and place it near an oven to dissolve. However, one should not crush the concentrate or stir the mixture until completely dissolved.

In a case of necessity, one may stir the mixture or crush the frozen concentrate while submerged in water.

C. Freezing Liquids for Storage

Liquids may not be frozen on Shabbos for storage, except to prevent spoilage.

D. Making Ice Cubes or Frozen Ices

One should not prepare ice cubes or make frozen ices on Shabbos, except in cases of necessity (e.g. in anticipation of guests or for *Oneg Shabbos*).[22]*

---

*Note: Some *Poskim* rule that one is permitted to make ice cubes for Shabbos use, even without particular necessity. Their opinion is that the restriction against freezing applies only to liquids other than water.[23]

---

22. בשו״ת חלקת יעקב ח״ב סי׳ צ״ח כתב דעשיית קרח בשבת מותר רק במקום צורך, וטעמו דכשנותן מים במקרר נעשה הקרח מאליו וזה דומה לשימת אינפאנד״ה כנגד המדורה שהשומן נימוח מאליו, וליכא בו אלא משום האיסור נולד ומוקצה דכמו דנוהג איסור נולד בהפשרת דבר גוש כן נוהג איסור נולד בהקפאת דבר לח, ולפ״מ שכתב הרמ״א להחמיר בשימת אינפאנד״ה כנגד המדורה כדעת בעל התרומות, ולהקל במקום צורך, הוא הדין לענין עשיית קרח, וכן פסק בשו״ת שבט הלוי ח״ג סי׳ נ״ה, ועי״ע בשו״ת ציץ אליעזר ח״ו סי׳ ל״ג, ובקובץ הפרדס סיון תרצ״ז שנדפסו דברים בזה בשם הג״ר שמחה זעליג זצ״ל דומ״ץ בעיר בריסק. [ובשו״ת דובב מישרים מהגאון מטשעבין זצ״ל אוסר לעשות קרח אפילו במקום צורך. אמנם כל פוסקי זמנינו דחו דבריו, ע׳ שו״ת מנחת יצחק ח״ח ס׳ כ״ד, שו״ת שבט הלוי ח״ג ס׳ נ״ה, שו״ת חלקת יעקב ח״ב ס׳

E. Dry Foods

Dry foods may be frozen or defrosted for Shabbos use. However, a food that contains gravy is subject to the same restrictions as a liquid.

Meat with congealed fat should not be placed in a hot area to dissolve the fat. Dry food that is coated with some ice should, preferably, have the ice removed before it is defrosted in a hot area.

צ״ח, וח״ג ס׳ קי״ג, שו״ת משנה הלכות ח״ד ס׳ מ״ח, שו״ת באר משה ח״ב ס׳ כ״ה.]

והנה בחוברת אור השבת ח״ד דף ק״ז כתוב ששמע בשם מרן בעל אגרות משה זצ״ל להתיר לגמרי עשיית קרח בשבת, ואין בזה איסור נולד כלל, וטעמו דכיון שכל תכלית הקרח הוא רק להיות חוזר ונימוח כשנותנו במים, לא חשוב הקפאת הקרח השתנות לחפץ אחר ולא הוי נולד עכ״ד. ואולם היתר זה שייך רק בעשיית קרח ממים בלבד, אבל בעשית ices לא שייך סברא זו דהא עומדים להאכל בצורתם הקפוא. וע״ע בשמירת שבת כהלכתה פ״י הערה י״ד שהביא בשם הגאון רש״ז אויערבך שליט״א עוד סברות להקל בעשיית קרח, וע״ע בשו״ת באר משה ח״ב סי׳ כ״ה שפסק ג״כ להקל בעשיית קרח. ובשו״ת בצל החכמה ח״ב ס׳ כ״ה.

23. ע׳ ציון 22.

14 / מְמַרֵחַ – Smoothing

One of the *Avos Melachos* mentioned in the *Mishnah* is מְמַחֵק: *scraping*.[1] This refers to scraping an animal hide to smooth its surface so that it can be used as parchment.[2]

A *toladah* (corollary) of this *melachah* is מְמַרֵחַ: *smoothing*, which refers to smoothing moldable substances such as שַׁעֲוָה: *(bee's) wax*, זֶפֶת: *tar*, and חֵלֶב: *animal fats*. Rubbing or spreading such substances to give them a smooth surface is forbidden *mi'de'oraysa* (by Torah Prohibition), as is smoothing other substances of the same consistency.[3]

In addition, the Sages prohibited smoothing even substances whose consistency is less thick and firm, if their degree of firmness somewhat resembles that of wax. The primary example of this, given by the *Gemara*, is extremely thick oil.[4] It is forbidden *mi'de'rabbanan* (by Rabbinic ordinance) to rub or spread any such dense substance, for in doing so one smooths out its surface.

Fluids which have no density, such as ordinary oil, are not subject to this prohibition; it is permissible to rub or spread such substances on another surface.[5]

---

1. שבת דף עג.

2. זכרו תורת משה סי׳ ל״ט הלכה א.

3. ש״ע סי׳ שי״ד סי״א ומ״ב.

4. מ״ב ס׳ שי״ד ס״ק מ״ה. ומ״ב ס׳ רנ״ב ס״ק ל״ ח.

5. מ״ב הנ״ל. וע׳ בספר קיצור הלכות שבת ס׳ ל״ב ציון 19 וז״ל ע׳ ברית עולם, ונראה שיעור עבה לא מה שכתוב שם שהוא רק אם עב קצת, אלא שהוא עב כל כך שאין יכולים לערותו כדרך שמן ואינו זב מעצמו רק צריכים להחליקו בידים כמו שומן ובזה דומה למירוח. וכיון שאין שיעורו מפורש, אז כמו כל שיעורי דרבנן הולכים בזה להקל ואין לחדש לפרש בהם אלא דבר המועט שבו וכו׳ עכ״ל.

I. To What Does this Prohibition Apply?

A. Non-Foods

The prohibition of *smoothing* applies chiefly to non-foods, such as the items mentioned above (wax, tar and fats), in addition to such commonly used items as soap, ointment, cream and similar substances.

The use of solid bars of soap is forbidden under the *melachah* of *smoothing*. [In addition, using bars of soap may be prohibited under מוֹלִיד: *dissolving a liquid* (see Chapter 12), and מְמַחֵק: *scraping*. See Chapter 19.]

Liquid soap is widely used on Shabbos. The vast majority of *Poskim* rule that this is permitted because its fluid consistency exempts it from the prohibition of *smoothing*. However, there is an opinion that since liquid soap has some density, it is subject to this prohibition. To heed this view, one should mix the soap with water (preferably before Shabbos) so that it is extremely fluid, thus positively permitting its use. [See Chapter 19.]

Ointments are generally subject to the prohibition of *smoothing*; it is forbidden to spread a salve, ointment or cream over any area of the body, or to spread them on a cloth which will be applied to the body.

[This applies most frequently in diapering a baby. It is forbidden to spread any ointment (e.g. Desitin) over the diaper area; however, one may dab the ointment on several spots and cover it with the diaper, allowing the ointment to spread by itself.

There are many additional details to this *halachah* (e.g. severe diaper rash, wounds, re-applying a bandage which fell off) that are beyond the scope of this work. We have mentioned the basic *halachah* only because of the frequency with which it occurs.]

B. Foods

The *Poskim* are in dispute as to whether the *melachah* of *smoothing* applies to food items. The *Rema* rules that the lenient view, which exempts foods from this prohibition, may be followed, but nevertheless הַמַּחְמִיר תָּבֹא עָלָיו בְּרָכָה: *one who is strict shall be blessed;* i.e. it is praiseworthy to follow the stringent view which includes foods in the prohibition.

Thus, it is praiseworthy to avoid smoothing out any thick food substance.

However, this stringency applies only where one wants the food to appear smooth for decorative purposes, such as icing a cake or smoothing out an egg salad. In a case where one intends merely to spread the food substance over a large area, but does not care whether the surface appears smooth (e.g. spreading butter on bread), there is no basis for stringency.[6] Accordingly, it is perfectly permissible to spread any firm food substance (e.g. butter, jam, cheese, egg or tuna salad) on a slice of bread, so long as one does not care to make the surface appear smooth.[7]

NOTE: Non-foods, which are certainly subject to the *melachah* of *smoothing*, may not be spread or rubbed over an area even if one does not intentionally smooth out their surface.

Summary

All thick non-food substances (e.g. wax, soap, cream) are subject to the *melachah* of *smoothing*, and may not be rubbed or spread on another surface. [Bars of soap may not be used. Liquid soap may be used; however, it is preferable to add water to the soap so that it is extremely fluid. Ointments may not be spread on the body.]

Food items are exempt from this prohibition. However, it is praiseworthy to avoid intentionally smoothing out the surface of any thick food substance.

---

6. רמ״א סוף ס׳ שכ״א, ומ״ב שם. [וע׳ מרדכי פרק כלל גדול ס׳ שסב.]

7. בבדי השלחן סי׳ קמ״ו ס״ק י״ב וז״ל ופשוט דהיתר מירוח חמאה על הלחם היינו למרח החמאה עד כדי שתתפשט על כל הפרוסה, אבל אם החמאה הוא שטוחה על כל הפרוסה בשוה, אלא שמוסיף למרח כדי ליפותה כמו שנהגו במסעדות כשמגישים לחם ממורח עם חמאה לאורחים להסמ״ק יש לאסור, ולפסק המ״א ז״ל יש להחמיר כיון שדרכו בכך עי״ש.

II. Practical Applications

A. Soaps

It is forbidden to use a bar of soap on Shabbos. Liquid soaps may be used; however, to abide by a stricter opinion, one should add water to the soap so that it is very fluid. [There is special 'Shabbos soap' available, which is intentionally made very liquid.]

B. Ointments

It is forbidden to spread any ointment, salve or cream over a part of the body, or to spread it on a cloth which will be applied afterward. However, one may dab ointment on several spots close together, and cover it with a cloth or a diaper, allowing it to spread by itself.

This procedure must be followed when diapering a baby. In cases of a severe diaper rash, a competent Halachic Authority should be consulted.

C. Smoothing Egg Salad

It is praiseworthy to avoid smoothing the surfaces of an egg or tuna salad, or a platter of mashed potatoes, to make it appear more presentable.

D. Icing a Cake

It is praiseworthy to avoid spreading icing evenly over a cake.

E. Spreading Butter on Bread

It is permissible to spread butter, cream, jelly or any other food substances on bread, so long as one does not intend to make the surface appear smooth.

15 / Opening Food Packages

There are four separate prohibitions related to opening sealed containers on Shabbos, and almost every type of packaging used today is subject to at least one of these prohibitions. Therefore, it is preferable that *all* food containers (e.g. bottles, cans, milk cartons, boxes, bags, etc.) be opened before Shabbos.

In the following pages we will outline the relevant prohibitions, and the procedures to follow in the event that a container was inadvertently left unopened until Shabbos.

I. The Prohibitions

A. קוֹרֵעַ — Tearing

It is an *Av Melacha* to tear any soft material in a constructive manner. Thus, tearing cloth, leather, cardboard, paper, plastic, or any such material[1] (in a way which improves the usefulness of the item) is a transgression of the *melacha* of קוֹרֵעַ: *tearing*.

Tearing in a destructive manner is forbidden by Rabbinic Decree. The Sages, however, made an exception to this rule and allowed one to tear in a destructive fashion in order to obtain an item needed for the Shabbos meals.[2]

---

1. ש״ע ס׳ ש״מ סי״ד.

2. מקור לדין זה הוא בתוספתא פי״ז דשבת ומובא להלכה במ״ב סי׳ שי״ד ס״ק כ״ה וז״ל קורע אדם את העור שע״פ חבית של יין ושל מורייס ובלבד שלא יתכוון לעשות זינוק עכ״ל. והנה בחזו״א או״ח סי׳ נ״א ס״ק יג כתב ע״ז וז״ל ואע״ג דהוא מקלקל הא לא הותר מקלקל, אלא ע״כ דכי עסיק להוציא היין ועושה דרך השחתה לא חייל עלי׳ שם קורע עי״ש ועפ״ז כתבנו בפנים דהא דמותר לקרע שקית כדי להגיע להאוכל היא רק באופן דקורע דרך השחתה.

והנה באמת יש עוד מהלכים באחרונים לבאר דברי התוספתא הנ״ל ולפי הן ישתנה הדין:

א) דבשו״ע הרב סי׳ ש״מ סי״ז כתב דאין איסור קורע אלא בשני גופים התפורים או

Thus, tearing open a bag, wrapper or cardboard box, even to remove food, is forbidden unless the packaging is damaged in the process.

B. עֲשִׂיַּת פֶּתַח – Fashioning an Opening

Another prohibition which applies to metal cans, as well as to sealed bags and boxes, is the *melacha* of עֲשִׂיַּת פֶּתַח — *fashioning an opening*. Preparing an opening in a sealed container, by way of which to remove the enclosed items, violates this prohibition.[3]

C. מַכֶּה בְּפַטִּישׁ – Completing the Formation of a Utensil

Providing the finishing touch to any utensil is an *Av Melachah* figuratively known as מַכֶּה בְּפַטִּישׁ,[4] *banging [the final blow] with a hammer*. This *melachah* often applies when unscrewing sealed bottle caps.

Most bottle caps are sealed, so that when unscrewed for the first time, the lower part of the cap breaks off and forms a ring around the bottle neck. Alternatively, the lower part cracks and widens, enabling the cap to be fully removed. Thus, the cap originally serves simply as a seal for the bottle and only when unscrewed and broken becomes a functional cap which can be removed and re-attached. Many Authorities rule that unscrewing the cap for the first time is forbidden under the category of מַכֶּה בְּפַטִּישׁ, as it serves to complete the formation of a functional cap.[5]

דבוקים יחד אבל בגוף אחד כגון עור ליכא איסור קורע וכן בנייר, אבל ע׳ בביאור הלכה ס׳ ש״מ סי״ג ד״ה אין דהביא סברא זו ודחהו מכח דברי הירושלמי. וע׳ בספר קצות השלחן ח״ז דף קנ״ז שמיישב שיטת שו״ע הרב.

ב) בחזון יחזקאל בפי״ז הלכה ט׳ פי׳ דהך עור שעל פי החבית בטל להחבית וכמו שלא שייך איסור קורע על החבית כמו כן לא שייך איסור קורע על העור ע״ש.

ג) וע״ע בספר שביתת שבת במעשה חושב דף יב מש״כ בזה, וכן ע״ע בשו״ת אג״מ או״ח ח״א סי׳ קכ״ב ענף ו׳, וכן בס׳ ששכ״ה פ״ט הערה יא.

3. שו״ת אג״מ או״ח ח״ד ס׳ ע״ח.

4. רש״י שבת דף מח. ד״ה חייב.

5. ע׳ ציון 10.

D. מוֹחֵק — Erasing

When opening any wrapper which has printed words or pictures, it is forbidden to tear through the words or pictures, as this violates the prohibition of מוֹחֵק: *erasing.*[6]

II. Practical Applications

As mentioned above, it is preferable that all containers and packages be opened before Shabbos. The following procedures should be followed in the event that a container was inadvertently left unopened.

A. Milk Cartons

Opening the spout of a milk or orange juice carton violates the prohibitions of קוֹרֵעַ: *tearing,* and עֲשִׂיַּת פֶּתַח: *fashioning an opening.*[7] It is permissible, however, to puncture the bottom of the container, rendering it unfit for further use, and to open the spout afterward, to pour the contents into another vessel.[8]

B. Bottle Caps

Bottle caps which lift off or screw off without breaking may be removed on Shabbos. Those which break when unscrewed may not be opened, as this violates the prohibition of מַכֶּה

---

6. מ״ב ס׳ ש״מ ס״ק מ״א.

7. בנוגע פתיחת קפסאות חלב יש מחלוקת הפוסקים בשו״ת אג״מ או״ח ח״ד ס׳ ע״ח אוסר לפתוח, אבל בשו״ת מגדלת מרקחים סי׳ ל״ו סובר דמעיקר הדין מותר לפתוח משום דהכא כבר היה פתוח לגמרי אלא שדבקו קצת כדי שלא יזוב החלב לחוץ ולא נעשה לקיום אלא עד שירצה ליקח החלב עי״ש ולבסוף מסיק שם וז״ל וכששואלין אותי אני משיב שיפתחו אותו מע״ש אבל אין בידי לאסור. וע׳ בשו״ת באר משה ח״ו סי׳ פ״ט וז״ל קופסאות חלב, לעשות בו פתח יפה בשבת, מעיקר הדין שרי לפענ״ד אבל המחמיר לחתכו מן הצד או לעשות נקב מלמטה תע״ב עב״ל.

8. מה שכתבתי בפנים שאם צריך החלב, יחתוך הקופסא מלמטה, לכאורה זה מותר גם לשיטת האג״מ, דהוא אוסר משום עשית פתח, וכה״ג דמקלקל את הקופסא לגמרי אין כאן עשית פתח.

בְּפַטִישׁ: *completing the formation of a utensil.*[9] One who needs to open such a container should first puncture the cap (without

---

9. ישנן שני סוגי פקק:

א) דבפעם הראשונה שפותחים אותו נפרד ממנו חלק התחתון ונשאר כטבעת על צואר הבקבוק.

ב) דבפעם הראשונה שפותחים אותו נשאר הטבעת על הפקק רק מתרחב קצת.

והנה האריכו פוסקי זמנינו בזה, ויש בזה הרבה חילוקי דיעות, יש אוסרים שני המינים, ויש מתירים שני המינים, ויש מחלקים ומתירים השני ואוסרים הראשון ונצטט קצת מדבריהם.

א) הגאון ר׳ שלמה זלמן אויערבאך שליט״א בספרו מנחת שלמה דף תקנא כתב וז״ל ע״ד שאלתו בעינן פקק של פח אשר בפעם הראשונה שפותחים אותו נפרד ממנו חלק התחתון ונשאר כטבעת על צואר הבקבוק, פשוט הדבר שאיסור גמור הוא לפתוח בו לראשונה בשבת, כיון שאף אם היו שוברים את הצלוחית ומוצאים את שברי הזכוכית מהפקק, מ״מ כל זמן שהפקק מחובר לחלק התחתון אינו ראוי כלל לכסות בו בקבוק אחר כזה, ונמצא דלא נעשה פקק אלא ע״י זה שחתך את הטבעת מהפקק וכיון שכן הו״ל ודאי תיקון כלי וכמו שאסור לקטום קיסם כדי לחצוץ בו פעם אחת בלבד את שיניו ואח״כ יזרקנו משום תיקון כלי וכו׳ כ״ש שאסור לעשות פקק לבקבוק ע״י זה שחותך ממנו מקצת ועי״ז נעשה ראוי להשתמש בו כפקק. ובנוגע לפקק מסוג השני [דהיינו מכסה אשר אם פתיחתו הוא מתרחב קצת] חושבני דגם בשעה שהוא על הבקבוק יש עליו שם פקק וכו׳ ומה שנלענ״ד בזה הוא כמו שכתבתי, כיון שאם ישברו את הצלוחית ויוציאו מתוך הפקק שברי הזכוכית יכולים שפיר בכח חזק לכסות בו בקבוק אחר הדומה לאותו בקבוק אשר ממנו הוסר, לכן שפיר יש עליו שם פקק גם בשעה שמכוסה על הבקבוק ודומה ממש לפקק רגיל של עצי גופר, משא״כ בפקק של סוג הראשון הרי גם אם ישברו את הבקבוק ויוציאו מתוך הפקק את שברי הזכוכית אי אפשר כלל לכסות בו בקבוק אחר הדומה לזה שממנו הוסר, אבל א״כ הרי זה דומה למי שנוטל קיסם שגם עכשיו ראוי לחצוץ בו שינים אלא שהוא קוטמו ומכשירו לחצוץ בו בחורים וסדקים קטנים שבתחלה לא הי׳ ראוי דוודאי אסור עכ״ל.

דעת מרן הגר״מ פיינשטיין בזה. מרן זצ״ל לא כתב תשובה ע״ז אבל שמעתי מהגאון ר׳ דוד פיינשטיין שליט״א שמרן ז״ל אסר לפתוח משום שהוא עושה הפקק כלי וכן ראיתי ברבבות אפרים ח״ד ס׳ שהביא כן בשם מרן זצ״ל.

ועיין בשו״ת משנה הלכות ח״ז ס׳ מ״ז שכתב, וז״ל נפגשתי את הגאון מהר״ם פיינשטיין [זצ״ל] ושאלתיו ג״כ מה דעתו בזה ואמר לי דמשום עשיית כלי לא חשש כלל אלא דחש לה משום שעושה פה עי״ש.

ועיין עוד בשו״ת רבבות אפרים ח״ד ס׳ קפ״ט שהביא מהגאון רי״א ליבעס וז״ל ומש״כ כת״ר בשם הגאון הר״מ פיינשטיין זצ״ל זכורני שזה זמן רב דברתי עמו אודות ענין זה של כיסוי הבקבוקים ודקדק הרבה בזה אבל משום תיקון מנא אמר בפירוש דליכא למיחש אבל לא אמר בפירוש לאיסור עכ״ל.

cutting any printed words). The punctured cap may then be unscrewed since it is no longer fit for use and cannot be considered a 'completed utensil.'[10]

הגאון ר׳ יוסף שלום אלישיב שליט״א הובא בספר שלמי יהודה דף קד אוסר, והגאון ר׳ שמואל וואזנער שליט״א בהסכמתו לקונטרס שומר שבת כדת כתב וז״ל וכודאי חשש דאורייתא של מכה בפטיש, וכן הגאון ר׳ יצחק יעקב ווייס זצ״ל הובא בהסכמת הרה״ג משה הלברשטאם שליט״א לקונטרס הנ״ל אוסר. הגאב״ד דדברצין בקונטרס הנ״ל כתב לאסור משום תיקון מנא ומכה בפטיש וכתב שם בא״ד וגם אלו שמתחילה חשבו להתיר אחר שראו בירורו לאמתה של תורה הודו על האמת ואסרו בהחלט (וע׳ בשו״ת באר משה ח״ג סי׳ צ׳ שמתיר לפתוח נמצא שחוזר מפסקו) וכן הגאון ר׳ בצלאל שטערן בהסכמתו לקונטרס הנ״ל אוסר.

הגאון ר׳ ישראל יעקב פישער שליט״א בספרו אבן ישראל סוף הלכות שחיטה התיר וזהו תוכן דבריו וז״ל ויש שטענו דכיון דאי אפשר להשתמש בהן לפקק רק ע״י שבירתן בטל שם פקק מינייהו, ואח״כ בשבירתו הוא מתקן אותו לפקק והוה עשיית כלי בשבת, ויש שרצו לומר שהוא איסור דאורייתא וכו׳ ובאמת כל מגופה לחבית בזמן חז״ל נמי כשהדביקו את המגופה להחבית אי אפשר להשתמש כבר בהמגופה לסתימת חבית אחרת כיון שנדבק בטיט להחבית, ואפי״ה שרי ליטול את כל המגופה מהחבית וכו׳ וע׳ בב״מ דף כג: שאחרי הסרת המגופה משתמשין בו עוד לכסות החבית עי״ש ברש״י, ולא אסרינן לה מהאי טעמא דעושה המגופה לכלי הראויה לכסות בו חבית, והיינו טעמא או משום דכיון דלא חיבור הוא כיון שעומד לינטל לא נתבטל שם כלי מהמגופה, או כיון דאינו מכוין לעשיית המגופה לכלי לאו שם מלאכה עלה, אף דהוה פסיק רישיה, או משום דהוה מלאכה שא״צ לגופה, דכל פותח חבית אין כונתו לעשיית המגופה לכלי אלא כל כונתו לפתוח את החבית כדי שיכול להוציא את היין, וה״נ כאן בבקבוקי יין אין הכונה לעשות פקק אלא כל כונתו לפתוח את הבקבוק, וכל שכן הכא בשבירת הפקק הוה מלאכה כלאחר יד בעשיית הפקק לפקק, ובודאי אין בו איסור דאורייתא אפילו אי היה מכוון לעשייתו לפקק ועיי״ש.

וכן יש עוד דעות המתירים לפתוח בקבוקים בשבת, בשו״ת קנין תורה ח״ד סי׳ ל״ד, הציץ אליעזר בחי״ד ס׳ מ״ה, משנה הלכות ח״ז ס׳ מ״ז, יחוה דעת ח״ב ס׳ מ״ב ועיי״ש שכתב דממדת חסידות לפתוח הבקבוק מע״ש, שו״ת דבר יהושע ח״ב ס׳ מ״ה, שו״ת להורות נתן ח״ז ס׳ כ״א, ועיי״ש שלכתחילה נכון לפתחו מע״ש וע״ע בזה בספר אוצר דינים דף קצט שהביא תשובה מהגאון ר׳ עובדיה יוסף שליט״א להגאון ר׳ שלמה זלמן אויערבאך שליט״א.

10. כתבתי בפנים לנקוב הפקק שלא יהא ראוי עוד לכסות בו, ולא רציתי לסמוך על השיטות דסברי דהפקק מיקרי כלי אפי׳ קודם הפתיחה, דלשיטות האוסרים הוא איסור דאורייתא של עשיית כלי ומכה בפטיש. ע״כ כתבתי עצה זו דעל ידי כן הא לא נעשית מעולם כלי ואין כאן מכה בפטיש כיון דאינו ראוי לכלום. וזכרוני שפעם אחת ישבתי אצל מרן הגר״מ פיינשטיין זצ״ל בשלש סעודות ושכחו לפתח הבקבוקים של סודה

C. Cardboard Boxes

Opening sealed boxes violates the prohibitions of קוֹרֵעַ: *tearing*, and עֲשִׂיַּת פֶּתַח, *forming an opening*. One is permitted to tear or cut open the box (without tearing any printed words or pictures) only in a manner which damages the package.

D. Paper and Plastic Bags

Bags also fall under the prohibitions of *tearing* and *forming an opening*, and may be torn open only in a destructive manner (without tearing any words or pictures).

E. Metal Cans

Metal cans (e.g. tuna, tomato juice, canned fruits) may be opened only in the following manner:

a) The can should be opened only halfway.
b) The contents should be removed immediately and the container discarded.[11]

ערב שבת, ואמר מרן זצ״ל שיעשו נקב בהפקק ואח״כ יפתחו. ואע״פ שיש לפקפק קצת על עצה זו דאליבא דהפוסקים דסברי דהוה כלי קודם שפותחו, הא לדידיהו סותר כלי ע״י הנקב ואסור מדרבנן. מ״מ עדיף לעשות כן מלהכניס עצמו לחשש אסור דארייתא לאידך שיטות, ועוד הא כבר כתבנו [ע׳ ציון 11] שכלים שזורקין אותם לאחר תשמישן יש להם דין של חותלות שמבואר במחבר שאין עליהם איסור סתירה, והני דמי קצת להני דלמעשה הדרך לזורקם אחר גמר תשמישם. וע׳ מש״כ בס׳ ששכ״ה פ״ט ס״ק י׳ בשם הגאון ר׳ שלמה זלמן אויערבאך שליט״א ובספר שלמי יהודה דף קד הערה מב בשם הגאון ר׳ בנימין זילבער שליט״א שהעצה הנכונה הוא לעשות חור ולשפוך דרך החור עי״ש.

11. בענין פתיחות קופסאות של מתכת האריכו פוסקי זמנינו [ע׳ באג״מ או״ח ח״א ס׳ קכ״ב, חלקת יעקב ח״ג ס׳ ח, ומנחת יצחק ח״ד ס׳ פ״ד, הגאון ר׳ יחזקאל ראטה בקובץ בית תלמוד להוראה ח״ג, ובשו״ת קנה בשם חלק א׳ ס׳ כ״ג, ובששכ״ה פ״ט הלכה ג]

ועיקר דבריהם סובבים על השאלה למה לא יהא בזה איסור סתירה. וסברתם להתיר הוא דאע״ג דהמחבר שי״ד ס״א פסק דיש בנין וסתירה בכלים כבר תמה עליו בקרבן נתנאל דהא שיטת הרי״ף והרמב״ם דאין בנין וסתירה בכלים וכן הגר״א האריך לחלק על המחבר וכבר הביאו המ״ב בס׳ שי״ד ס״ק ז והערוך השלחן בס׳ שי״ד ס״ח שיטה זו המקלת לענין סתירה בכלים, והקרבן נתנאל מסיק דכשיש צירוף קל יכולים לסמוך על דבריהם. ועפ״ז התירו לפתתוח הני קפסאות בצירוף הא דכתב החמבר בס׳ שי״ד ס״ח דבחותלות של תמרים אין כאן איסור סתירה והסביר המג״א ס״ק י״ג דמשום דאינם

F. Wrappers

Any paper or plastic wrapper may be torn only in such a manner that it is spoiled. One must also be careful not to tear through any printed letters or pictures.

G. Peel off Seals

Seals which peel off the top of a container may be removed in the normal manner.[12]

כלים גמורים ליכא בהו איסור סתירה, וי״ל דמשום הכי אינם כלים גמורים משום דאינם עשוים רק להתבשל התמרים ואח״כ זורקים אותם וא״כ ה״ה הני קפסאות דעושים לתשמיש חד פעמי ושוב זורקים אותם נמי אינם כלים גמורים ואין בהם איסור סתירה זהו תו״ד בקיצור.

אולם כ״ז מספיק רק לשאלה זו של איסור סתירה, אבל באמת יש לדון עוד דיש בפתיחת הני קופסאות איסור דארייתא של עשיית פתח, דכשפותחים אותם הא עושים פתח, ואסור משום מכה בפטיש דע״י הך פתיחה יש אפשרות להשתמש תדיר בהך כלי, כגון שיניח מקצת המאכל בתוכו ויכסנו, ואפי׳ אם מריקן לגמרי מ״מ הא יכול להשתמש בהכלי לדבר אחר, אכן יש לדחות דכ״ז אם דעתו לעשות כן אבל כשדעתו לזרק מיד אז אין על פתיחתו שם פתח אלא הוא רק הוצאת אוכל ושימוש בעלמא. ע״כ כתבתי בפנים דיותר טוב לפתח רק חציו דעי״ז אין יכול להשתמש עוד ממנו וליכא כאן טיבותא להכלי ולא יהא בזה מכה בפטיש. ועי״ע בשו״ת מנחת יצחק ח״ד ס׳ פ״ב שנתן עצה אחרת.

והנה בחזו״א ס׳ נ״א ס״ק י״א כבר עמד בזה דאסור משום עשיית פתח אלא שדעתו לאסור שם מטעם אחר, דהני כלים כשהם סתומים בטלים הם משם כלי דהא הוה כגשם חלול בפנים, וסתום מכל צד, דאין זה כלי וע״כ כשעושה בו שום נקב ממילא אז נעשה כלי והוי בנין דהא עושה כלי ולא מהני בזה כוונתו יע״ש. והג״ר שלמה זלמן אויערבאך שליט״א, הובא בששכ״ה פ״ט הערה ו׳ דן בזה דלכאורה וודאי הוי כלי אפי׳ קודם פתיחתו כיון דמחזיק האוכל בפנים וע״ע מה שכתב בזה הגאון ר׳ חיים פ. שיינבערג שליט״א בספר הזכרון להגאון ר׳ ארי׳ה לייב גורביץ זצ״ל דף ר.

12. כן נראה פשוט והסכים לי בזה הרבה פוסקי זמנינו שליט״א.

16 / קוֹשֵׁר וּמַתִּיר – Tying and Untying Knots

Tying and untying knots are forbidden under the *Avos Melachos* of קוֹשֵׁר: *tying*, and מַתִּיר: *untying*.[1] The *halachos* of *tying* and *untying* involve many details, including what constitutes a 'knot' and differences between permanent and temporary knots. Such a discussion is beyond the scope of this work; we will merely point out several common applications of these prohibitions in the modern kitchen.

Tying Knots

When storing food in a plastic bag or when filling a garbage bag, it is forbidden to gather the top of the bag and tie it onto itself in a single knot.[2] It is permitted to gather two parts of a bag and tie them to each other in a single knot, but not in a double knot. A single knot with a bow on top is also forbidden.[3] [Although it is permissible to tie shoes with a

---

1. משנה שבת דף עג. וע׳ שו״ע סי׳ שי״ז.

2. תשובות הגאב״ד דדעברעצין שליט״א הובא בפסקי הלכות שבת ח״ג ס״ק ט״ו וז״ל אסור לקבץ ביחד הראש של שקית פלאסטיק ולקושרו על עצמו אפי׳ בקשר אחד [ע׳ סי׳ שי״ז מ״ב ס״ק ט״ו]. אבל מותר לקבץ השקית בשתי מקומות וקושרין אותן ביחד בקשר אחד אבל לא בקשר ע״ג קשר. ובקשר אחד ועניבה על גביו [כמו נעליים], ג״כ אסור דאין בדעתו להתירו בתוך מעת לעת וישאר קשור לעולם. והמיקל בקשר אחד ועניבה ע״ג יש לו על מי לסמוך, דמעיקרא עשה לשם איבוד דהשק הולך לבסוף לאיבוד עכ״ל.

ומה שכתב הגאב״ד דדעברעצין שליט״א דמותר לקבץ השקית בשתי מקומות ולקשור בקשר אחד אפילו הקשר מתקיים לעולם, באמת מבואר כן בש״ע הרב סי׳ שי״ז ס״ג דכתב דקשר אחד בלא עניבה על גביו אינו נקרא קשר כלל ומותר לקושרו ולהתירו אפי׳ אם עומד להתקיים לעולם. אמנם בשו״ת אבני נזר סי׳ קע״ט חולק ע״ז וסובר דקשר אחד המתקיים לעולם אסור לקשור בשבת וא״כ צריך להיות אסור באופן הנ״ל.

3. עי׳ ציון 2.

single knot and bow, tying bags in this manner is forbidden.]

It is permissible to use a plastic twist-tie on Shabbos to securely close a bag.[4]

Untying Knots

A plastic bag that has been tied with one of the forbidden knots described above may not be untied on Shabbos. To remove the contents of such a bag, one must tear open the bag.[5] (One must avoid tearing any letters or pictures that are printed on the bag.)

A string that is tied around a parcel may not be untied on Shabbos. One should, if possible, slide the string off the parcel without tearing it. If this cannot be done, one may tear the string or cut it in a destructive manner.[6]

---

4. כך שמעתי בשם מרן הגאון ר׳ משה פיינשטיין זצ״ל, ומהגאב״ד דדעברעצין שליט״א. כדי להעתיק בענין זה מש״כ הגאון ר׳ יחזקאל ראטה שליט״א בקובץ בית תלמוד להוראה ח״ג עמוד קס״ב וז״ל הנה לכאורה הי׳ נראה דאף להרמב״ם ז״ל דקאמר דפותל חייב, היינו במקום שמכוין להעבית החוט, דכה״ג הוי כוונת הפיתול. אבל היכי דאין כוונת הפותל להעבות החוט, אלא שיפותל שני חוטים הבאין משני צדדין להחזיק הכלי, א״כ אין זה מיקרי פותל, דהא לא מכוון עבור לקלוע הפתיל, אלא להחזיק איזה דבר, ופותלו ומהדקו משני הצדדים, וכמו שעושין קשר בכה״ג אין זה בכלל פותל. אכן לפי״מ שכתב שהוא בכלל קושר ולא כתב שהוא בכלל טווה וכמו שהערו בזה האחרונים בפמ״ג ובאב״נ עיי׳ בדבריהם, לפי״ז הדין נותן דגם כשעושה אותו רק להחזיק איזה דבר אחר הוי בכלל פותל דהא זהו דרכו של קשר להחזיק איזה דבר, אמנם נראה לומר דפותל דהוי בכלל קושר זה רק כשפותל החבלים דרך גידול וקליעה שקורין פלעכטין שעי״ז מתקיים והרי כמין קשר, אבל אם רק שוזר חוטין זה עם זה אין זה כמין קשר ולאו שם פותל עלי׳ ואם היינו אומרין שהוא מלאכה בכלל טווה הי׳ וזה לא מצינו. ועוד נלענ״ד לומר כיון שהוא עשוי באופן שבחוטין של צמר ופשתן הי׳ מתפרק, אף שע״י שהן חוטין של ברזל שהן עומדין מעצמן מפני קישויין מתקיים השזירה ולא מתפרק מ״מ אין זה מכח חיבור השזירה אלא מאליהן הן קיימין כמו שמעקמין אותן א״כ לאו בכלל פותל הוא ועכ״פ היות שהוא לא עשוי לקיימא אלא לסתור ולהפקיע, וגם יש פוסקים דמפקפקין על כל עיקר דין פותל הואיל ובש״ס דידן איתא בהדיא דמפקיע ומתיר עיי׳ בבה״ל סי׳ שי״ד ובאב״נ, וא״כ עכ״פ בחוט ברזל אפי׳ אי נימא דגם בו שייך פותל מ״מ כיון שרק שוזר זה בזה נראה להקל כנלענ״ד ללמד זכות היות דהעולם לא ישמעו לנו וכמעט אי אפשר להפרישן מזה והוא צרוך מאד בהשתמשות הבית ובפרט בשבת כשמכינן מאכלים מע״ש יש צורך בזה, וצ״ע. וע״ע בזה בחוברת אור השבת חלק א׳ דף קמה.

5. שו״ע סי׳ שי״ז ס״א ומ״ב ס״ק ז. וע׳ ששכה״כ פרק טו הלכה נ״ד.

6. ששכה״כ פט״ו הלכה נד.

17 / הֲכָנָה – Preparing for a Weekday

It is forbidden on Shabbos to engage in any post-Shabbos preparation. This prohibition, known as הֲכָנָה: *preparing*, was enacted by the Sages because it is a זִלְזוּל בִּכְבוֹד הַשַּׁבָּת — a disparagement to the honor of Shabbos — to utilize the Holy Day in preparation for a weekday.[1] Thus, even ordinary activities which involve no *melacha* and are perfectly permissible when done for Shabbos purposes may not be done in preparation for *Motza'ei Shabbos*.[2]

For example, it is forbidden on Shabbos to prepare foods or to set the table for a *Melava Malka*. Similarly, when *Yom Tov* falls on *Motza'ei Shabbos*, one may not begin preparing for the evening *Seudah* until Shabbos ends.

Limitations to the Prohibition

A. Preventive Measures

Under the prohibition of *preparing*, only genuine acts of preparation which bring about actual benefit are forbidden. Actions which merely prevent spoilage or loss are permitted.[3]

To illustrate this point: It is forbidden to clean a room which will no longer be occupied on Shabbos, for doing so simply prepares the room for a post-Shabbos function. Accordingly, if the *Seudah Shelishis* (the Shabbos afternoon meal) ends late and there is no purpose in having the room cleaned on Shabbos, one must refrain from cleaning off the table until *Motza'ei Shabbos*.

---

1. מ״ב ס׳ רנ״ד ס״ק מ״ג, מ״ב סי׳ ש״ב ס״ק י״ט.
2. מ״ב סי׳ ת״קג ס״ק א.
3. שו״ת מנחת יצחק ח״ח סי׳ כ״ד.

However, perishable goods may be taken from the table and refrigerated to avoid spoilage, even though these foods will not be eaten until after Shabbos.

B. Preparing Without Extra Effort

Under the prohibition of *preparing*, even a minute act of preparation for *Motza'ei Shabbos* is forbidden. If, however, one is able to prepare something for *Motza'ei Shabbos* without expending any extra effort whatsoever, he is permitted to do so.[4]

For example, freezing an item to preserve it for a later date is an act of *preparing* and is forbidden. However, when cleaning up after a meal, one may put any food item in the freezer.* Since the food must be stored somewhere, there is nothing wrong with 'storing' it in the freezer. To take an item from a different storage area (e.g. a refrigerator) and move it to the freezer is forbidden, for this is a direct act of *preparing*.

Washing Dishes

Washing dishes which are no longer needed on Shabbos falls under the prohibition of *preparing*, for by washing, one prepares them for post-Shabbos use. This subject is treated at length in Chapter 19.

---

*Note: See p. 172 Sub C.

---

4. פשוט הוא.

18 / Wringing and Laundering

Two *melachos* that pertain to washing dishes and cleaning spills on Shabbos are סְחִיטָה: *wringing,* and כִּיבּוּס: *laundering.* Chapter 8 dealt with *sechita* as it applies to extracting juice from fruits. This chapter deals with the *halachos* of wringing liquid from an absorbent fabric.

The laws of *laundering* will also be discussed briefly, and will be applied to common situations.

I. Wringing Liquid from a Fabric

A. The Prohibitions

It is forbidden to squeeze out liquid from a fabric in which it is absorbed. Depending on a person's intention, this can fall under two Torah Prohibitions: If one wrings out a fabric in order to salvage the liquid (e.g. for washing), he violates the *melachah* of סְחִיטָה:*wringing*; if one wrings out a fabric in order to cleanse it, he violates the *melacha* of כִּיבּוּס: *laundering.*[1] There is a major conceptual difference between these two types of wringing. In the first case one accomplishes the acquisition of a liquid; this is similar to extracting juice from a fruit. In the second case, one improves the quality of the fabric by expelling liquid; this is an entirely different accomplishment.

Wringing with neither of these intentions is also forbidden, though by Rabbinic Decree. Thus, even if the liquid will go to waste and the fabric will not be cleansed, it is forbidden to squeeze out any liquid.[2]

---

1. באור הלכה סי׳ ש״כ ד״ה יש מי שמתיר.

2. הנ״ל.

B. Materials to Which Sechitah Applies

The Torah Prohibition of *sechitah* applies only to truly absorbent fibers, such as wool, cotton, linen, sponge and paper towels,[3] and to fabric made of these absorbent fibers. Non-absorbent materials, such as leather[4] and plastic,[5] are not subject to the *melacha de'oraysa* (Torah Prohibition).

Nevertheless, it is forbidden *mi'de'rabbanan* (by Rabbinic Decree) to wring out a fabric woven of non-absorbent fibers (e.g. steel wool), for although the fibers themselves do not absorb liquid, the fabric traps liquid *between* its fibers.[6]

Only articles which neither absorb nor trap liquid are exempt from *sechita*. This applies to items like a nylon bottle brush, whose bristles are widely spaced and do not trap water.[7] Also, there are synthetic scouring pads whose fibers are widely spaced and do not trap water.

C. Saturating a Fabric

The Sages forbade saturating any fabric that one might be inclined to wring out (e.g. sponge, mop, garment). This decree does not apply to rags and similar articles (e.g. paper towels) which people generally do not care to wring out.[8]

In addition, the Decree applies only to truly absorbent materials that are subject to the Torah Prohibition of *sechitah*. Materials which merely trap water, though subject to *sechitah*

---

3. ישועות חכמה (ס״פ ס״ק ל״ב) אסור להדיק מוכין בפי פך ולכן צריך ליזהר שלא לסתום הקנקן שקורין פלעשי״ל בנייר שהוא לח וכו׳ דכשיתלחלח בשעה שהוא סתום וסחוט מן המשקין הבלועין בו לתוך הקנקן בשעת הפתיחה עכ״ל. וכן שמעתי בשם מרן הגר״מ פיינשטיין זצ״ל. וע״ע בזה בשו״ת הר צבי או״ח סי׳ ק״צ, ובשו״ת אג״מ או״ח ח״ב סי׳ ע.

4. שו״ע סי׳ ש״ב ס״ט.

5. שו״ת אג״מ יור״ד ח״ב סי׳ ע״ו. וע״ע בזה באז נדברו ח״ז סי׳ ל״ג.

6. כן שמעתי מהגאב״ד דדעברעצין שליט״א, וע׳ בשו״ת באר משה חלק א׳ ס׳ ל״ד ס״ק ג.

7. שו״ת באר משה ח״א סי׳ מ״ג. וע״ע בשו״ת חשב האפוד ח״ב סי׳ קמ״ט בזה.

8. שו״ע סי׳ ש״א ס׳ מ״ח, ורמ״א סי׳ ש״ב ס״ט.

by Rabbinic Decree, were not included in the Decree against *saturating*.

Summary

It is forbidden to wring out any absorbent material, whether to save the liquid, to cleanse the fabric, or for no specific purpose. The prohibition applies to natural, truly absorbent materials and to materials which trap water between their fibers.

In addition, it is forbidden to saturate any truly absorbent fabric that one might be inclined to wring out.

II. Activities Affected by These Prohibitions

A. Washing Dishes

It is forbidden to use a sponge, washcloth, paper towel or other absorbent item to wash dishes because water will inevitably be wrung from them while washing. It is also forbidden to use synthetic scouring pads and steelwool pads which trap water between their fibers.

However, one may use a synthetic pad whose fibers are widely spaced and cannot trap water. The use of a nylon bottle brush is also permitted.

B. Wiping Up Spills

To avoid *sechita*, it is best not to wipe up a large spill, but only to blot the spill with a rag or with paper towels.

Due to the decree against *saturating*, it is forbidden to use a sponge[9] mop[9a] or a garment[10] to absorb a spill, since one might afterward wring these articles out. However, a towel may be used because, nowadays, with the advent of washing machines,

---

9. שו״ע סי׳ ש״כ סי״ז, וע׳ ביאור הלכה שם וז״ל ואם הוא ספוג יבש ע׳ בא״ר שמצדדין להחמיר עי״ש. וע״ע בזה בשלמי יהודה פ״ט הלכה א.

9a. כן שמעתי מהגאון ר׳ ח.פ. שיינבערג שליט״א.

10. שו״ע סי׳ ש״א סי׳ מ״ו.

11. כן נראה והסכים לי בזה הגאון ר׳ ח.פ. שיינבערג שליט״א.

most people do not bother to wring out wet towels.[11] This, though, depends on social and economic conditions and may vary from place to place.

Wiping up Dirty or Colored Liquids

If a dirty liquid spills, one may blot the spill with any garment (but not with a sponge or mop). In this case it is unlikely that one would wring the garment out afterward (since it cannot be cleansed by wringing); therefore the decree against *saturating* does not apply. This is true also for sticky or smelly liquids.[12]

With colored liquids also, the prohibitions of *saturating* does not apply (to garments). However, due to the prohibition of צוֹבֵעַ: *dyeing*, it is best to avoid saturating a towel or garment with a colored liquid. Preferably, such spills should be blotted with rags or paper towels, for in these, color has no significance. If none are available, a towel (or garment) may be used.[13]

C. Cleaning a Dirty Surface

It is forbidden to rub a dirty surface with a wet rag (or any other wet material) because, while cleaning, water will be squeezed from the rag.[14]

A damp rag, from which the water cannot be wrung, may be used.

D. Cleaning A Wet Surface

An area which is slightly wet may be cleaned with a dry rag. On the other hand, an extremely wet area may not be cleaned with a dry rag, because the water will saturate the rag and will, in turn, be squeezed out.

One must use discretion in this matter, for the amount of water needed to saturate varies from item to item. Therefore,

---

12. קיצור הלכות שבת סי׳ י״ט הלכה ז׳.

13. שו״ע סי׳ ש״כ ס״כ ומ״ב.

14. ששכה״כ פרק י״ב הלכה מ.

one should not wipe or scrub a wet surface unless certain that no *sechita* will occur.

Note: A sponge may not be used at all on Shabbos, as mentioned above. In addition, sponges are *muktza*, as we will see in Chapter 20.

III. כִּיבּוּס — Laundering

The *melachah* of כִּיבּוּס forbids all methods of *laundering*, including those that can be done without the assistance of water, such as נִיעוּר מֵעָפָר: *dusting [a garment]*, and הֲסָרַת הַכֶּתֶם: *removing a stain [by brushing]*. However, we will focus only on cleaning *with water*, for this method of *laundering* is most relevant to cleaning the table after a meal.

The Prohibition

Laundering (with water) is done in three steps; performing any *one* of these steps violates the *melacha*:

1) שְׁרִיָּיה: *Soaking*

2) שִׁפְשׁוּף: *Scrubbing*

3) סְחִיטָה: *Wringing*

1) Soaking [or Wetting]

It is forbidden *mi'de'oraysa* (by Torah Prohibition) to soak or to saturate a stained fabric in water (or other cleaning agents).[15] Pouring water on a stain is also forbidden.*

This prohibition applies only to absorbent materials (e.g. wool, cotton, linen), for with such materials the rule is: שְׁרִיָּיתוֹ זֶהוּ כִּיבּוּסוֹ: *Soaking is [by itself, a form of] laundering*. Leather,[16]

---

*Note: There is an additional *Rabbinic* decree against saturating *any* absorbent material (i.e. even clean) with clean liquid.

---

15. שו"ע סי' ש"ב ס"ט ומ"ב.

16. שו"ע הנ"ל.

plastic[17] and other non-absorbent materials are exempt from this particular prohibition, for materials which are not truly absorbent cannot be substantially cleaned by merely soaking in water.

Accordingly, one is prohibited from pouring water on a soiled linen tablecloth, however, one is permitted to do so on a plastic tablecloth. If the plastic tablecloth has a trimming made of absorbent fiber one must avoid wetting the trim.[18]

2) Scrubbing

It is forbidden *mi'de'oraysa* to scrub any wet fabric or to rub two parts of the fabric against each other.[19]*

This stage of *laundering* is forbidden with all materials, whether absorbent or not. Thus, although one is permitted to wet a plastic tablecloth, one may not scrub it while wet (neither with one's hand nor with an implement).[20]

*Note: Often, rubbing a dry fabric is also prohibited; however, that is beyond the scope of our present discussion.

---

17. אג״מ יור״ד ח״ב סי׳ ע״ו. ובנוגע בגדי ניילון ע׳ בשו״ת שבט הלוי ח״ה סי׳ ל״ז אות ב׳ וז״ל ובענין מפה העשויה מנילון שהכל חתיכה אחת ואינו ארוג ואינו בולע כלל, והוא אטום לגמרי מ״מ הוא רך וספיקא דמר אם הוא דומה לכלים שאין כבוס בהם, אלא גדר רחיצה בעלמא עיין סי׳ שכ״ג ס״ט, או דלמא דשייך בו כבוס כיון דהוא רך כבגדים הרכים הנה יש בזה צד להקל ולהחמיר די״ל דעדיף מעור כיון שאין המים נכנסיה כלל, ולאידך גיסא גרע מעור דלמש״כ למעלה ה״ט דבעור אין אומרים שריתו כבוסו כיון דאין המים חודרים לתוכו מיד שהוא העושה כבוס משא״כ בגד שהמים נכנסים לתוכו מיד, א״כ י״ל במפת נילון שגם הגעל והלכלוך לא נכנס לתוכו ואינו נאחז כלל מבעד השטח החיצון, ושטח החיצון שהוא מלוכלך מתכבס מיד ע״י שריתו בזה י״ל דשייך ג״כ זהו כבוסו, וה״ה אם מכסכס הבגד, ומכ״ש להמחמירים בכסכוס גם בעור הקשה, וכ״ת כ׳ דלפי מש״כ הגאון אבני נזר בגדר דלא שייך כבוס בכלים משום דלא בלעי, משא״כ עור, א״כ הה״ד במפת נילון כזאת כיון דלא בלעה לא שייך כבוס אפי׳ כסכוס, ובעניותי דלהמבואר בירושלמי פ״ז דשבת ה״ב כמה ענינים דמחייב משום מלבן ורק משום דמלבן שטח החיצון, וליבון וסחיטה הם ב׳ חלקי מלאכה, וע״כ צבעים שבירושלים קבעו סחיטה מלאכה בפ״ע, כמבואר בתוספתא וברמב״ן, וע״כ עדיין צריך לי עיון להלכה אם להקל בזה. וע״ע בזה באז נדברו ח״ז ס׳ לג. ובשו״ת עמק התשובה סי׳ לז.

18. ששכה״כ פי״ב הלכה מא.

19. שו״ע ס׳ ש״ב ס״ט.

20. שו״ע הנ״ל.

With plastic, one may brush lightly to loosen dirt; only rubbing forcefully is prohibited.[21] However, with absorbent fabric, even rubbing lightly is forbidden.

[Note: This prohibition applies only to soft materials, not to hard surfaces such as wood.]

3) Wringing

It is forbidden *mi'de'oraysa* to wring out any absorbent fabric for the purpose of cleansing it, because *wringing* is the final step in the laundering process. We have already seen that even where one does not intend to cleanse the fabric, *wringing* is nevertheless forbidden *mi'de'rabanan* (by Rabbinic Decree).[22]

Summary

There are three steps to *laundering;* each by itself is forbidden:

1) *Soaking* [or wetting] a fabric; this applies only to absorbent materials.

2) *Scrubbing,* or rubbing two parts of a fabric against each other; this is prohibited with all soft materials, whether absorbent or not.

3) *Wringing.*

IV. Activities Affected by this Prohibition

A. Cleaning a Stained Tablecloth

Tablecloths made of absorbent fibers (e.g. linen) may not be moistened at all, for wetting them is, by itself, a form of *laundering.*

Plastic and vinyl tablecloths may be wet and rubbed lightly to loosen dirt, but not scrubbed forcefully, even with one's hand. One must also avoid wetting any trimming made of absorbent fibers.

---

21. שו״ת אג״מ יור״ד ח״ב ס׳ ע״ו.

22. שו״ע סי׳ ש״ב ס״ט.

B. Cleaning a Stained Carpet

One may not pour water on a carpet which is stained.

The same rule holds true for garments, and for chairs or couches covered with fabric.

C. Leather

Leather, because it is non-absorbent, may be moistened. One may also rub its surface lightly to loosen dirt; however, scrubbing is prohibited.

D. Cleaning a Hard Surface

The prohibition of *laundering* does not apply to hard surfaces (e.g. wood, tile).[23] Accordingly, one may wet a kitchen counter and scrub it, but only with a non-absorbent material (e.g. a rubber scraper). Scrubbing with absorbent material will inevitably violate *sechita*.

---

23. מ״ב ס׳ ש״ב ס״ק מ״א.

19 / Washing Dishes

In this chapter we have arranged the various *halachos* which pertain to washing dishes. Although some of these points have been discussed elsewhere in the *sefer*, they are repeated here so as to provide a complete guide to this subject.

I. Which Dishes May Be Washed?

Dishes which will not be needed until after Shabbos may not be washed on Shabbos, for by washing, one prepares the dishes for post-Shabbos use, in violation of the prohibition of *preparing* (See Chapter 17). Therefore, after the Shabbos meals, one may not wash any dishes unless they will be used again that day.[1] Even a set of dishes reserved solely for Shabbos use may not be washed if no longer needed that day, because the prohibition of *preparing* forbids preparing on one Shabbos for the following Shabbos.[2]

On the other hand, it is permissible to wash dishes which are needed on that Shabbos. Thus, after the evening meal one may wash all the dishes that are needed for the other Shabbos meals.[3] Moreover, one is not limited to washing the exact number of dishes needed, but is permitted to wash any dish which is *suitable* for the intended need. For instance, one who needs to

---

1. ש״ע סי׳ שכ״ג ס״ו, וע׳ בפמ״ג א״א ס״ק ט.

2. תהלה לדוד סי׳ ש״ב ס״ו, וע״ע בזה בשו״ת שלמת חיים סי׳ קפ״ז. ובאמת לכאורה דין זה הוא מפורש בתוספתא פי״ג דשבת הלכה יט מדיחין כלים בשבת לאותה שבת, אבל לא משבת זו לשבת אחרת עכ״ל וזהו ממש כהתהלה לדוד. אבל ראתי בחזון יחזקאל בחלופי גרסאות אות סו שכתב ו׳ תיבות הללו ר״ל [אבל לא משבת זו לשבת אחרת] ליתא בכתב יד וממילא אין כאן ראיה מהתוספתא.

3. ע׳ ציון 1.

have even a single fork cleaned for the morning meal may wash all of his forks, since each one is suited to fulfill that need.[4]

If One Has Other Dishes

One who has a large set of dishes and uses only a few pieces Friday night is permitted to wash those pieces and re-use them in the morning, even though others are available. This does not violate the prohibition of *preparing* because, so long as those same dishes are used, washing merely prepares them for Shabbos morning use.

---

4. מ״ב סי׳ שכ״ג ס״ק כ״ו וז״ל אפי׳ עשר כוסות וא״צ אלא לאחת רשאי להדיח כולן דהואיל וראוי לו כ״א הותרו כולן וכו׳. וע׳ בערוך השלחן ס״ז דהעתיק דין זה גם בכלי אכילה דמותר, וכ״כ בקצות השלחן ס׳ קמ״ו סט״ז. וע׳ בספר מחזה אליהו ס׳ ס״ב שהביא ראי׳ לדין זה עי״ש.וראתי בספר מגילת ספר סי׳ פ״ז ס״ק ז׳ שהביא דברי המג״א הנ״ל וכתב וז״ל והנה בשו״ע בס׳ של״ו ס״ד פסק דהמשליך זרעים לתרנגולים לא ישליך אלא בשיעור יום או יומים כדי שלא יצמחו ובמ״ב שם הביא בשם התוספת שבת דמה שמותר להשליך הזרעים ליומים היינו כשמשליך הזרעים בפעם אחת דבלאו הכי אסור משום שמכין לימות החול, ודבריו תמוהים דנראה שיש להתיר אפי׳ כשאינו זורק הכל בפעם אחת דכמו שמותר להדיח עשר כוסות שמא ישתה באחת מהן כך גם מותר להשליך הזרעים ליומים שעל כל גרעין וגרעין יש צד שהתרנגולים יאכלו אותו בו ביום ולכן נראה שיש להתיר אפי׳ אם אינו זורקם בבת אחת עכ״ל.

ואי משום קשיא זו אינו כדאי לסתור דברי התוספת שבת שהביא המ״ב להלכה. דראתי שני תירוצים בשו״ת מחזה אליהו ס׳ ס״ב דף קעח וז״ל ונראה דס״ל דאין לדמות האכלת בהמות לדינא דתוספתא. די״ל דרק פעולה דהוי "מצרכי שבת וכבודה" כהדחת כלים והצעת המטות וכדומה, בהם הוא דנתחדש דינא דתוספתא. דהיינו סברת כל חדא וחדא חזי ליה, דנמצא דכל אחת נחשבת כנעשית לכבוד שבת. משא״כ האכלת בהמות ועופות דאינו כלל מצרכי שבת, ולא עוד אלא דיש איסור לטרוח להאכיל שום בהמה שאין מזונותן עליך וכמבואר כל פרטי הדינים בסי׳ שכ״ד ורק בהמה שמזונותיה עליך הוא דמותר להאכילה מאחר דהבהמה תלוי בך נמצא שדבר זה בעצם טירחא של איסור הוא, ואינו מצרכי שבת וכבודה ולכן פשוט להו דכמו שאינו מאכיל בהמה שאינו שלו בשבת כ״כ אינו טורח בשבת להאכיל בהמותיו מאכלן של יום ראשון, דאין להתיר טירחא זו שאינו שייך כלל לצרכי שבת וכבודה ודו״ק. ועוד אפשר די״ל דמאחר דכבר השליך הזרעים הראשונים להעופות, א״א לומר עוד על זריקה שניה דהאי חזי להם היום. דזה יתכן רק באופן שעל האדם לבחור אח״כ באיזהו מהם להשתמש. אבל אם כבר נתן לפניהם א״כ הזרעים הראשונים נתונים המה להם לצורך אכילת היום, ובזה א״א להוסיף עוד זרעים על סמך דאלו ג״כ חזי להיום. דהוי כמאכיל להם יותר מכדי צרכם. ויש לעיין בשני תירוצים אלו. ולא מצאתי מי שהעיר בדבר זה עכ״ל.

Nevertheless, many Authorities state that it is preferable not to do so because, ultimately, one is exerting himself by washing dishes on Shabbos only to spare this effort *Motza'ei Shabbos*. Therefore, one who has extra dishes should preferably use clean ones rather than wash and re-use the dirty ones.[5]

Rinsing and Soaking

Just as washing dishes is prohibited, so too is it forbidden to rinse, even lightly, any dish which is no longer needed.

There is an opinion that one is permitted to rinse dishes that contain soft food particles or grease, to prevent the residue from

---

5. כדאי להעתיק כאן מה שראיתי בספר מחזה אליהו סי' ס"ב אות ג וז"ל אם מותר להדיח כלים לסעודת הצהרים, כאשר בלאו הכי יש כלים מוכנים וראוים שיכול להשתמש בהם ורק בכדי שלא יהא ריבוי גדול של כלים להדיח במוצאי שבת, רצונו להדיח אלו שהשתמש בהם בליל שבת, ולחזור ולהשתמש באותם הכלים לסעודת הצהרים. תשובה יש ללמוד מדברי התוספתא, דהתיר הדחת עשר כוסות אף דאינו צריך אלא לאחד מהם, דאיסור הכנה משבת לחול, חל אך ורק על פעולה שלא מתיחסת לשבת כלל אלא לחול בלבד דאז זילזל בכבוד השבת דהכין בה לימי החול. אבל פעולה המתיחסת לשבת אפילו רק בגדר "כל חדא וחדא חזי ליה" אין בו איסור, אף דוודאי היה יכול למנוע מזה, ולשבת אין שום רווח מפעולה זו דהא להדיח עשר כוסות שוות ג"כ הותר בתוספתא וכמש"כ. ומזה נלמד דכל שהטירחא מכין את הדבר לשבת, אף דאין רווח מהטירחא, מ"מ אין בו שום איסור. ולפ"ז פשוט דכ"כ נד"ד דמותר. דסוף סוף הרי ישתמש בכלים אלו שמדיח לסעודת הצהרים. ולכן, אף דבידו למנוע מלטרוח טירחא זו מ"מ לדינא אין בו איסור. אולם מובן מאליו דאם בקל יכול למנוע עצמו מטירחא יתירה זו, הרי זה חסידות של ממש שלא לטרוח בכדי בשבת, ובוודאי יקבל שכרו. וכזה מבואר בהדיא בדברי התוספת שבת סי' שכ"ג ס"ק ח' וז"ל ומזה נלמד דה"ה לענין הדחת כלים, אם יש לו עוד כלים אחרים נקיים טוב שלא להדיחם בשבת כלל והטעם משום טורח עכ"ל. הרי דמדינא אין בזה איסור אבל מדת חסידות יש בזה. וזהו גם כוונת העה"ש שם ס"ק ז' ע"ש. וע' בס' בני ציון על או"ח סי' שמ"ג דהמחבר הגרב"צ לייכטמאן זצ"ל והג' ר' מנשה קליין שליט"א חולקים בדינא דנד"ד. והנלענ"ד כתבתי וכמבואר בהתו"ש שזכרנו. ודו"ק. עכ"ל.

וע' בשו"ת שבט הלוי ח"ה סי' ל"ט שמסתפק בזה וכתב שם דמנהג העולם להקל בזה. ובח"ו סי' מ"ב כתב שיש להחמיר כהתוספת שבת.

וע' בסדר אהל מועד [דרך א' נתיב ב] וז"ל מי שאין לו שלש קערות לשלש סעודות מותר להדיח הקערות שאכל בהם לפי שצריך להשלים שלש סעודות עכ"ל. מבואר שאם יש לו קערות מודחות אסור לו להדיח קערות מלוכלכות וזה לכאורה שלא כהני אחרונים.

hardening and becoming difficult to wash.[6] However, most Authorities disagree with this view and rule that rinsing is forbidden even for this purpose.[7]

Nonetheless, there are two permissible methods of ensuring that the residue does not harden.

1) One may leave a pan of soapy water in the sink before Shabbos, and stack the dishes in the pan.[8]
2) One may stack dirty dishes in a sink and wash his hands over the sink, allowing the water to flow over the dishes.[9]

Exemptions

Even dishes which are no longer needed may be washed on Shabbos to alleviate discomfort. For example, one is permitted to wash dishes which give off a foul odor or which might attract roaches. In such a case the dishes are not being washed in preparation for *Motza'ei Shabbos* but, rather, in honor of the Shabbos itself.[10]

Another exemption applies to silver utensils (e.g. goblets, cutlery) and similar dishes which are made of acid-sensitive materials. Such utensils may be soaked in water to prevent them from becoming permanently stained.[11]

Summary

Dishes which one needs on Shabbos may be washed; those no longer needed may not be washed.

If one has extra dishes it is preferable to use them rather than to wash dirty dishes and re-use them.

---

6. ששכ״כ פי״ב ס״ג, וע״ע בזה בשו״ת מחזה אליהו סי׳ נ״ה.
7. כן שמעתי מהרבה פוסקי זמנינו שליט״א.
8. פשוט הוא, והסכים לי בזה הגאב״ד דדעברצין שליט״א.
9. עפ״י המ״ב סי׳ שכ״א ס״ק כ״א והסכים לי בזה הגאון ר׳ ח.פ. שיינבערג שליט״א.
10. שו״ת. ציץ אליעזר חי״ד סי׳ ל״ז. ולכאורה יש ראיה לזה מהא דמותר להציע המטות אף שא׳צ לשבת, אם הוא מגונה ובזיון לשבת [ע׳ מ״ב סי׳ ש״ב ס״ק י״ט].
11. ששכה״כ פי״ב הלכה ב׳, ושו״ת מחזה אליהו סי׳ נ״ה.

It is permissible to wash dishes to alleviate discomfort (e.g. foul odor). It is also permissible to rinse or to soak dishes which might become permanently stained.

II. Means of Washing Dishes

Washing Dishes With Hot Water

In cases where one is permitted to wash dishes, the use of hot water is also permitted. However, it is forbidden to open the hot water tap on Shabbos[12] and, consequently, only hot water which was prepared before Shabbos (in a kettle or urn) may be used.

It is forbidden to pour hot water over dishes that contain hardened grease, because doing so will dissolve the grease, in violation of *molid*[13] (see Chapter 12). Nevertheless, one may *cause* the grease to dissolve by immersing the dishes in hot water (in a *kli sheni*).[14] One must refrain, however, from rubbing the grease to dissolve it manually.

Soap and Dishwashing Detergent

It is forbidden to use a bar of soap on Shabbos.[15] [There are three separate prohibitions which can apply to bars of soap, including מְמַחֵק: *scraping,* מְמָרֵחַ: *smoothing,* and מוֹלִיד: *molid*.] According to most *Poskim* the use of liquid soap is permitted.[16]

---

12. ששכה״כ פרק א׳ הלכה לט. וע׳ בספר חימום המים בשבת פ״ז לבירור הענין.

13. מ״ב ס׳ רנ״ג ס״ק ק. וע׳ בחודשי רע״א על המג״א ס׳ רנ״ג ס״ק מ״א.

14. החיי אדם כלל כ׳ סי״ט.

15. רמ״א ס׳ שכ״א ס״י דאסור משום מוליד, והמ״ב בסק״ל הביא בשם התפארת ישראל דבבורית שלנו שהיא רכה לכ״ע אסור משום ממחק עי״ש וכן כתב בשו״ת אג״מ או״ח ח״א ס׳ קי״ג, ובשו״ת מנחת יצחק ח״ז ס׳ כ. ויש פוסקים [שו״ת ארץ צבי ס׳ א, שו״ת יביע אומר ח״ד ס׳ כ״ז] שסוברים שדווקא בסבונים בימיהם שלא היו חלקים ועל ידי הרחיצה בהם נעשה חלקים יש בזה איסור ממחק, אבל סבוני רחצה שלנו שבלא״ה הם חלקים אין בזה משום ממחק עי״ש.

16. כף החיים סי׳ שכ״ו ס״ק מ״ג, ערוך השלחן סי׳ שכ״ו סי״א, שלמי יהודה פ״ט ה״ג בשם הגרי״ש אלישיב שליט״א. וכן שמעתי מהרבה פוסקי זמנינו שליט״א. וע׳ בספר

Some, however, advise that one add water to the soap beforehand, so that it is very fluid.[17] [There is special "Shabbos soap" available on the market, which is more fluid than standard liquid soap.]

Sponges and Scouring Pads

It is forbidden to use a sponge, washcloth, paper towel or other absorbent article to wash dishes because it is inevitable that water will be wrung from them while washing, in violation of *sechita*. For the same reason, it is forbidden to use steel wool or synthetic scouring pads which trap water between their fibers.

However, one may use a synthetic pad whose fibers are widely spaced and cannot trap water. The use of a nylon bottle brush is likewise permitted. A rubber scraper may also be used to wash dishes. [These *halachos* are discussed at length in Chapter 18.]

Storing Dishes In A Dishwasher

Dirty dishes may be stored in a dishwasher. The dishes may be placed in their proper position inside the dishwasher; however, one must beware of violating the prohibitions of *borer* (sorting) and *preparing*:

1) Different types of dishes which are mixed together may not be sorted (see Chapter 7). Therefore, when clearing off the table one should avoid mixing different types of dishes together. The dishes should be grouped separately until they are placed in the dishwasher.

2) Mixed cutlery may not be sorted, but must be placed in the dishwasher at random.

קיצור הלכות שבת סי׳ ל״ב ס״ד וז״ל וכבר נהגו העולם להשתמש בו בשבת. וע׳ בשו״ת אג״מ או״ח ח״א סי׳ קי״ג וז״ל ובדבר להתרחץ עם בורית בשבת ויו״ט וכו׳ ולבסוף מסיק ולכן אין נוהגין בביתי היתר זה וכן ראוי להחמיר.

17. שו״ת אז נדברו ח״י סי׳ ט״ז, ועיי״ש שכתב שטוב שיערבנו מע״ש ונראה שגם האג״מ סובר באופן זה שמותר.

3) If the dishes were improperly positioned inside the dishwasher, one may not rearrange them according to size or category.[18]

[Note: It is forbidden to run a dishwasher on Shabbos, even if turned on by a Gentile or by an automatic timer.] [See *Sanctity of Shabbos*, page 89.]

---

18. שו"ת אג"מ או"ח ח"ד סי' ע"ד דיני רחיצה ס"ק ד, וכן שמעתי מהרבה פוסקי זמנינו שליט"א.

20 / מוּקְצָה — Muktzah

It is forbidden on Shabbos to move articles which fall into the category of *muktzah*. A comprehensive analysis of these *halachos*, is beyond the scope of this work. However, since *muktzah* applies quite frequently in food preparation, and particularly often in cleaning off the table, we will present a *brief introduction* to the relevant *halachos* along with a discussion of specific cases where *muktzah* commonly applies during Shabbos meals.

I. Categories of Muktzah

There are three categories of *muktzah* which most commonly occur in the kitchen. These are:

A. כְּלִי שֶׁמְּלַאכְתּוֹ לְאִיסּוּר: *Utensils of prohibited use;* these are utensils that are used primarily for activities prohibited on Shabbos (e.g. hammers, screwdrivers).

B. מוּקְצָה מֵחֲמַת גופו: *Inherently muktzah*; these are items which have no practical use (e.g. rocks, raw fish, nutshells).

C. בָּסִיס לְדָבָר הָאָסוּר: *A base for a muktzah article;* this is an item that is used to hold or support a *muktzah* object (e.g. candlesticks used to hold candles, the tray and table on which candlesticks rest).

The *halachos* of each category will now be explained briefly.

A. כְּלִי שֶׁמְּלַאכְתּוֹ לְאִיסּוּר — Utensils of Prohibited Use

A utensil whose primary use is for actions forbidden on Shabbos (e.g. a hammer) may not be moved on Shabbos, except when needed for one of the following specific purposes:

1) לְצוֹרֶךְ גוּפוֹ — When needed to perform a permissible act[1] (if no other implement is available.[2])

For example, a hammer may be used to crack open a coconut.

2) לְצוֹרֶךְ מְקוֹמוֹ — When the place on which it rests is needed.[3] For example, a hammer that was left on a table may be moved if one needs the place at the table.

It is forbidden to move a *utensil of prohibited use* simply to put it away or to prevent it from being damaged (e.g. bringing it in from the rain).[4]

B. מוּקְצֶה מֵחֲמַת גוּפוֹ — Inherently Muktzah

An item which has no practical function on Shabbos (e.g. rocks, empty nut shells) may not be moved for any purpose.[5]

C. בָּסִיס לְדָבָר הָאָסוּר — A Base for a Muktzah Article

An item that is used to support a *muktzah* article has the same halachic status as the article which it supports. Furthermore, an item that served as a base for *muktzah* at the onset of Shabbos retains its *muktzah* status the entire Shabbos, even if the *muktzah* article is removed.[6]

To illustrate: A candelabra in which candles were lit may not be moved at all, even after the candles burn out, because the candles and the flames which it supported at the onset of Shabbos were, themselves, *inherently muktzah*.

---

1. מחבר סי׳ ש״ח ס״ג.

2. מ״ב ס״ק י״ב.

3. מחבר הנ״ל. וע׳ בשו״ת מחזה אליהו סי׳ מ״ו שמחדש שמותר להסיר כלי שמלאכתו לאיסור מהחדר כאשר הויתו שם מפריע לו. וע׳ בשלמי יהודה בקונטרס בסוף הספר מהגאון ר׳ ח.פ. שיינבערג שליט״א דף שא שהביא דברי המחזה אליהו ומפקפק על דבריו.

4. מחבר הנ״ל.

5. רמ״א סי׳ ש״ח ס״ז.

6. ש״ע סי׳ ש״ט ס״ד, סי׳ ש״י ס״ז. וע׳ ששכה״כ פרק כ׳ ציון קנז וז״ל וע׳ בפמ״ג מ״ז בהקדמתו לסימן סוף ס״ק ד דמצינו בסיס אפ׳ בהניח ההיתר על האיסור כל שההיתר משמש לאיסור. וע׳ דעת תורה ס׳ ש״ט ס״ד עכ״ל. וע״ע באז נדברו ח״ט ס׳ כ״ו.

We repeat that this outline covers only a fraction of the *halachos* of *muktza,* and is intended merely as an introduction to the following practical applications which pertain specifically to Shabbos meals.

II. Practical Applications

כְּלִי שֶׁמְּלַאכְתּוֹ לְאִיסּוּר — Utensils of Prohibited Use

A. Pots and Pans

A large pot that is used primarily for cooking (not for storage) is considered a *utensil of prohibited use* . While empty, such a pot may be moved only 'for a permissible use' (e.g. to store food) or 'for its place' (e.g. to clear off a countertop), but not simply to be put away.[7] The same holds true for pot covers.[8]

---

7. מ״ב ס׳ ש״ח ס״ק כ וז״ל קדירה שמלאכתה הוא לבישול ורק לפעמים משתמשים בה למים ולפירות הוא בכלל כלי שמלאכתו לאיסור אם לא שיש בה מהתבשיל [פמ״ג מהרשב״א] עכ״ל. אכן החיי אדם כלל ס״ו ס״ג כתב דקדירה הוה בכלל כלים שמלאכתם לאיסור ולהיתר וכו׳ דאף על פי שמבשלין בו מכל מקום דרך להשתמש בו בלא בישול, ולכן אין אדם מקצה דעתו בהן והן מוכנים לטלטל עכ״ד, וכן פסק הקיצור השלחן ערוך סי׳ פ״ח ס״ח.

ולכאורה צריכים להבין המחלוקות בין הפמ״ג והחיי אדם אם קדירה מיקרי כלי שמלאכתו לאיסור או כלי שמלאכתו לאיסור ולהיתר, וכי תימא דפליג במציאות זה קשה לומר. וראתי בספר לחמי השלחן דף עד שלמד דאין כאן מחלוקות וזהו תוכן דבריו דיש ב׳ סוגי קדירות, סוג א׳ דנעשה רק לבישול ורק לפעמים מניחין בתוכו איזה תבשיל וכדומה והוא קדירות הגדולים שנעשו לבשל על סעודות גדולות או משפחה גדולה, ועל פי רוב קדירות כאלו אין נוחה בהם השימוש לולי הבישול מפאת גדלותם וקשה לטלטלם, אמנם אעפ״כ לפעמים מזדמן שמשתמשים בהם כגון אחר הבישול שנשאר קצת אוכל וכדומה, ולכן אעפ״י שלפעמים משתמשין בה בהיתר, כיון דעיקר מלאכתם הוה מיוחד לאיסור נקרא כלי שמל״א כיון שעיקרה מיוחדת לבישול ובזה מיירי הרשב״א והפמ״ג. סוג ב׳, קדירות ממוצעות וקטנים אשר נוחה בהם השימוש גם לולי הבישול, ולפעמים מריקין לתוכו התבשיל הנשאר אחר הבישול בקדירה גדולה וקשה להחזיקים בקדירה גדולה מריקין הנשאר לתוך קדירה קטנה הנוחה להתטלטל ולהשתמש בו וכו׳ נמצא שקדירות כאלו כיון שמשתמשין בה הרבה לצורך היתר הוה כמלאכתם לאיסור ולהיתר דמיוחד לשניהם, ובכלי שמיוחד לשניהם אעפ״י שמשתמשים לאיסור יותר מהיתר הוה ככלים שמלאכתם להיתר ע״ש.

8. מנחת שבת סי׳ פ״ח ס״ק כ״ב ענף ד׳.

If the pot is dirty and constitutes a source of discomfort or embarrassment, it may be removed to a different location.[9]

However, while the pot contains food it is not considered *muktzah* and may be moved (with its cover) for any reason (e.g. to put in the refrigerator).[10]

B. Pyrex, CorningWare, Small Pots

Dishes that are commonly used for both cooking and food storage (e.g. Pyrex, Corningware) are not *muktzah* and may be moved for any reason. Small pots are included in this category, since they are often used to store leftovers.[11]

C. Dishwashers

One is permitted to put dishes in a dishwasher.[12]

D. Small Appliances

Crockpots, urns, hot plates and similar appliances are all considered *utensils of prohibited use.*[13]

E. A Blech

A Shabbos *blech* is not *muktzah*.[14]

F. Brooms

Soft-bristled brooms are not *muktzah*.[15] Brooms with hard

---

9. ביאור הלכה רי״ש סי׳ ש״ח ד״ה כל שמלאכתו להיתר.

10. מ״ב סי׳ ש״ח ס״ק כ, כו,

11. ע׳ ציון 7. ואפי׳ אם משתמשים אם הקדירה יותר לאיסור, מצדד הבאור הלכה ד״ה קרדום לחתוך להיתר, ובקצות השלחן ס׳ ק״ח בבדי השלחן ס״ק י״ב כתב דמותר.

12. שו״ת מחזה אליהו סי׳ ס.

13. כן שמעתי מהגאון ר׳ ח.פ. שיינבערג שליט״א וע״ע בזה בשו״ת מנחת יצחק ח״ו ס׳ כ״א.

14. כן שמעתי ממרן הגר״מ פיינשטיין זצ״ל.

15. שלמי יהודה פ״ט הלכה ה׳ וז״ל דהנה נחלקו הפוסקים. שיטת הגר״מ פיינשטיין זצ״ל (מובא בספר הלכות שבת מלאכת חורש הערה קטו) דמותר לטאטא בשבת, ולדידיה פשיטא דאינו מוקצה, שיטת הגרי״ש אלישיב שליט״א שיש להדר שלא

bristles which break easily are considered *utensils of prohibited use.*[16]

G. Sponges and Mops

Sponges and mops are *utensils of prohibited use*. (See pp. 195-197)

III. Practical Applications

מוּקְצֶה מֵחֲמַת גוּפוֹ — Inherently Muktzah Food Items

A. Inedible Raw Food

Any raw food item which is inedible is considered *inherently muktzah* since it has absolutely no function on Shabbos.[17]

Therefore, flour, yeast, dough, uncooked spaghetti, rice and beans, raw potatoes and raw fish are all *inherently muktzah* and may not be moved at all on Shabbos.

B. Other Raw Foods

Any raw food that is edible is obviously not *muktza*. Even foods which were purchased for cooking are not *muktzah* if people occasionally eat them raw (e.g. cauliflower, broccoli).[18]

Raw eggs are not *muktzah* because there are people who occasionally eat them.[19]

C. Raw Meat and Poultry

In the Talmudic Period it was not uncommon for people to chew meat and, therefore, raw meat was considered an edible item. Nowadays, however, it is unusual to do so; raw meat and poultry must therefore be classified as *inherently muktzah*.

Accordingly, when removing food from the freezer, one should avoid moving aside any raw meat which is in the way.

לטלטלו בשבת ואעפ״כ אינו מוקצה, כי אינו אסור אלא מחמת חומרא.

16. שלמי יהודה הנ״ל בשם הגרי״ש אלישיב שליט״א.

17. ש״ע או״ח ס׳ ש״ח סכ״ז.

18. ש״ע או״ח סי׳ ש״י ס״ב.

19. ש״ע ס׳ שכ״ח סל״ח, ערוך השלחן סי׳ ש״ח ס׳ נ״ח.

However, in cases of necessity, one is permitted to move raw meat and poultry.

Therefore, if raw meat makes it impossible to reach other foods in the freezer, the meat may be moved.[20]

D. If a Freezer Breaks Down

As mentioned above, raw meat and poultry may be moved in cases of necessity, including a freezer breakdown. Other raw foods which are completely inedible (e.g. raw fish) may be moved only to avoid a substantial financial loss.[21]

What constitutes a substantial loss depends upon many factors, such as the individual's financial status and current economic conditions. Therefore, each individual should consult a competent Halachic Authority to advise what is considered a substantial loss in that individual's particular situation.

IV. Inherently Muktzah Food Waste

Food waste which is not fit for consumption (e.g. eggshells, nutshells, pits, bones) is considered *inherently muktza*, and may

---

20. בשלחן ערוך ס׳ ש״ח ס׳ ל״א איתא בשר חי אפילו תפל שאינו מליח כלל מותר לטלטלו משום דחזי לאומצא. והמ״ב שם ס״ק קכ״ה כתב וז״ל היינו שיש בני אדם שדעתם יפה וכוססין בשר חיי והנה ממג״א מבואר דדוקא במין הרך כגון יונה ובר אווא אבל בשר בהמה אינו חזי לכוס ואסור לטלטלו אבל בט״ז פוסק דאפילו בשר בהמה טפל מותר לטלטלו וכו׳ וע״כ אף שראיתי בהרבה אחרונים שהעתיקו דברי המ״א לדינא במקום הדחק יש לסמוך על המקילים עכ״ל.

והנה בזמנינו לכאורה יש לעיין אי נוגע דין זה כיון שלא ראינו ושמענו שאנשים ינהגו לאכול בשר חי, ואם ההיתר הוא מכח דיש אנשים שאוכלים אותו אין זה היתר בזמנינו, וכ״כ הערוך השלחן ס׳ ש״ח ס׳ נ״ח, מסגרת השלחן ס׳ פ״ח ס״ק ה׳; ולעומת זה אנו רואין שהרב שלחן ערוך ס׳ ס״ח, והמ״ב בס״ק קכ״ה הביאו הלכה זו אף דגם בזמניהם לא היו אוכלים בשר חי, ולכאורה הם למדו דכיון דראוי לאכול וגם יש איזו אופן שאוכלים אותו כמו בזמן המלחמה על כן לא הוי מוקצה. ונפ״מ יש בדין זה בבשר המונח freezer ויהיה לו הפסד אם לא יטלטל הבשר. ונראה דבאופן של צורך או הפסד יש לסמוך על המ״ב והערוך השלחן, ועפ״י זה כתבנו ההלכות בפנים. ואח״כ ראתי שכ״כ באז נדברו ח״ז ס׳ מ״ז. וכן שמעתי מהגאון ר׳ ח.פ. שיינבערג וע״ע בזה בשלמי יהודה בקונטרס של הגאון ר׳ ח.פ. שיינבערג שליט״א דף רס״ג שהאריך בזה.

21. שלמי יהודה דף קלט בשם הגרי״ש אלישיב שליט״א.

not be moved on Shabbos. This poses a difficulty at virtually every meal: How does one clear away leftover shells and pits? The following section contains practical guidance for such situations.

A. Eggshells

It is best to peel eggs over a trash can so that the shells fall directly into the can.[22] Where this is impractical, one is advised to follow the procedure described below for nutshells.

B. Nutshells

Shells which contain some food remnant (as is often the case with walnuts) are not *muktza*.[23] When completely devoid of food, nutshells are *inherently muktza*. Therefore, when nuts are served at a meal, leftover shells which contain no food may not be cleared off the table by hand. Instead, one of the following procedures should be used:

1) Shell the nuts over a plate which has on it a morsel of food. One may then take the entire plate and empty it into a trash can.[24]

---

22. פשוט שזהו העצה הנכונה.

23. מ״ב ס׳ ש״ח ס״ק קי״ד.

24. המחבר בס׳ ש״ח סכ״ז כתב עצמות שראוים לכלבים וקליפים שראויים למאכל בהמה ופירורים שאין בהם כזית מותר להעבירים מעל השלחן, אבל אם אין הקליפים ראוים למאכל בהמה אסור לטלטלם אלא מנער את הטבלא והם נופלים, ואם יש פת על השלחן מותר להגביה הטבלא ולטלטלה עם הקליפים שאינם מאכל בהמה שהם בטלים אגב חפת ואם היה צריך למקום השלחן אפי׳ אין עליה אלא דברים שאינם ראוים למאכל בהמה מותר להגביה ולטלטלם עב״ל. [והמ״ב ס״ק קט״ז כתב דאפשר שאפילו לכתחילה מותר ליתן פת, והחיי אדם כלל ס״ז ס״ו כתב דמותר להניח לכתחילה פת] וע׳ בחזו״א הלכות שבת ס׳ מ״ח סק״ז וז״ל מבואר דבפת על השלחן שרי לטלטל אף באפשר לנער במקומו, וכו׳ מיהו על הרוב אי אפשר לנער במקומו שיהיו נדרסין תחת רגליו, והלכך מותר לטלטל הטבלא למקום האשפה או לאבוס ולנערם שם, וזהו בכלל צריך למקומו וכו׳ עב״ל.

מבואר מהחזו״א דבדרך כלל אין צריכין להיתר של פת כיון שאי אפשר לנער במקומו וממילא מותר לטלטל הפסולת ע״י הטבלא.

ועיין בהגהות חתם סופר לסעיף הנ״ל וז״ל ומשום הכי טוב להניח חתיכת פת בקערה

2) If shells spilled on the table and one 'needs the place' of the shells (e.g. to serve other food) or wants the table cleaned in honor of Shabbos,[25] it is permissible to use a napkin[26] or utensil (e.g. a knife[27]) to push the shells into a plate or dustpan,[28] which may then be emptied into a trash can.

ולקלוף עליה קליפת הבצלים בשבת או קליפי האגוזים. ולכאורה צריכין להבין דברי החת״ס דאם הוא צריך להקערה הרי מותר לטלטל אף בלא פת כדאיתא במחבר הנ״ל דמותר להגביה הטבלא, ואם אינו צריך לקערה אלא להמקום, א״כ יכול נמי לטלטל הקערה בלא פת דהרי הקערה יהא דינה כמפה, ובכהאי גוונא ג״כ יהא מותר להמחבר דהרי צריך למקום השלחן ששם מונחת הקערה. וצריך לומר דהח״ס איירי כשאינו צריך להקערה ולא למקום הקערה, אבל הוא רוצה לטלטל מפני טעם אחר כגון שהתינוקות לא ישחקו בה וממילא כתב דצריך להשים פת על הקערה.

נמצא לדינא דאם הוא צריך להקערה או למקום הקערה מותר לקחת הקערה עם הקליפות ולזורקם לאשפה ואם אין צריך לא להקערה או למקום הקערה אז עושה העצה של פת ועפי״ז כתבנו ההלכות בפנים.

25. שעה״צ סי׳ של״ז ס״ק ז׳.

26. ע׳ בשבות יצחק דף ק׳ וז״ל מיהו לענין מעשה ע׳ בספר טעמא דקרא להגר״ח קנייבסקי שליט״א שכתב הוראת החזו״א בזה וז״ל אין להוריד בשבת הפירורין והפסולת מהשלחן בידים, ולא בכלי המיוחד לכך, רק ע״י נייר או דבר אחר ע״כ, והוסיף שם הגר״ח שכמדומה שאמר החזו״א שנוהגין כהט״ז שהובא במ״ב [הנ״ל סי׳ ש״ח ס״ק קט״ו] וגם בביתו של החזו״א נהגו כהט״ז, כן אמרי לי הגר״ח שליט״א עכ״ל.

27. מ״ב ס׳ ש״ח ס״ק קט״ו כתב וז״ל וה״ה אם מעבירם ע״י דבר אחר כגון שהוא מגרר אותם ע״י סכין מן המפה דמותר אם הוא צריך להשתמש במקום שמונח שם העצמות והקליפין דזהו מקרי טלטול מן הצד עכ״ל. ומקורו הוא מדברי הט״ז דסובר דזהו טלטול מן הצד [וע׳ בבאר הטיב ס״ק ל״ד בזה].

והנה בשו״ע הרב ס׳ ש״ח סעיף ס׳ פליג על הט״ז וסובר דבכה״ג אינו טלטול מן הצד אלא רק כטלטול גמור דהך דבר אחר הוי כידא אריכתא, והחזיק שיטתו בס׳ רנ״ט קו״א אות ג, אבל בדעת תורה סי׳ ש״ח ס׳ כ״ז הביא דמפורש ברמב״ן במלחמות פ׳ כל הכלים [דבפי׳ אחד כתב] דמשום הכי מותר לכבד את הבית אע״פ דמטלטל העפר דהוה מוקצה משום דהוה טלטול מן הצד והתירו טלטול מן הצד לכבוד שבת שיהא הדירה נאה הרי מפורש דכה״ג דמטלטל העפר ע״י המטאטא מיקרי טלטול מן הצד וכשיטת הט״ז.

28. הנה לכאורה צריך להיות אסור להניח הקליפות על הקערה משום דמבטל כלי מהיכנו אכן י״ל דמותר לפמ״ש המ״ב סי׳ רס״ה ס״ק ה׳ דמותר ליתן כלי תחת נר של שעוה כשחושש שמא יפול וידליק מה שתחתיו ומטעם דכיון דאפשר לנער מיד האיסור מתוך הכלי לא חשיב מבטל כלי מהיכנו עכ״ל, ומשמע מדבריו דאע״ג דאין דעתו לנער לא מיקרי מבטל כלי מהיכנו הואיל ואפשר לנער, וכ״כ בספר שבות יצחק דף רמ בשם

3) If the table is full of shells, constituting a source of discomfort, one may clear off the shells by hand.[29]

C. Pits

Inedible pits are *inherently muktzah* and should be cleared off in the same manner as shells. Pits which have some food remnants attached (e.g. peach pits) are not *muktzah*.

D. Bones

Any bones which have some meat attached to them, or which are themselves edible (e.g. chicken bones), are not *muktzah*.[30]

Moreover, in a neighborhood where dogs are common, bones fit for canine consumption are not *muktzah*, even to one who does not own a dog.[31]

Bones fit for neither human nor canine consumption are *inherently muktzah* and may be cleaned away only in the manner described above (par. B).

הגאון ר׳ יוסף שלום אלישיב שליט״א. [וע׳ בשו״ע הרב בקו״א לס׳ רס״ו אות י״א דכתב דזהו מחלוקת ראשונים] וראיתי בס׳ בן איש חי סוף פרשת מקץ וז״ל כל דבר שאסור לטלטלו אסור ליתנו בתוך כלי משום דהוי מבטל כלי מהיכנו ולכן אסור להניח כלי על השולחן להניח בו קליפי אגוזים או קליפי ביצים וכיוצא בדברים שאינם ראוים למאכל אדם ודוקא אם הכלי ריקן שאין בו דבר אחר עכ״ל וזהו דלא כדברי המ״ב. ולענין dustpan י״ל טעם אחר דלא יהא בו ביטול כלי מהיכנו כיון דעומד לכך ע׳ ששכ״ה פרק כב הערה מ״ז בשם הגרש״ז אויערבך שליט״א וע׳ באורך בס׳ שבות יצחק דף רלא.

29. מ״ב ס׳ ש״ח ס״ק קט״ו.

30. מ״ב ש״ח ס״ק קי״ד.

31. המחבר בסעיף כ״ט כתב כל שהוא ראוי למאכל חיה ועוף המצויים מטלטלים אותו ואם אינו ראוי אלא למאכל חיה ועוף שאינן מצויים אם יש לו מאותו מין חיה או עוף מותר לטלטל מאכל הראוי לאותו מין ואם לאו אסור. וע״ז כתב הרמ״א ולפי זה מותר לטלטל עצמות שנתפרקו מן הבשר מע״ש אם ראוים לכלבים דהא כלבים מצויים.

וע׳ בספר ברכת השבת דף קז ולכאורה הי׳ מקום לומר דענין המצויים שמחשיבו למאכל בהמה הוא רק אם הדרך להשליכו לכלבים, ובזמן הזה אף דמצויים כלבים מ״מ מי שאין לו כלב אין דרכו לתת לכלבו של חבירו ואולי בכה״ג אסור, אבל פשטות הדברים נראה דשרי והטעם דשרי הוא משום דכיון שמצויים חל שם מאכל בהמה על העצמות וסגי בזה ולא בעינן שנותנים אותם לפני הכלבים בפועל. ויש לעורר ספק נוסף דאף דכלבים אוכלים עצמות מ״מ בזה״ז אין נותנים להם עצמות אלא מאכלים אחרים,

E. Fruit and Vegetable Peels

Edible peels (e.g. apple peels) are not *muktzah*. Peels fit for canine consumption are also not *muktzah* in a neighborhood where dogs are common. Peels that are not fit for humans or dogs are *inherently muktzah* and may be moved only in the manner described above (par. B).

V. Practical Applications

בָּסִיס לְדָבָר הָאָסוּר – A Base for a Muktzah Article

A. Candlesticks on a Table

A table on which kindled candlesticks were left at the onset of Shabbos is considered a *base for a muktzah article* (i.e. the flame). Therefore, the table may not be moved at all, even after the candles burn out.[32]

If, however, a significant non-*muktzah* item (e.g. *challah)* is also on the table when Shabbos arrives, the table does not get the status of *base for a muktzah article*, but rather *base for muktzah and non-muktzah* (בָּסִיס לְאִיסוּר וּלְהֶתֵּר), which may be moved in certain cases. It is therefore customary to place *challah* on the table before lighting candles.[33]

A *base for muktzah and non-muktzah* may be moved לְצוֹרֶךְ גוּפוֹ, (if the table itself is needed in a different location), or לְצוֹרֶךְ מְקוֹמוֹ (if one needs to make use of the area on which the table rests). Even in these cases it is preferable, if possible, to first shake the *muktzah* item off the table.[34]

B. Candlesticks on a Tray

A tray upon which candlesticks are placed is a *base for a muktzah article*. However, according to some *Poskim*, if one

---

ואולי נאסור מה"ט ונראה להתיר גם בכה"ג עי"ש. וכ"כ בספר שלמי יהודה פ"ז הלכה ג. [וע' במ"ב ס"ק קי"ט ובשו"ת מנחת יצחק ח"ז ס' ט"ז.]

32. מחבר ס' רע"ט ס"א ומ"ב ס"ק א.

33. מ"ב ס' רע"ז ס"ק י"ח.

34. שו"ע סי' ש"ט ס"ג וי"ד, ומ"ב שם.

places an item of significance on the tray *Erev Shabbos*, the tray is considered a *base for muktzah and non-muktzah*, which may be moved if one needs to use the area on which the tray rests.[35]

Thus, if one wishes to change the tablecloth, he is permitted to lift a tray containing both candlesticks and *challah*.

---

35. הפמ״ג בא״א ס׳ רע״ט ס״ק י׳ וז״ל ויש לי לדון באותם המניחים טס כסף וכדומה כעין
ספסל קטן ועליהם מעמדים הנרות, דאם מניח על טס דבר חשוב כמאכל וכדומה או
כלים חשובים שרי ול״ד למנורה שעיקרה לשלהבת, משא״כ טס זה לפעמים מניח עליו
דברים אחרים ועדיין צ״ע עכ״ל.

מבואר דהפמ״ג נוטה להתיר אבל נשאר בצ״ע, והששכ״ה פרק כ׳ הלכה סג כתב
לדבר פשוט דנעשית בסיס לדבר איסור והיתר עי״ש. וראיתי בשו״ת ציץ אליעזר חי״ב
סי׳ ל׳ שהאריך בזה וכתב שראה בעצמו בקטנותו בבתי ת״ח יראים ושלימים שנהגו
היתר (ע״י שימת לחם על הטס) משום רווחא דשולחנא ונוחיות הישיבה והאכילה
מסביב השלחן ומביא הפמ״ג הנ״ל ועוד ציריפים, וכן שמעתי מהגאון ר׳ ח.פ. שיינבערג
שליט״א.

Appendix

Index

Appendix

A. Shabbos Clocks

Heating food with an appliance that is turned on electronically during Shabbos by a pre-set timer (i.e. either a timer that is built into the appliance or a separate "Shabbos clock") is the subject of much controversy.

Some Authorities permit using a timer to turn on an appliance that will heat food, but only under the following conditions:

1. The food must have been completely cooked before Shabbos.

2. The heating element must be covered by a proper *blech*, as detailed in Chapter 4.

3. The food must be placed in the appliance (i.e. inside the oven or crockpot, or on the hotplate) before Shabbos.[1]

Other Authorities forbid using a timer to heat food on Shabbos, even under the aforementioned conditions.[2] Nevertheless, they permit the use of a timer to *turn off* an appliance that was working at the onset of Shabbos.[3]

Hagaon Rav Moshe Feinstein *zt"l* held an even stricter view. He was vehemently opposed to the use of timers for *any purpose* other than controlling lights. It is best to heed his view.[4]

---

1. חזו"א או"ח סי' ל"ח ס"ק ב, שו"ת הר צבי או"ח סי' קל"ו.

2. שו"ת אג"מ ח"ד סימן ס', שו"ת מנחת יצחק ח"ד סי' כ"ו, שו"ת באר משה ח"ו קונטרס אלקטריק ס"ב, שו"ת משנה הלכות ח"ד סי' ל"ד שו"ת אז נדברו ח"ב סי' י"ז. וע"ע בזה בספר שיח אהרן דף 34.

3. כן שמעתי מהרבה פוסקי זמנינו שליט"א.

4. שו"ת אג"מ או"ח סימן ס'. ועיין בתשובה בכתב יד ממרן זצ"ל משנת תשמ"ג וז"ל ולעשות מלאכה בשול בשבת ע"י שעון חשמלי שיבעיר למחר כזמן הבשול קודם האכילה שאסרתי בסימן ס', אין להקל אף כשהוזמנו לשבות אצל אחד שמקיל בזה, ודאי

B. Opening Refrigerators

One must disconnect the light bulb that is inside a refrigerator or freezer before Shabbos, for it is forbidden to open the refrigerator door if this will cause the light to go on. Additionally, some freezers are equipped with a switch that automatically turns the fan off when the door is opened. This switch must also be disconnected before Shabbos.[See Sanctity of Shabbos p. 48]

With ordinary refrigerators another question exists. Opening the door while the motor is off and thereby allowing warm air to enter the refrigerator might cause the motor to begin working. Some Authorities raise doubt as to whether this is permitted and therefore rule that one should not open a refrigerator door unless the motor is running.[5] Nevertheless, many authorities rule that one is permitted to open a refrigerator even while the motor is off.[6]

אצלי שאין להתיר זה ורק בהדלקת וכבוי הנרות דחשמל שנהגו העם להתיר אין למחות, ואולי גם מותר לכתחילה, ואין למילף מזה לשאר דברים אף שלא ידוע טעם לחלק עכ״ל.

5. שו״ת הר צבי או״ח ח״א ס׳ קנ״א אג״מ או״ח ח״ב ס׳ ס״א, שו״ת חלקת יעקב ח״ג סי׳ קע״ט, מנחת יצחק ח״ב סי׳ ט״ז חי׳ הגר״י קנטרוביץ ענינים שונים עמוד צג. וע׳ בעדות ישראל עמוד 122 שכתב שראוי להזהר שלא לפתחו כשאינו פועל.

6. מנחת שלמה ס״י, שו״ת ציץ אליעזר ח״ח סי״ב, וחי״ב סי׳ צ״ב שו״ת משפטי עוזיאל מהדו״ת או״ח סי׳ ל״ז, שו״ת ישכיל עבדי ח״ה או״ח סי׳ ל״ו. וכן שמעתי ממרן הגר״מ פיינשטיין זצ״ל.

Index

לזכר ולע״נ
מרת איידל בת ר׳ קלונמיס קלמן ע״ה
הרה״ח ר׳ חיים שרגא ב״ר אליעזר ז״ל
מרת שרה גיטל בת ר׳ אברהם דוד ע״ה
ז״ש מרת שיינדל בת ר׳ ישראל ע״ה
הר״ר ישראל יואל חיים ב״ר משה יוסף ז״ל
מרת הענדיל בת ר׳ טובי׳ הי״ד
הר״ר נחום דוב ב״ר אברהם יהודה ז״ל
מרת מרים דבורה בת ר׳ ארי׳ לייב הכהן ע״ה

❀ ❀ ❀

לזכר נשמת האשה הרבנית הצדקנית
מלכה בת ר׳ יהושע אהרן
אשת הגאון ר׳ ברוך זאקס שליט״א
הונצח ע״י זלמן זאב שפירא ורעיתו

❀ ❀ ❀

לזכר נשמת רב מאיר יעקב בן יצחק אהרן פערלשטיין
נפטר ז׳ אדר תשנ״א
הונצח ע״י בנו ר׳ יחיאל מרדכי פערלשטיין

לזכר נשמת האשה
רבקה בת ר׳ פנחס ע״ה

❧ ❧ ❧

לזכר ולע״נ
ר׳ שמואל יו״ט ב״ר דוד נח זל
נפטר בשם טוב ובשבה טובה ערב ר״ח תמוז תשנ״א
תמים בדרכיו ישר בהליכותיו
נשא ונתן באמונה ורוח הבריות נוחה הימנו
זכה לשלשלת בנין וחתנין רבנן ונכדים הממשיכים בזה
ת.נ.צ.ב.ה.

❧ ❧ ❧

לז״נ ר׳ שלמה בן החבר יוסף ז״ל
נפטר כ״ד אלול תשל״ח
ת.נ.צ.ב.ה.

❧ ❧ ❧

לעילוי נשמת הרב יהודה ליב בן ר׳ יעקב
ומרת רחל בת ר׳ אפרים צבי
מאת אברהם מאיר סטפנסקי ורעיתו

לזכר נשמת האשה הינדא בת הרב הגאון ר׳ חיים פסח פעטמאן זצ״ל
נפטרה כ״ה תמוז תש״מ
הונצח מאת בנה, הרב ישראל יעקב מייזעלס שליט״א

❦ ❦ ❦

לזכר נשמת ר׳ אהרן אריה בן צבי
ורחל בת ר׳ יצחק
ר׳ יעקב בן ר׳ אברהם
פייגע בת ר׳ משה
הונצח ע״י הרב צבי קויפמאן שליט״א

❦ ❦ ❦

לזכר נשמת
מרת חיה רעכל בת ר׳ יצחק
ר׳ שמחה זאב בן ר׳ ברוך צבי
הונצח ע״י משפחת וסרמן

❦ ❦ ❦

לזכר נשמת
החבר ר׳ אהרן מאיר בן החבר ר׳ משה לונטל
הונצח ע״י משפחת לונטל